Deutsch als Fremdsprache

Übungsgrammatik für die Mittelstufe

Axel Hering

Magdalena Matussek

Michaela Perlmann-Balme

Hueber Verlag

Quellenverzeichnis

Umschlagfoto: © Strandperle/westend61
Seite 25:   Foto: © MHV-Archiv (Jens Funke)
Seite 57:   Foto: © PhotoDisc (Ryan McVay), Getty Images
Seite 63:   Zeichnung: Ludwig Richter, Verlag Rogner & Bernhard, Hamburg
Seite 67/85:   Foto: © MHV-Archiv (Dieter Reichler)
Seite 97:   Fotos oben: © (Ken Usami), unten: (Kim Steele) PhotoDisc, Getty Images
                Mitte: © Gerd Pfeiffer, München
Seite 147/149: Fotos: © MHV-Archiv (Werner Bönzli/Jens Funke)
Seite 157:   Foto: © Gerd Pfeiffer, München
Seite 171:   Maria Theresia/Victoria/Schubert © SZ-Photo/Scherl; Goethe/Hesse © SZ-Photo;
                Mozart © SZ-Photo/S.M.

8. 7. 6.   Die letzten Ziffern
2020 19 18 17 16   bezeichnen Zahl und Jahr des Druckes.
Alle Drucke dieser Auflage können, da unverändert,
nebeneinander benutzt werden.
1. Auflage
© 2009 Hueber Verlag GmbH & Co. KG, 85737 Ismaning, Deutschland
Die *Übungsgrammatik für die Mittelstufe* basiert auf der erfolgreichen *em Übungsgrammatik*,
die um 12 neue Grammatikkapitel und 12 Tests erweitert wurde.
Verlagsredaktion: Juliane Forßmann, Thomas Stark, Dörte Weers, Hueber Verlag, Ismaning
Umschlaggestaltung: creative partners gmbh, München
Fotogestaltung Cover: wentzlaff | pfaff | güldenpfennig kommunikation gmbh, München
Zeichnungen: Martin Guhl, Cartoon-Caricature-Center, Irmtraud Guhe, München
Layout und Satz: Thomas Schack, Ismaning
Druck und Bindung: Friedrich Pustet GmbH & Co. KG, Regensburg
Printed in Germany
ISBN 978-3-19-011657-7 (Buch mit eingelegtem Lösungsschlüssel)

Testblock: Testen Sie Ihre Grammatikkenntnisse! T1–T32

Die *Übungsgrammatik für die Mittelstufe* basiert auf der erfolgreichen *em-Grammatik*, die um zwölf neue Kapitel und zwölf Tests erweitert wurde. Sie vermittelt einen Überblick über die frequenten Phänomene der deutschen Grammatik, Rechtschreibung und Zeichensetzung. Frequente, moderne Gegenwartssprache steht dabei im Vordergrund. Zweifelsfälle und Ausnahmen werden ausgeblendet. Dadurch bleibt der Umfang überschaubar.

Die Übungsgrammatik eignet sich besonders gut zum autonomen, kursunabhängigen Lernen. Durch die integrierten Tests und den benutzerfreundlichen, separaten Lösungsschlüssel ist eine gezielte Selbstdiagnose möglich. Die herausnehmbaren Lösungen helfen Ihnen während der Arbeit, sich selber zu korrigieren. Die integrierten Tests ermöglichen Ihnen eine sichere Selbst-Einstufung. Sie stellen dabei zuerst einmal fest, was Sie alles bereits können. Dieser Einstieg über das schon vorhandene Wissen lässt Sie gezielt arbeiten. Festgestellte Lücken weisen den direkten Weg zur Erweiterung des Wissens.

Die Übungsgrammatik richtet sich an Lernende mit Grundkenntnissen. Die Übungen setzen auf dem Niveau A2 des Gemeinsamen europäischen Referenzrahmens ein, fassen bereits Bekanntes systematisch zusammen und ergänzen neue, feinere Aspekte. Was noch nicht richtig „sitzt", kann aufgefrischt und bis zu dem weit fortgeschrittenen Niveau C1 ausgebaut werden.

Die Übungen sind nach Schwierigkeitsgrad gestaffelt und mit den Symbolen I, II, III gekennzeichnet:

I	II	III
leicht	mittel	schwer
A2/B1	B1/B2	B2/C1

Kenntnisse der Grammatik-Termini sind für die Benutzer dieses Buches nicht notwendig. Auch wer nicht sicher ist, was z. B. ein Temporaladverb oder ein Konzessivsatz ist, findet sich mit Hilfe von Inhaltsübersicht und Register rasch zurecht. Das Inhaltsverzeichnis führt neben Fachbegriffen wie z. B. Verb oder Nomen gleichzeitig ein Beispiel auf. Die zweiteiligen Titel bilden die Kopfzeile der jeweiligen Doppelseite. So werden das Durchblättern und Auffinden leicht gemacht.

Jede Doppelseite ist gleich aufgebaut: Auf der linken Seite, der Darstellungsseite, sind die Strukturen und Regeln des jeweiligen Phänomens zusammengefasst – immer von den Hauptschwierigkeiten und -fehlerquellen der Lernenden ausgehend. Auf der rechten Seite schließen sich die Übungen an.
Diese Gegenüberstellung von Regel und Übung vermeidet mühsames Blättern und bietet ein hohes Maß an Übersichtlichkeit. Darüber hinaus bringt dieser Aufbau eine Aufteilung des Stoffs in gleichmäßige, gut zu bewältigende Lernportionen mit sich.

Die linke Darstellungsseite gliedert sich in die Abschnitte Funktion, Formen und Alternativen. Ausgangspunkt ist der funktionale Aspekt der grammatischen Strukturen. Das garantiert Praxisnähe: Wann bzw. wofür eine bestimmte Struktur verwendet wird, leuchtet sofort ein. Die Darstellung der Formen erfolgt in übersichtlichen Tabellen und Rastern.

Die Übungsgrammatik bereitet Sie optimal auf die wichtigsten Deutschprüfungen vor, da sich die Auswahl der Übungen auch am Prüfungsstoff des *Zertifikats Deutsch*, des *Deutsch-Tests für Zuwanderer*, der *Goethe-Zertifikate B2* und *C1* sowie am *TESTDAF* orientieren.

Wir wünschen Ihnen Spaß und Erfolg!

1.1 GENUS

der Mond – das Wasser – die Sonne

__1__ **Funktion**

der Mond
la lune
měsíc

das Wasser
l'eau
voda

die Sonne
le soleil
slunce

In vielen Sprachen werden die Nomen nach dem Genus unterschieden. In der deutschen Sprache gibt es das maskuline *(der Mond)*, das neutrale *(das Wasser)* und das feminine *(die Sonne)* Genus.

__2__ **Formen**

Bei vielen Nomen kann man das Genus leider nicht sehen. Deshalb lernen Sie die Nomen am besten immer zusammen mit dem Artikel. Bei einigen Nomen kann man das Genus aber erkennen.

ⓐ Das Genus richtet sich nach dem biologischen Geschlecht:

der Mann, der Student, der Professor	maskulin
die Frau, die Studentin*, die Professorin*	feminin

aber: *das Mädchen, das Fräulein, das Kind, die Person*
* Bei Berufen hat das feminine Wort in der Regel die Endung *-in.*

ⓑ Das Genus kann man an der Nachsilbe erkennen:

-er	*der Fehler* aber: *das Fenster, die Leiter*		maskulin
-ling	*der Schmetterling*		
-chen	*das Häuschen*	Diminutive	neutral
-lein	*das Bächlein*		
-t	*die Fahrt*		feminin
-e*	*die Reise*		
-ung	*die Zeitung*		
-heit/-keit	*die Freiheit, die Fröhlichkeit*		
-schaft	*die Mannschaft*		
-ei	*die Bäckerei*		

* aber: *der Junge* etc. *n*-Deklination s. Seite 18. Wortbildung s. Seite 22

ⓒ Das Genus kann man an der Bedeutung erkennen:

der Morgen, der Montag, der Januar, *der Frühling, ...* aber: *die Nacht*	Tageszeiten, Wochentage, Monate, Jahreszeiten	maskulin
der Norden, der Süden, der Osten	Himmelsrichtungen	
der Wind, der Regen, ... aber: *die Wolke*	Wetter	
der Wein, der Schnaps, ... aber: *das Bier*	alkoholische Getränke	
der BMW, der Mercedes, der VW	Automarken	
das Blau, das Weiß	Farbnamen	neutral
die Yamaha, die Harley-Davidson	Motorradmarken	feminin

1   Mann oder Frau? – der oder die?

a) *der* Sohn	e) .... Tochter	i) .... Schülerin
b) .... Tante	f) .... Onkel	j) .... Cousin
c) .... Bäcker	g) .... Nichte	k) .... Kundin
d) .... Politiker	h) .... Ministerin	l) .... Schwester

2   Maskulin, neutral oder feminin? – Unterstreichen Sie die Nachsilbe und ergänzen Sie den Artikel.

a) *die* Kind<u>heit</u>	h) .... Fernseher	o) .... Möglichkeit
b) .... Freundschaft	i) .... Liebe	p) .... Schmetterling
c) .... Schüler	j) .... Schrift	q) .... Hähnchen
d) .... Freiheit	k) .... Wäscherei	r) .... Computer
e) .... Sicht	l) .... Frühling	s) .... Lösung
f) .... Gruppe	m) .... Formulierung	t) .... Krankheit
g) .... Schalter	n) .... Brötchen	u) .... Bücherei

3   Wetter, Jahreszeit, Farbe oder ...? – Ergänzen Sie den Artikel.

a) *der* Regen	g) .... Schneeweiß	m) .... Nacht
b) .... Dienstag	h) .... Sturm	n) .... Wein
c) .... Bier	i) .... Mittag	o) .... Audi
d) .... Wolke	j) .... Schnee	p) .... Samstag
e) .... Königsblau	k) .... Yamaha	q) .... Osten
f) .... Westen	l) .... Winter	r) .... Peugeot

4   Maskulin? Neutral? Feminin? – Sortieren Sie die Nomen.

Abend I Abendrot I Blümchen I Champagner I Fahrt I Fiat Punto I Frechheit I Freitag I Hilfe I Hühnchen I Kawasaki I Leistung I Leser I Mädchen I Mai I März I Nebel I Norden I Opel I Schönheit I Schwierigkeit I Spätsommer I Vorlesung I Wirklichkeit

der	das	die
Abend		

1.2 PLURAL

die Tage – die Bücher – die Rosen

__1__ Funktion

> *Sag mal, hat die Freundin von Udo immer noch eine Katze?*

> *Ich glaube, sie hat jetzt sogar sechs Katzen.*

__2__ Formen

-e	*der Tag*	*die Tage*	die meisten maskulinen und neutralen Nomen
	das Ereignis	*die Ereignisse*	Konsonantenverdoppelung
̈e	*der Bart*	*die Bärte*	maskuline Nomen: oft mit Umlaut
	die Kuh	*die Kühe*	feminine Nomen: immer mit Umlaut
-en/ -n	*die Frau*	*die Frauen*	die meisten femininen Nomen
	die Universität	*die Universitäten*	viele Fremdwörter
	die Freundin	*die Freundinnen*	Konsonantenverdoppelung
	der Student	*die Studenten*	alle maskulinen Nomen der *n*-Deklination
	der Russe	*die Russen*	📖 s. Seite 16
	der Staat	*die Staaten*	einige weitere maskuline Nomen
-	*der Fehler*	*die Fehler*	maskuline und neutrale Nomen auf
	das Zeichen	*die Zeichen*	-er, -en, -el, -chen, -lein, -sel
̈	*der Apfel*	*die Äpfel*	mit Umlaut nur maskuline Nomen
-er	*das Lied*	*die Lieder*	neutrale Nomen
	der Geist	*die Geister*	einige maskuline Nomen
̈er	*das Buch*	*die Bücher*	immer mit Umlaut
	der Mann	*die Männer*	
-s	*das Foto*	*die Fotos*	Nomen, die auf -a, -i, -o enden
	der Opa	*die Opas*	aber: *das Thema/die Themen – die Firma/die Firmen*
	der Lkw	*die Lkws*	Abkürzungen
	das Team	*die Teams*	Fremdwörter aus dem Englischen und Französischen

---

ÜBUNGEN

__1__ **Wie heißt der Plural? Umlaut oder kein Umlaut? – Sortieren Sie die Nomen.**

der Arzt I das Blatt I der Baum I der Beruf I das Buch I der Computer I das Ergebnis
I das Fach I das Heft I das Jahr I der Kalender I der Kugelschreiber I der Ordner I der Stuhl
I der Zettel

-e	¨e	–	¨er
	Ärzte		*Blätter*

2 –en/-n, –s oder –nen? – Ergänzen Sie die Pluralendungen.

a) die Bibliothek/ *en*
b) das Kino/ *s*
c) das Thema/.........
d) der Radiergummi/.........
e) die Professorin/.........

f) die Fotokopie/.........
g) die Vorlesung/.........
h) der Name/.........
i) die Studentin/.........
j) die CD/.........

k) der Buchstabe/.........
l) die Universität/.........
m) das Dia/.........
n) die Dozentin/.........
o) die Übung/.........

3 Prüfungsstress – Ergänzen Sie die Nomen im Plural.

Liebe Lisa,

wie geht es Dir? Hier an der Uni ist zur Zeit viel los, denn in den

(a) Prüfungen (Prüfung) muss man viel wissen, und dafür müssen wir lernen.

Nur um Max mache ich mir langsam (b) .... (Sorge).

In drei (c) .... (Woche) hat er Examen, und eigentlich sollte er dafür

etwas tun. Stattdessen sitzt er ständig in (d) .... (Café) und plaudert

dort mit anderen (e) .... (Student). Und nachmittags trifft er sich

mit seinen (f) .... (Freundin). Die (g) .... (Abend)

verbringt er damit, dass er für seine Wohngemeinschaft kocht. Und nachts tanzt er in

allen (h) .... (Disco) der Stadt. Das kann doch nicht gut gehen! Ruf

ihn mal an, vielleicht hört er ja auf Dich. Dir alles Liebe und bis bald!

Deine Elisabeth

4 Ein Dia-Abend – Ergänzen Sie den Text.

der Berg I das Bild I das Dia I der Freund I der Gast I der Markt I der Sonnenschirm I der Strand I die Stunde I ~~die Urlaubsreise~~ I

Hallo, Petra! Ich hab dir ja schon erzählt, dass unsere letzten beiden (a) *Urlaubsreisen* wirklich toll waren – und gestern Abend haben wir uns mit unserem neuen Projektor die (b) .... angesehen – einfach fantastisch! Wir haben auch einige (c) .... eingeladen. Und ich muss sagen, Uli hat wirklich prima fotografiert! Zuerst die (d) .... mit den schönen Obst- und Gemüseständen, dann das Meer und die (e) .... mit den bunten (f) .... Am Schluss gab es dann noch die (g) .... aus der Schweiz: Die hohen (h) .... dort sind immer wieder toll! Die ganze Vorführung hat drei (i) .... gedauert! Und stell dir vor, unsere (j) .... haben sich überhaupt nicht gelangweilt!

1.3 KASUS: NOMINATIV – AKKUSATIV

Ich liebe dich.

_1_ **Funktion**

Da im Deutschen die Satzglieder auf unterschiedlichen Positionen stehen können, dienen die Kasus zur Unterscheidung der Ergänzungen.

a bei Verben

Tina	*liebt*	*ihren Mann.*	
Das Schiff	*transportiert*	*Container.*	
Person: Wer?	Verb	Person: Wen?	
Sache: Was?		Sache: Was?	
Kasus	Nominativ-Ergänzung		Akkusativ-Ergänzung

Diesen Film	*sieht*	*Thomas besonders gern.*	
Was?	Verb	Wer?	
Kasus	Akkusativ-Ergänzung		Nominativ-Ergänzung

Verbergänzungen 📖 **s. Seite 94**

b bei Präpositionen

	Präposition	+ Kasus	
Eva denkt oft	*an*	*ihren letzten Urlaub.*	Akkusativ
Paul arbeitet	*als*	*Lehrer.*	Nominativ

Präpositionen 📖 **s. Seite 76**, Verben mit Präpositionen 📖 **s. Seite 96**

c Akkusativ bei Maßangabe / Zeitangabe

Diese Flasche enthält einen Liter Milch.	*Wie viel?*
Das Ticket kostet in New York einen Dollar.	*Wie viel?*
Nächsten Montag beginnt der Kurs.	*Wann?*
Dieser Kurs dauert genau einen Monat.	*Wie lange?*
Bitte kommen Sie jeden Tag.	*Wie oft?*

_2_ **Formen**

Im Deutschen erkennt man den Kasus hauptsächlich durch das Kasus-Signal am Artikelwort.

Singular	maskulin	neutral	feminin	Plural
Nominativ	*der Tag*	*das Jahr*	*die Woche*	*die Tage/Jahre/Wochen*
Akkusativ	*den Tag*	*das Jahr*	*die Woche*	*die Tage/Jahre/Wochen*
Dativ	*dem Tag*	*dem Jahr*	*der Woche*	*den Tagen /Jahren/Wochen*
Genitiv	*des Tages*	*des Jahres*	*der Woche*	*der Tage /Jahre/Wochen*

n-Deklination 📖 **s. Seite 18**, Adjektivdeklination 📖 **s. Seite 34**

1 Frauen und Männer kaufen ein – Wie heißen das Fragewort und der Kasus?

  a) <u>Wissenschaftler</u> haben <u>die Unterschiede</u> identifiziert.

    Wer? Nominativ   Was? Akkusativ

  b) <u>Frauen</u> schätzen <u>qualifizierte Verkäufer</u>.

  c) <u>Das Einkaufen</u> wollen <u>Männer</u> möglichst schnell erledigen.

  d) <u>Viele Frauen</u> kaufen <u>jeden Tag</u> ein.

  e) <u>Die Warteschlange</u> an der Kasse finden <u>die meisten Männer</u> zu lang.

  f) <u>Kleidung, Schmuck und Schuhe</u> kaufen <u>Frauen</u> auch im Internet.

2 Gesunde Ernährung – Ergänzen Sie den bestimmten Artikel im Akkusativ.

  a) Essen Sie täglich einen Apfel! Bevor Sie ihn essen, waschen Sie *den* Apfel.

  b) Wenn Sie Tee trinken wollen, kaufen Sie .... Tee im Bioladen und trinken Sie täglich eine Kanne. Wärmen Sie .... Teekanne an, bevor Sie .... Wasser aufgießen.

  c) Pflanzen Sie .... Küchenkräuter (Pl.), die Sie oft verwenden, in .... Garten oder in einen Topf auf der Fensterbank.

  d) .... Obst und .... Gemüse, das Sie essen, kaufen Sie am besten frisch.

  e) Und schließlich: Trinken Sie ruhig ab und zu ein Glas Wein, wenn Sie mögen. Aber: Trinken Sie .... Wein langsam und genießen Sie .... Geschmack.

3 Auf dem Markt – Ergänzen Sie im Akkusativ.

  1 Monat I 1 Kilo I 1 Tag I ~~1 Zentner~~ I 1 Euro

  a) Huch, ist das schwer. Wie viel wiegt denn dieser Kartoffelsack? – *Einen Zentner*.

  b) Was kostet die Petersilie? – Genau ....

  c) Wenn Sie frische Eier wollen, müssen Sie noch .... warten. Unser Bauer liefert erst morgen.

  d) Geben Sie mir bitte .... von den neuen Kartoffeln.

  e) Es dauert noch ...., bis die Markthalle fertig restauriert ist.

4 Leute – Formulieren Sie Sätze und beginnen Sie mit einem Akkusativ.

  a) treffen – Tom – sein... Großvater (m) – jed... Woche (f)
    Seinen Großvater trifft Tom jede Woche. Oder: Jede Woche trifft Tom seinen Großvater.

  b) brauchen – ein... Wintermantel (m) – Martina – nächst... Monat (m)

  c) machen – Hans – sein... Examen (n) – nächst... Jahr (n)

  d) es gibt – alle 15 Minuten – Nachrichten (Pl.)

  e) besuchen – Ausstellung (f) – nächst... Mittwoch (m) – Alex

  f) informieren – Chef (m) – Mitarbeiter (Pl.) – jed... Tag (m)

1.4 KASUS: NOMINATIV – DATIV – AKKUSATIV

Max gibt seinem Freund einen Rat.

1 Funktion

a bei Verben

Da im Deutschen die Satzglieder auf unterschiedlichen Positionen stehen können, dienen die Kasus zur Unterscheidung der Ergänzungen. Der Dativ drückt häufig aus, dass die Handlung an einen Adressaten gerichtet ist.

	Tom	*hilft*	*seiner Großmutter.*	
	Alex	*schenkt*	*seiner Freundin*	*eine Kamera.*
	Wer?	Verb	Wem?	Was?
Kasus	Nominativ-Ergänzung		Dativ-Ergänzung	Akkusativ-Ergänzung

	Seiner Freundin	*gefällt*	*das Geschenk.*
	Wem?	Verb	Was?
Kasus	Dativ-Ergänzung		Nominativ-Ergänzung

Verbergänzungen 📖 **s. Seite 94**

b bei Präpositionen

	Präposition	+ Kasus	
Das ist ein Geschenk	*zu*	*ihrem Geburtstag.*	Dativ
Anna telefoniert	*mit*	*ihrer Schwester.*	
Sie freut sich	*über*	*das Geschenk.*	Akkusativ

Präpositionen 📖 **s. Seite 76**, Verben mit Präpositionen 📖 **s. Seite 96**, Genitiv 📖 **s. Seite 16**

2 Formen

Im Deutschen erkennt man den Kasus hauptsächlich durch das Kasus-Signal am Artikelwort.

Singular	maskulin	neutral	feminin	Plural
Nominativ	*der Tag*	*das Jahr*	*die Woche*	*die Tage/Jahre/Wochen*
Akkusativ	*den Tag*	*das Jahr*	*die Woche*	*die Tage/Jahre/Wochen*
Dativ	*dem Tag*	*dem Jahr*	*der Woche*	*den Tagen /Jahren/Wochen*
Genitiv	*des Tages*	*des Jahres*	*der Woche*	*der Tage/Jahre/Wochen*

Die Nomen enden im Dativ Plural auf *-n* (*Tagen, Jahren, Wochen*). Ausnahme: Wenn der Plural auf *-s* endet (*mit den Autos*).

n-Deklination 📖 **s. Seite 18**, Adjektivdeklination 📖 **s. Seite 34**

1 Ein Wundermittel – Wie heißen das Fragewort und der Kasus?

a) <u>Diese revolutionäre Creme</u> hilft <u>jedem Menschen</u>.

    Was? Nominativ   Wem? Dativ

b) <u>Sonnenlicht, Umwelteinflüsse und Rauchen</u> schaden <u>der Haut</u>.

c) <u>Die meisten</u> kennen <u>das Problem</u>, dass <u>die Haut</u> frühzeitig altert.

d) <u>Dieses neue Produkt</u> hilft <u>Ihnen</u>, <u>den Alterungsprozess</u> aufzuhalten.

e) <u>Den meisten Frauen</u> gefällt <u>diese Perspektive</u>.

2 Er macht jetzt eine gute Figur – Ergänzen Sie im Dativ.

a) Ich habe *meinem Mann* (mein Mann) stundenlang zugeredet, bei ....
.... (das Fitness-Programm) mitzumachen.

b) Er treibt ja selbst nicht so gerne Sport, meistens spricht er von ....
(der Sportler, Pl.), über die etwas in der Zeitung steht.

c) Aber auf .... (das Foto, Pl.) vom letzten Urlaub sieht man ganz
deutlich, dass er zu viel wiegt. Ich hätte mich bestimmt nicht in ihn verliebt, wenn er
damals mit so .... (eine Figur) am Strand Volleyball gespielt hätte.

d) Es hat eine Zeit lang gedauert, bis er .... (mein Vorschlag)
zugestimmt hat.

e) Ein Argument hat ihn schließlich überzeugt: Wenn du Sport treibst, gefällst du sicher
allen .... (meine Freundin, Pl.) viel besser!

3 Familie – Formulieren Sie Sätze.

a) schmecken - meine Tante – das Essen
Das Essen schmeckt meiner Tante. Oder: Meiner Tante schmeckt das Essen.

b) gefallen – das Foto – meine Schwester

c) gehören – mein Bruder – die Uhr

d) zuhören – das Kind (Pl.) – die Großmutter

e) gratulieren – der Großvater – der Enkel (Pl.) – zum 90. Geburtstag

f) danken – der Großvater – sein Enkel (Pl.) – für das Geschenk

4 Geburtstage – Formulieren Sie Sätze.

		Nominativ	Dativ	Akkusativ
a)	backen	Anna	ihr Mann	Kuchen (m)
b)	schenken	mein Bruder und ich	meine Schwester	CD-Player (m)
c)	kochen	meine Schwester	ihr Freund (Pl.)	Menü (n)
d)	pflücken	Leo	seine Freundin (Pl.)	Blumen (Pl.)
e)	geben	Tina	ihre Großmutter	Kuss (m)
f)	kaufen	Henry	sein Cousin	DVD (f)

a) *Anna backt ihrem Mann einen Kuchen.*

1.5 GENITIV

die Rechte des Bürgers

1 Funktion

a bei Nomen

Das Nomen im Genitiv (Genitivattribut) gibt den Besitzer an:

	Nomen	+ Genitiv
Wessen Haus ist das? *Das ist*	*das Ferienhaus*	*eines Freundes.*

In der Umgangssprache wird oft *von* + Dativ verwendet:
Das ist das Ferienhaus von einem Freund.

b bei Präpositionen

Einige wenige Präpositionen brauchen eine Ergänzung im Genitiv s. Seite 64-73:

	Präposition	+ Genitiv
Wir fahren	*trotz*	*des schlechten Wetters.*

2 Formen

a Deklination

maskulin	neutral	feminin	Plural	
des Monats	*des Jahres*	*der Woche*	*der Monate/Jahre/Wochen*	normale Deklination
des Menschen			*der Menschen*	*n*-Deklination
des/eines Schönen	*des Schönen*	*der/einer Schönen*	*der Schönen*	Adjektiv/Partizip als Nomen s. Seite 20

b *n*-Deklination s. Seite 18

maskuline und neutrale Nomen der normalen Deklination

-s	*Vaters, Fahrers*	mehrsilbige Nomen
-es	*Tages, Jahres*	oft bei einsilbigen Nomen*
	Prozesses, Reflexes	Nomen, die auf -s, -ss, -ß, - tsch, -x, -z, -tz enden
	Zeugnisses, Ergebnisses	Nomen auf *-nis*: Verdopplung des *s*

* aber: *des Chefs, des Films*

c Eigennamen

Norberts Fahrrad *Agnes' Sonnenbrille*	vorangestellte Eigennamen im Genitiv

d *von* + Dativ

das Fahrrad von Norbert *die Sonnenbrille von Agnes* *das Ferienhaus von meinem Freund*	häufig in der gesprochenen Sprache
der Import von Zitronen *der Anbau von Wein*	Nomen ohne Artikel

1 **So eine Unordnung – Ergänzen Sie den Text.**
a) Das ist doch die Hose von Herbert! – Du hast recht, das ist *Herberts Hose*.
b) Sag mal, sind das nicht die Socken von Hugo? – Nein, das sind doch nicht
   ....
c) Tom lässt aber auch alles liegen! Hier sind seine Bücher. – Nein, das sind ganz sicher
   nicht ....
d) Anna ist wirklich unmöglich. Schau mal, ihr nasses Handtuch liegt mitten im
   Wohnzimmer. – Na, hör mal, das ist doch nicht ....
   ...., das ist deins!

2 **Ein Mann wird 50 – Ergänzen Sie die Endung und das Nomen im Genitiv.**

⟨ der Bauch ǀ der Diätplan ǀ ~~die Geburtstagsfeier~~ ǀ die Gesundheit ǀ die Glatze ǀ die Zeit

Hallo, Silke,
stell dir vor, gestern hab ich zufällig Fritz getroffen. Du weißt ja, während (a) seiner *Geburtstagsfeier* bekam er plötzlich eine Krise. Luise hat mir erzählt, dass er jetzt dichtes schwarzes Haar statt (b) sein................ .... haben wollte. Und anstelle (c) sein................ dicken .... sollten starke Muskeln treten. Auch wegen (d) d................ .... wollte er nun regelmäßig Sport treiben. Offenbar hat er dann auch Diät gemacht und mithilfe (e) ein................ .... 10 Kilo abgenommen. Innerhalb (f) kurz................ .... hat er sich so verändert, dass ich ihn gestern fast nicht wiedererkannt hätte. Also mir hat Fritz früher viel besser gefallen. So, das war das Wichtigste.
Liebe Grüße *Gabi*

3 **Alte Fotos – Formulieren Sie Sätze mit dem Genitiv.**
a) Das ist die Mutter von meinem Freund.
   Das ist die Mutter meines Freundes.
b) Ach schau mal, das ist die Katze von Frau Sturm.
c) Und der Typ da, das ist der Sohn von unserem Lateinlehrer.
d) Wie nett! Das ist ja Kathi, als sie ganz jung war! Sie war schon immer die beste Freundin
   von meinem Bruder.

4 **Fachliteratur richtig lesen – Ergänzen Sie den Artikel und das Nomen im Genitiv.**
Es dürfte schwer sein, heute noch ein Thema zu finden, in dem die Fülle (a) *der*
Fachliteratur (die Fachliteratur) nicht die Aufnahmefähigkeit (b) ....
.... (der Einzelne) weit übersteigt. Deshalb hat das frühzeitige Training
(c) .... (das Lesen) eine wesentliche Bedeutung. Wichtig ist, dass
man eine klare Definition (d) .... (die Erkenntnis-
ziele) im Kopf hat. Erst dann hat das Durchsehen (e) .... (die Texte)
einen Sinn.

1.6 N-DEKLINATION

Kennen Sie den Namen des neuen Kollegen?

1 Funktion

Alle maskulinen Nomen, die auf *-e* enden (*der Franzose, der Löwe*), und einige andere maskuline Nomen, die ein Lebewesen (*der Mensch, der Herr*) bezeichnen, werden nach der *n*-Deklination dekliniert.

2 Formen

	Singular	Plural
Nominativ	der Kunde	die Kunden
Akkusativ	den Kunden	die Kunden
Dativ	dem Kunden	den Kunden
Genitiv	des Kunden	der Kunden

Dieser Deklination folgen:

ⓐ alle maskulinen Nomen, die auf *-e* enden:

der Junge, der Kollege, der Kunde, der Neffe, der Zeuge ...	Personen
der Chinese, der Franzose, der Grieche, der Pole, der Russe ...	Nationalitäten*
der Affe, der Hase, der Löwe, der Rabe ...	Tiere

* aber: *der Deutsche/ein Deutscher* s. Adjektivdeklination 📖 Seite 34-39

Ein zusätzliches *-s* im Genitiv Singular haben:

der Buchstabe, des Buchstabens	*der Glaube, des Glaubens*
der Friede(n), des Friedens	*der Name, des Namens*
der Gedanke, des Gedankens	*der Wille, des Willens*

ⓑ einige andere maskuline Nomen:

der Bär, der Bauer, der Herr (den Herrn, dem Herrn, des Herrn, Plural: *die Herren), der Mensch, der Nachbar* ...

ⓒ alle maskulinen Nomen aus dem Lateinischen und Griechischen mit den Endungen:

-and/-ant	*der Doktorand, der Demonstrant, der Elefant* ...
-ent	*der Präsident, der Student, der Referent* ...
-ist	*der Idealist, der Journalist, der Terrorist* ...
-oge	*der Biologe, der Pädagoge, der Psychologe* ...
-at	*der Bürokrat, der Demokrat, der Diplomat* ...
andere	*der Architekt, der Philosoph, der Ökonom, der Fotograf* ...

Außerdem gibt es ein neutrales Nomen: *das Herz, das Herz, dem Herzen, des Herzens* – Plural: *die Herzen*

1 n-Deklination oder normale Deklination? – Sortieren Sie die Nomen mit Artikel.

Assistent I Bauer I Chef I Direktor I Experte I Familie I Herz I Hund I Informatiker I
Ingenieur I Katze I Löwe I Mathematiker I Nachbar I Name I Produzent I Professor I Russe I
Tourist

n-Deklination	normale Deklination
der Assistent	

2 Ein Interview – Ergänzen Sie die Nomen.

Bürokrat I Gedanke I Jurist I Kommilitone I Paragraf I Student I Wille

Ein Berliner in Ägypten

(a) *Juristen*, **die Karriere machen wollen, gehen gewöhnlich nicht nach Kairo. Warum sind Sie nach Ägypten gegangen?**
Ich fand mein Studium am Anfang unglaublich langweilig: nichts als
(b) .... Da bin ich aus Neugier mal mit einem
(c) .... in eine Vorlesung über islamisches Recht
gegangen, und wir waren begeistert.
Und wie sind Sie auf den (d) .... **gekommen, in Kairo weiter-zustudieren?**
Zum einen habe ich einen Horror davor, mal einer dieser ganz normalen
(e) .... zu werden, zum anderen wollte ich einfach
was erleben.
Können Sie das auch anderen (f) .... **empfehlen?**
Ja, unbedingt. Und ich habe den festen (g) .... , im nächs-ten Jahr in Kairo mein Referendariat zu machen.

3 Zurück aus dem Urlaub – Formulieren Sie Antworten.
a) Frau Sommer, schön, dass Sie wieder da sind. Ihr Kollege möchte Sie dringend sprechen. (gleich anrufen) *Gut, ich werde den Kollegen gleich anrufen.*
b) Dann wollte der Lieferant wissen, wie viele Tische und Stühle wir für das Sommerfest brauchen. (telefonieren mit) *In Ordnung, ...*
c) Und der Fotograf möchte wissen, wann er die Fotos vorbeibringen soll. (sprechen mit) *Gut, ...*
d) Herr Schäfer aus der Buchhaltung bittet um Rückruf. (sofort anrufen) *O.k., ...*
e) Und dann kommt der Praktikant heute zum ersten Mal. (gleich einarbeiten) *Na gut, ...*
f) Unser Kunde aus Japan hat sich übrigens schon zweimal über die verspätete Lieferung beschwert. (sich in Verbindung setzen mit) *Auch das noch! Gut, ...*

1.7 ADJEKTIV/PARTIZIP ALS NOMEN

der Unbekannte - ein Unbekannter

1 Funktion

Nomen aus Adjektiven und Partizipien bezeichnen Personen und Abstrakta.

Nomen	Adjektiv/Partizip	
ein Unbekannter	*ein unbekannter Mann*	Person
der große Unbekannte	*der große unbekannte Mann*	
die schöne Rothaarige	*die schöne rothaarige Frau*	
nichts Neues	*keine neuen Informationen*	Abstrakta

2 Formen

a maskuline und feminine Nomen: Bezeichnung von Personen

Nomen – maskulin	Nomen – feminin		
der Bekannte – ein Bekannter	*die/eine Bekannte*	bekannt	Adjektiv
der Arbeitslose – ein Arbeitsloser	*die/eine Arbeitslose*	arbeitslos	
der Jugendliche – ein Jugendlicher	*die/eine Jugendliche*	jugendlich	
der Gesunde – ein Gesunder	*die/eine Gesunde*	gesund	
der Kranke – ein Kranker	*die/eine Kranke*	krank	
der Reisende – ein Reisender	*die/eine Reisende*	reisend	Partizip I:
der Anwesende – ein Anwesender	*die/eine Anwesende*	anwesend	Infinitiv + d
der Vorgesetzte – ein Vorgesetzter	*die/eine Vorgesetzte*	vorgesetzt	Partizip II: (ge-)....-t
der Betrunkene – ein Betrunkener	*die/eine Betrunkene*	betrunken	(ge-)....-n

aber: *der Junge, ein Junge* ist ein Nomen der *n*-Deklination s. Seite 18

b neutrale Nomen: Bezeichnung von Abstrakta

das Gute	*alles Gute*	*etwas Gutes*	gut
das Wahre		*wenig Wahres*	wahr
das Schöne		*viel Schönes*	schön
das Neue		*nichts Neues*	neu

Adjektive, die als Nomen verwendet werden, werden nach den Regeln der Adjektivdeklination dekliniert, s. Seite 34-39.

ÜBUNGEN

1 Wie heißen die Nomen?

Adjektiv/Partizip	maskulin der	maskulin ein	feminin die/eine	Plural die/-
a) fremd	Fremde	Fremder	Fremde	Fremden/ Fremde
b) deutsch				

Adjektiv/Partizip	maskulin *der*	maskulin *ein*	feminin *die/eine*	Plural *die/-*
c) verwandt				
d) angestellt				
e) abgeordnet				
f) verliebt				

2 Was sind das für Leute? – Ergänzen Sie das passende Nomen.

a) Jemand, der arbeitslos ist, ist *ein Arbeitsloser*.
b) Jemand, der angestellt ist, ist ....
c) Jemand, der reist, ist ....
d) Jemand, der betrunken ist, ist ....
e) Jemand, der abwesend ist, ist ....
f) Alle, die anwesend sind, sind ....

3 Gegenteile – Wie heißen die Nomen? Achten Sie auf die Artikel.

arm | ~~bekannt~~ | falsch | gesund | schuldig | schwarz | tot | uninteressant

a) ein Fremder und ein *Bekannter*
b) der Unschuldige und der ....
c) alle Reichen und alle ....
d) ein Kranker und ein ....
e) ein Weißer und ein ....
f) der Lebende und der ....
g) etwas Interessantes und nichts ....
h) viel Richtiges und wenig ....

4 Mentales Training – Ergänzen Sie das passende Nomen.

angenehm | ~~erfreulich~~ | folgend	schwierig | unterbewusst	besser | neu | wichtig
Kein Mensch entdeckt am frühen Morgen in seinem Gesicht nur (a) *Erfreuliches*! Wenn Ihnen Ihr Gesicht frühmorgens nicht gefällt, können Sie (b) .... tun: Machen Sie Ihre Augen für einen Moment zu und denken Sie an etwas (c) .... !	Wenn es Probleme gibt und Sie wirklich etwas (d) .... vor sich haben, sagen Sie sich dreimal am Tag: Ja, ich kann es! Solche Sätze wirken auf das (e)............................... .	Das ist nichts (f) .... , trotzdem sagen wir es noch ein- mal: Wenn Sie etwas (g) .... nicht vergessen wollen, schreiben Sie es auf! Es gibt nichts (h) .... , um sich etwas zu merken!

1.8 WORTBILDUNG

der Herzschlag – das Erlebnis

1 Zusammensetzung

Zwei oder mehr Wörter bilden einen neuen Ausdruck. Das letzte Nomen bestimmt Genus und Numerus.

die **Sonne** + *der Schein*	= *der Sonnenschein*	Nomen	+ Nomen
der **Mond** + *der Schein*	= *der Mondschein*		
kurz + *die Meldung*	= *die Kurzmeldung*	Adjektiv	+ Nomen
warten + *das Zimmer*	= *das Wartezimmer*	Verb	+ Nomen
neben + *die Kosten* (Pl.)	= *die Nebenkosten*	Präposition	+ Nomen

2 Nominalisierung

Aus einem Verb oder Adjektiv wird ein Nomen:

das Gefühl (fühlen)	aus dem Verb	Vorsilbe *Ge-*
das Essen (essen)		Infinitiv
der Flug (fliegen)		Wortstamm
die Nähe (nah)	aus dem Adjektiv	

3 Ableitung

Bildung von Nomen aus anderen Wortarten durch Nachsilben

Nachsilbe	*der*	Nachsilbe	*das*	Nachsilbe	*die*
-er	*Sender*	-nis	*Erlebnis*	-e, -ei	*Liebe, Bäckerei*
-ling	*Lehrling*		*(die Kenntnis)*	-t	*Fahrt*
-ismus	*Kapitalismus*	-sal	*Schicksal*	-heit	*Kindheit*
-ist	*Kapitalist*	-sel	*Rätsel*	-keit	*Ähnlichkeit*
-us	*Zyklus*	-tum	*Wachstum*	-schaft	*Leidenschaft*
			(der Reichtum)	-ung	*Prüfung*
		-ment	*Parlament*	-anz/-enz	*Toleranz, Tendenz*
		-ar/-är	*Vokabular,*	-ie	*Harmonie*
			Militär	-ik/-atik	*Lyrik, Problematik*
			(aber: der Sekre-	-ion/-tion	*Region, Organisation*
			tär, Millionär)	-ität	*Souveränität*

Feminin-Endung *-in* bei Personen-, Berufs- und Funktionsbezeichnungen:

maskulin	Plural	feminin	Plural
Emigrant	*Emigranten*	*Emigrantin*	*Emigrantinnen*

ÜBUNGEN

1 Bilden Sie feminine Formen, a–f im Singular, g–n im Plural.

a) der Archäologe
   die Archäologin
b) der Autor
c) der Fabrikant
d) der Hörer

e) der Historiker
f) der Kommissar
g) der Leser
h) der Physiker
i) der Politiker

j) der Spezialist
k) der Student
l) der Zuschauer
m) der Redakteur
n) der Chef

2 Bilden Sie zusammengesetzte Nomen. Setzen Sie den passenden Artikel dazu.
Jeweils eine Zusammensetzung ist nicht möglich.

a) das Geld – das Geschäft, das Institut, der Automat, der Mann, der Schein, die Anlage
   das Geldgeschäft, ...
b) die Kunst – das Werk, das Buch, der Grund, der Händler, die Ausstellung, die Galerie
c) die Schule – der Abend, das Ballett, das Haus, der Ski, der Grund, hoch, grün
d) groß – der Markt, die Familie, die Liebe, die Macht, die Mutter, die Stadt
e) der Laden – der Baum, das Buch, die Blumen, die Schreibwaren, die Spielwaren
f) die Zeit – frei, hoch, die Reise, der Punkt, der Tisch, das Mahl, die Schule

3 Wie heißen diese Internationalismen?

die	Aggress-, Emo-, Evolu-, Informa-, Kommunika-, Na-, Varia-, Identi-, Kapazi-, Solidari-, Demokrat-, Diplomat-, Droger-, Philosoph-, Soziolog-, Theolog-
das	Argu-, Doku-, Instru-, Testa-, Invent-, Gloss-,
der	Ego-, Fasch-, Kapital-, Katholiz-, Kommun-, Protestant-

die Aggression, die ...

4 Bilden Sie aus den Verben maskuline, neutrale und feminine Nomen.
Manchmal sind mehrere Nomen möglich.

a) fließen ⟹ *der Fluss* g) anbieten ⟹ *das Angebot* m) schreiben ⟹ *die Schrift*
b) schießen   h) wiegen   n) lügen
c) ziehen   i) trinken   o) sprechen
d) beweisen   j) sich ereignen   p) werben
e) schalten   k) treffen   q) ankommen
f) besitzen   l) verhalten   r) sehen

5 Bilden Sie Nomen aus den Verben und ergänzen Sie den Text.

sitzen	Wie bleibt man in (a) *Sitzungen* wach?
präsentieren sich bewegen	Damit man bei der (b) .... nicht einschläft, hilft etwas (c) .... : aufrecht sitzen, Bauch einziehen, Brust raus und Füße bewegen. Dann ist die engagierte Beteiligung
diskutieren trinken	an der (d) .... wichtig. Frisches Obst ist zu empfehlen und als (e) .... Fruchtsaft oder Mineralwasser. Wenn man allerdings Alkohol trinkt, ist der
tief schlafen	(f) .... garantiert.

1.9 FUGENZEICHEN

das Informationszentrum

1 Funktion

Kommunikation	*s*	*technik*
Les	*e*	*gewohnheit*

Fugenzeichen kennzeichnen die Verbindungsstelle zwischen dem ersten und dem zweiten Wort bestimmter zusammengesetzter Nomen. Die meisten zusammengesetzten Nomen werden ohne Fugenelement gebildet ▭ **s. Seite 22**.

2 Formen

-(e)s-	Globalisierung	s	gegner (der)	immer nach den Nachsilben
	Sicherheit	s	code (der)	-ung, -heit, -keit, -schaft,
	Geschwindigkeit	s	begrenzung (die)	-tum, -ling, -ion,- ität
	Wirtschaft	s	macht (die)	
	Wachstum	s	rate (die)	
	Frühling	s	fest (das)	
	Information	s	zeitalter (das)	
	Identität	s	krise (die)	
	Verhalten	s	forscher (der)	immer nach Infinitiv als Nomen: *verhalten → das Verhalten*
	Ankunft	s	zeit (die)	immer nach Ableitungen vom Verb auf -t: *ankommen → die Ankunft*
	Arbeit[1]	s	markt (der)	nach einigen femininen Nomen:
	Liebe	s	brief (der)	*die Arbeit, die Liebe*
	Ort	s	vorwahl (die)	häufig nach maskulinen oder neutra-
	Gefühl	s	mensch (der)	len Nomen: *der Ort, das Gefühl*
	Jahr	es	urlaub (der)	häufig nach einsilbigen maskulinen und neutralen Nomen: *der Tag, das Jahr*

[1]aber: *Arbeitgeber, Arbeitnehmer*

-(e)n-	Kunde	n	dienst (der)	immer nach Nomen der *n*-Deklina-
	Satellit	en	schüssel (die)	tion: *der Kunde*
	Masse	n	tourismus (der)	häufig nach femininen Nomen mit
	Gruppe	n	reise (die)	-(e)n im Plural: *die Masse, die Massen*

-er-	Bild	er	rahmen (der)	nach neutralen und einigen maskuli-
	Männ	er	sache (die)	nen Nomen mit -er im Plural: *das Bild, die Bilder; der Mann, die Männer*

-e-	Städt	e	reise (die)	nach Nomen mit -e im Plural: *die Stadt, die Städte*
	Häng	e	brücke (die)	nach Verbstämmen auf
	Wart	e	zimmer (das)	-b, -d, -g, -s -t: *häng-en, wart-en*

Tageszeitung	*Tagebuch*	Manche Nomen können mit verschiedenen Fugenzeichen verbunden werden.

1 Was passt zusammen? Verbinden Sie die Nomen mit –s.

a) das Leben   der Kuchen   *der Lebensabschnitt*

b) die Universität   der Platz

c) der Urlaub   das Ei

d) der Geburtstag   ~~der Abschnitt~~

e) der Einkauf   die Bibliothek

f) die Arbeit   die Reise

g) das Gehalt   das Paar

h) die Wirtschaft   das Zentrum

i) die Liebe   das Wachstum

j) das Frühstück   die Erhöhung

2 Ergänzen Sie –n, –en, –er oder –e.

Im Urlaub

a) die Land*e*bahn

b) ein Karte........gruß

c) das Gäst........zimmer

d) der Kind........spielplatz

e) im Lieg........stuhl

f) ein Kleid........bügel

g) Welle........reiten

h) Sonne........schein

i) viel Les........stoff

Im Büro

j) morgens die Bushalt........stelle

k) ein Experte........gespräch

l) intensiver Gedanke........austausch

m) der Aktie........kurs

n) in Wart........position

o) viel Gruppe........dynamik

p) die Praktikant........stelle

q) ein Kunde........gespräch

r) die Büch........sendung

3 Ergänzen Sie den Text.

Wetten im Internet

Jana Gutmann, 30, ist eine junge (a) Geschäft........frau aus Hamburg. Früher hat sie (b) Kommunikation........wissenschaft und (c) Betrieb........wirtschaft studiert und nebenher ihr Geld als Fotomodell verdient. Heute hat sie ihr eigenes Internet-Wettbüro. Allerdings kein normales Wettbüro mit langweiligen Sportwetten, sondern eines mit hohem (d) Unterhaltung........wert. Bekommt die (e) Leben........gefährtin des neuen James-Bond-Darstellers ein Kind? Wer ist im Moment die (f) Liebling........freundin des englischen Prinzen? Hat der amerikanische Präsident (g) Beziehung........probleme? Das war ihre (h) Geschäft........idee: „Alles, was diskutiert wird, ist eine Wette wert", sagt Jana. Die Gewinnhöhe ist von der Teilnehmerzahl abhängig. Bezahlt wird per Bankeinzug oder per Kreditkarte. Immer am Ende eines Tages, am (i) Woche........ende, am (j) Monat........ende und am (k) Jahr........ende wird der Wettsieger gefunden. Besonders beliebt sind Preise wie Haifisch-Tauchen, (l) Astronaut........training oder Fallschirmspringen. Die Wett-Idee lohnt sich für Jana wirklich, das sieht man an ihrer (m) Visite........karte: Janas Wettbüro befindet sich in einem der besten Viertel Hamburgs.

2.1 BESTIMMTER ARTIKEL

der Brief – dieses Buch – jede Zeitung

_1_ Funktion

Im Unterschied z.B. zu den slawischen Sprachen verwendet man im Deutschen Artikelwörter. Sie zeigen das Genus, den Numerus und den Kasus des folgenden Nomens an.

a Der bestimmte Artikel ...

... signalisiert, dass die Person oder Sache im Text vorher schon einmal explizit erwähnt wurde oder implizit enthalten ist. Oder sie ist aus der Alltagswelt bekannt:

Das war ein tolles Hotel! *Die Zimmer waren sehr gemütlich.*	Kontext
Hallo, wie war's in *der Arbeit?*	Alltagswelt

... signalisiert, dass es sich um etwas handelt, das nur einmal existiert:

der Bodensee, der Rhein, die Alpen, die Sonne	Seen, Flüsse, Gebirge, Gestirne, Gebäude
die Mongolei, die Schweiz, die Türkei, der Irak	wenige Ländernamen
Das war *der schönste Tag meines Lebens!*	Superlativ
der 22. Oktober, am Freitag, das zweite Bier	Datum, Ordinalzahl

... signalisiert, dass ein Exemplar stellvertretend für die ganze Art steht:

Die Seerose ist eine Wasserpflanze.	Generalisierung

b Der Demonstrativartikel kennzeichnet das folgende Nomen als besonders auffällig:

Sag mal, siehst du *diesen/den* **gut aussehenden Mann da hinten?**	Anstelle von *dieser* kann auch der bestimmte Artikel benutzt werden.
In *jenen* **Tagen waren sie glücklich.**	signalisiert Ferne; heute etwas veraltet
Ich kenne hier *jede* **Straße.**	signalisiert: jedes einzelne Exemplar nur im Singular

c Der bestimmte Artikel als Pronomen:

Wo ist die Zeitung? – **Die** *liegt da drüben. / Ich kenne hier* **jeden**.

_2_ Formen

a Artikelwörter und Pronomen*

	maskulin	neutral	feminin	Plural
Nominativ	*der*	*das*	*die*	*die*
Akkusativ	*den*	*das*	*die*	*die*
Dativ	*dem*	*dem*	*der*	*den*
Genitiv	*des (*dessen)*	*des (*dessen)*	*der (*deren)*	*der (*deren)*

Genauso: *dieser – jener – jeder* (Plural: *alle*)

b Präpositionen und bestimmter Artikel

an, bei, in, von, zu	+ *dem*	*am, beim, im, vom, zum*
zu	+ *der*	*zur*
an, in	+ *das*	*ans, ins*

1 Kontaktanzeige – Ergänzen Sie den Text.

< am I ans I ~~den~~ I den I den I der I der I des I die I im I im

Sommer in München

Radeln, schwimmen und dann ein Picknick an (a) *den* Osterseen machen, barfuß durch (b) .... Englischen Garten laufen, frühstücken in (c) .... Lenbachgalerie, lange spazieren gehen, (d) .... schönsten Sonnenuntergang (e) .... Sommers (f) .... Starnberger See beobachten, wenn's regnet, in (g) .... gemütliche Sauna (h) .... Zentrum gehen und (i) .... August vielleicht ein paar Tage (j) .... Mittelmeer fahren. (k) .... netteste Typ Münchens sucht eine Partnerin mit Geist und Lebensfreude zwischen 45 und 50.

2 Hätten Sie's gewusst? – Ergänzen Sie den bestimmten Artikel.
a) Wofür steht bei*m* Videorekorder *die* Taste mit .... doppelten Dreiecken, die nach links zeigen?
☐ A) Pause ☐ B) schneller Vorlauf ☐ C) Wiedergabe ☐ D) schneller Rücklauf
b) Wer hat .... Telefon erfunden?
☐ A) Graham Bell ☐ B) Philipp Reis ☐ C) Thomas Edison ☐ D) Werner von Siemens
c) Wie hieß .... Forschungsschiff von Charles Darwin?
☐ A) Dolphin ☐ B) Calypso ☐ C) Beagle ☐ D) Dove
d) Welches ist .... intelligenteste Haustier?
☐ A) Hund ☐ B) Schwein ☐ C) Katze ☐ D) Kuh
e) Auf welchen Tieren überquerte Hannibal .... Alpen?
☐ A) Pferden ☐ B) Elefanten ☐ C) Eseln ☐ D) Kamelen
f) Wann ist .... „Tag .... Arbeit"?
☐ A) 17. Juni ☐ B) 1. Mai ☐ C) 3. Oktober ☐ D) 1. November

Lösung: a) D; b) B; c) C; d) B; e) B; f) B

3 Warum wurde in Übung 1 und Übung 2 der bestimmte Artikel verwendet? Bestimmen Sie die Regel.

4 Ergänzen Sie den bestimmten Artikel.

Elefant spaziert durch Karlsruhe

Karlsruhe (dpa) Ein Elefant hat mitten in Karlsruhe für Aufregung gesorgt. Wie (a) *die* Polizei (b) a....... Freitag mitteilte, glaubte sie zuerst an einen Scherz, als Anrufer (c) a....... Donnerstag von einem Elefanten (d) in .... Stadt berichteten. (e) .... alarmierten Polizisten trauten ihren Augen kaum, als sie (f) .... Rüsseltier an (g) .... belebtesten Hauptverkehrsstraße sahen. (h) .... Elefant verspeiste gerade Gras und einen jungen Baum. Erst herbeigerufene Mitarbeiter (i) .... Zirkus Busch konnten dann (j) .... dickhäutigen Ausreißer dazu bewegen, nach Hause zurückzukehren.

2.2 UNBESTIMMTER ARTIKEL

ein König – ein Schloss – eine Fee

1 Funktion

Der unbestimmte Artikel signalisiert, dass etwas folgt, das noch nicht näher identifiziert ist.

Es war einmal eine Fee, die in einem Wald in der Nähe eines Schlosses wohnte. Die Fee hatte eine Kugel aus Glas. Mithilfe der Kugel konnte sie wahrsagen.	häufig beim ersten Auftreten im Text; beim nächsten Auftreten im Text mit dem bestimmten Artikel weitergeführt 📖 **s. Seite 26**
Der/Ein Elefant ist ein Rüsseltier. Elefanten sind Rüsseltiere.	in Definitionen bei dem Nomen, das die übergeordnete Klasse bezeichnet
Hast du eigentlich einen eigenen Computer? – Noch nicht, aber ich kauf mir bald einen.	als Pronomen

2 Formen

ⓐ unbestimmter Artikel

	maskulin	neutral	feminin	Plural
Nominativ	*ein*	*ein*	*eine*	-
Akkusativ	*einen*	*ein*	*eine*	-
Dativ	*einem*	*einem*	*einer*	-
Genitiv	*eines*	*eines*	*einer*	-* / *von* + Dativ

* Nur mit Adjektiv: *Snowboard-Fahren ist eher ein Hobby junger Leute.*

ⓑ Negativ- und Possessivartikel

	maskulin	neutral	feminin	Plural
Nominativ	*kein*	*kein*	*keine*	*keine*
Akkusativ	*keinen*	*kein*	*keine*	*keine*
Dativ	*keinem*	*keinem*	*keiner*	*keinen*
Genitiv	*keines*	*keines*	*keiner*	*keiner*

Genauso: Possessivartikel *mein, dein* usw. 📖 **s. Seite 32**

ⓒ Pronomen

Nur die Formen in den dunkelgrünen Kästen werden anders dekliniert:

	maskulin	neutral	feminin	Plural
Nominativ	*einer*	*ein(e)s*	*eine*	*welche*
Akkusativ	*einen*	*ein(e)s*	*eine*	*welche*
Dativ	*einem*	*einem*	*einer*	*welchen*
Genitiv	*eines*	*eines*	*einer*	*welcher*

Genauso: Negativ- und Possessivpronomen

3 Varianten

Standardsprache	Umgangssprache
Das ist wirklich ein cooler Typ!	*Das ist wirklich 'n cooler Typ!*
Hast du einen Freund?	*Hast du 'nen Freund?*
Ich bin bei einer Tante eingeladen.	*Ich bin bei 'ner Tante eingeladen.*

1 **Wissen Sie's? – Definieren Sie die Begriffe.**
a) Was ist eine Fee? \ Mann aus dem Mittelalter mit Pferd
b) Was ist ein Zwerg? übernatürliche Wesen ohne Körper
c) Was ist eine Hexe? Frau mit magischen Kräften
d) Was sind Geister? gefährliches Tier, das Feuer spuckt
e) Was ist ein Ritter? sehr kleiner Mann mit Bart und Zipfelmütze
f) Was ist ein Drache? hässliche, alte Frau, die zaubern kann und meistens böse ist

a) *Eine Fee ist eine Frau mit magischen Kräften.*

2 **Was ist denn das? – Formulieren Sie Sätze mit dem Genitiv Singular und dem Plural mit** von **+ Dativ.**
a) der Rat/Freund
Das ist der Rat eines Freundes.
Das ist der Rat von Freunden.
b) der Geruch/Zitrone
c) der Duft/Rose
d) der Ton/Flöte
e) der Gesang/Vogel
f) das Schreien/Möwe
g) der Schatten/Wolke

3 **Ein fantastischer Koch – Ergänzen Sie den unbestimmten Artikel und die Pronomen.**
a) Also, Erna, ich brauche zuerst *ein* scharfes Messer. Hast du denn überhaupt *eins*? Ach hier, danke!
b) Und sag mal, gibt es in dieser Küche eigentlich .... Holzbretter? Dann reich mir doch bitte mal .... !
c) Erna, ... Bratpfanne kann ich auch nirgends finden! Hast du k.......................?
d) Sag mal, hast du überhaupt .... Zwiebeln und .... Karotten einge-kauft?
e) So, und jetzt brauche ich noch .... Topf mit Wasser. Ich glaube, da drüben steht .... Danke sehr, meine Liebe.
f) Ach, könntest du mir bitte mal .... große Schüssel bringen?
g) Danke! Ich habe vorhin .... Flasche Weißwein in den Kühlschrank gestellt. Schenk mir doch bitte .... Glas ein! Und nimm dir selber auch ....
h) .... wunderbares Essen! Erna, jetzt brauchen wir bloß noch .... Kerze auf dem Tisch. Na, wie schmeckt das? Ich bin doch .... fantastischer Koch!

4 **Lesen Sie den Text jetzt in der umgangssprachlichen Variante laut vor.**
a) Also, Erna, ich brauch zuerst *'n* scharfes Messer.

5 **Fehlerkorrektur – Ergänzen Sie die fehlenden Artikel (bestimmte s. Seite 22 und unbestimmte) an der richtigen Stelle.**

Meine Freundin Christine hat *ein* Baby bekommen. Deshalb muss ich noch schnell in Geschäft, um Geschenk zu kaufen. Hast du vielleicht Idee, was ich Christine für Baby schenken könn-te? Baby ist Junge, kleines Auto wäre ganz gut. Aber dafür ist Junge jetzt noch ein bisschen zu klein. Vielleicht Mütze für nächsten Winter. Mal sehen, Geschenk darf auch nicht zu teuer sein. Auf jeden Fall kaufe ich Buch mit Jogaübungen für Christine.

2.3 NULLARTIKEL

Brot und Spiele

Der Nullartikel steht ...

Schau, da fliegt ein Vogel. *Schau, da fliegen Vögel.*	... als Plural des unbestimmten Artikels 📖 s. Seite 28
Rom ist die Hauptstadt von Italien. *Asien ist der größte Kontinent der Erde.*	... vor Namen der meisten Länder, Kontinente und Städte
Lisa, das ist Uwe. *Sei leise, Onkel Fritz schläft!*	... vor Eigennamen
Auf Wiedersehen, Frau Dr. Semmler.	... vor Anreden und Titeln
Lance ist Amerikaner.	... vor Nationalitäten
Tanja wird Sängerin. *Max arbeitet jetzt als Profi-Boxer.*	... vor Berufen
Möchten Sie Kaffee oder Tee?	... vor Stoffen
Der Stuhl hier ist aus Holz.	... vor Materialien
Wir brauchen noch Mineralwasser.	... vor unbestimmten Mengen
„Freiheit, Gleichheit, Brüderlichkeit" war *die Parole der Französischen Revolution.*	... vor Abstrakta
Ingeborg hat wirklich Mut. *Max machte vor Freude einen Luftsprung.*	... vor Eigenschaften und Gefühlen
bei Wind und Regen, mit Mühe *ein Zimmer ohne Dusche, zu Abend essen*	... vor Nomen in genereller Bedeutung, besonders nach *mit, ohne, zu*
Bitte ein Glas Orangensaft. *Ich hätte gern ein Kilo Zwiebeln.*	... vor Nomen nach Maß-, Gewichts- und Mengenangaben
Tom kommt nächsten Montag.	... vor Zeitangaben ohne Präposition
Hilfe leisten, Atem holen, Frieden schließen *in Frage stellen, in Gefahr sein, in Gang setzen*	... vor Nomen-Verb-Verbindungen

Wenn das Nomen z.B. durch ein Adjektiv oder einen Relativsatz erweitert ist, muss ein Artikel stehen:

das südliche Afrika *Ach, da kommen ja der alte Tom und die verrückte Tante Frieda.* *Wo ist der Tee, den du gestern gekauft hast?*	bestimmter Artikel
Puh, das ist ja ein scheußlicher Kaffee!	unbestimmter Artikel

ÜBUNGEN

1 · **Warum Nullartikel? – Kreuzen Sie an.**

Besser schlafen

Es sind vor allem die verschiedenen Ereignisse eines Tages, die das Gedanken-Karussell im Kopfkissen *in Gang setzen*. Obwohl man müde ist, klappt es mit dem Einschlafen nicht. Aber auch *Kaffee, Alkohol* und *Nikotin* können *Einschlaf-* störungen verursachen. Gut für das Einschlafen sind *Einschlafrituale*: „So wie *Kindern*, die nur mithilfe von *Gute-Nacht-Geschichten* einschlafen können, hilft auch *Erwachsenen* eine gewisse Einschlaf-Routine", meint *Professor Hartmann*.

	Plural	Stoff	Eigen-name	generelle Bedeutung	Nomen-Verb-Verbindungen
in Gang setzen					✗
Kaffee, Alkohol, Nikotin					
Einschlafstörungen					
Einschlafrituale					
Kindern					
Hilfe					
Gute-Nacht-Geschichten					
Erwachsenen					
Professor Hartmann					

2 **Neue Produkte für die Küche – Ergänzen Sie den Nullartikel, den bestimmten Artikel oder den unbestimmten Artikel.**

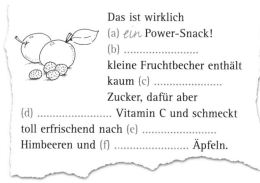

Das ist wirklich (a) *ein* Power-Snack! (b) .... kleine Fruchtbecher enthält kaum (c) .... Zucker, dafür aber (d) .... Vitamin C und schmeckt toll erfrischend nach (e) .... Himbeeren und (f) .... Äpfeln.

Sie mögen (g) .... Zitronen, Sie wollen aber (h) .... Säure nicht? Dann ist für Sie (i) .... Zitronenöl mit (j) .... Vitamin E genau das Richtige für (k) .... Salatsoßen und (l) .... Marinaden. Übrigens: (m) .... Zitronenöl stammt aus (n) .... Sizilien.

3 **Ein Brief aus Italien – Ergänzen Sie den bestimmten Artikel, den unbestimmten Artikel oder den Nullartikel. Manchmal gibt es zwei Möglichkeiten.**

Liebe (a) _____ Katharina,

wie geht es Dir? Stell Dir vor, ich bin in (b) _____ Florenz und mache seit vier Tagen (c) _____ Sprachkurs. (d) _____ Kurs ist immer (e) a_____ Vormittag, danach mache ich meine Hausaufgaben mit zwei anderen Studentinnen in (f) _____ kleinen „ristorante" neben (g) _____ Schule.

Nachmittags schauen wir uns meistens zu dritt (h) _____ Stadt an – und hier gibt es wirklich viel zu sehen! In (i) _____ „Uffizien" waren wir schon – das ist (j) _____ schönste Gemäldesammlung, die ich kenne. Und es gibt noch so viel anderes zu besichtigen! Meistens endet unsere Tour in (k) _____ Café oder in (l) _____ Park.

Ich wohne bei (m) _____ italienischen Familie, und abends esse ich meistens dort. Später treffe ich mich dann noch mit einigen anderen Studenten in (n) _____ Diskothek oder in (o) _____ Bar und trinke ein paar Gläser (p) _____ Wein.

So, und genau dorthin gehe ich jetzt auch, denn ich habe mich mit (q) _____ Eva und (r) _____ Frederico verabredet. (s) _____ Frederico ist (t) _____ Spanier und arbeitet als (u) _____ Software-Spezialist bei (v) _____ Computerfirma.

Hast Du (w) _____ Lust, mich hier zu besuchen? Schreib mir doch mal!

Alles Liebe,

Deine (x) _____ Sandra

2.4 POSSESSIVARTIKEL

mein Schlüssel

1 Funktion

Der Possessivartikel und das Possessivpronomen signalisieren „Besitz" oder „Zusammengehörigkeit".

So, ich hab jetzt meinen Autoschlüssel, und da sind meine Handschuhe. Ich suche jetzt nur noch meine Brille.	Possessivartikel
Ist das eigentlich Ihr Auto? – Ja, das ist meins.	Possessivpronomen

2 Formen

a Possessivartikel

	maskulin	neutral	feminin	Plural
ich	*mein*	*mein*	*meine*	*meine*
du	*dein*	*dein*	*deine*	*deine*
er	*sein*	*sein*	*seine*	*seine*
es	*sein*	*sein*	*seine*	*seine*
sie	*ihr*	*ihr*	*ihre*	*ihre*
wir	*unser*	*unser*	*uns(e)re*	*uns(e)re*
ihr	*euer*	*euer*	*eure*	*eure*
sie/Sie	*ihr/Ihr*	*ihr/Ihr*	*ihre/Ihre*	*ihre/Ihre*

Deklination

	maskulin	neutral	feminin	Plural
Nominativ	*mein*	*mein*	*meine*	*meine*
Akkusativ	*meinen*	*mein*	*meine*	*meine*
Dativ	*meinem*	*meinem*	*meiner*	*meinen*
Genitiv	*meines*	*meines*	*meiner*	*meiner*

Genauso: *dein, deinen, deinem, deines; sein, seinen, seinem ...*

Akkusativ

Wo wohnt eigentlich Tom? – Keine Sorge, ich habe seine Adresse.
3. Person maskulin
feminin

Dativ
Diesen Ring will ich Julia zu ihrem Geburtstag schenken.
3. Person   maskulin
feminin

b Possessivpronomen

Nur die Pronomen in den dunkelgrünen Kästen werden anders dekliniert:

	maskulin	neutral	feminin	Plural
Nominativ	*meiner*	*mein(e)s*	*meine*	*meine*
Akkusativ	*meinen*	*mein(e)s*	*meine*	*meine*
Dativ	*meinem*	*meinem*	*meiner*	*meinen*
Genitiv	*meines*	*meines*	*meiner*	*meiner*

_1_ **Kurz vor dem Abflug – Ergänzen Sie die Possessivartikel.**
- ■ Frau Haller, wo ist eigentlich (a) _mein_ Pass?
- ■ Tut mir leid, ich weiß nicht, wo Sie (b) .... Pass haben.
- ■ Ich fliege nachher doch nach Zürich.
  Wissen Sie vielleicht, wo ich (c) .... Ticket hingelegt habe?
- ■ Nein, aber schauen Sie doch mal in (d) .... Büro nach.
  Es könnte auf (e) .... Schreibtisch liegen.
- ■ Ach, natürlich! Danke sehr!
- ■ So, jetzt rufe ich Ihnen aber gleich ein Taxi! (f) .... Flugzeug geht nämlich in einer Stunde!

_2_ **Auf Prominentenjagd in Hollywood – Formulieren Sie Antworten mit dem Possessivartikel.**
a) Wohnt hier Silvester Stallone? (die Villa) – Ja, das ist _seine Villa_.
b) Und mit diesem Auto fährt Richard Gere herum? (der Wagen) – Genau, das ist .... , aber er fährt nicht gerne Auto.
c) Das ist doch die Straße, die nach Frank Sinatra benannt wurde? (die Straße) – Ja, man könnte sagen, dass das .... ist.
d) Und in diesem Fitness-Studio kommt wirklich Jane Fonda öfter vorbei? (das Fitness-Studio) – Ja, denn das ist .... eigenes ....

_3_ **Stars privat – Ergänzen Sie die Possessivartikel.**

KIM BASINGER, US-Schauspielerin, ist privat nicht so mutig wie in (a) _ihren_ Filmen. „Ich habe immer noch Angst vor (b) .... öffentlichen Auftritten", sagte die Schauspielerin jetzt. Schon in (c) .... Schulzeit habe (d) .... Mutter die Lehrer um Verständnis für Kims Schüchternheit gebeten. Heute ist Basinger aber der Meinung, es sei besser, sich (e) .... Ängsten zu stellen.

RICHARD GERE, US-Schauspieler, hat (f) .... Filmkarriere unter anderem (g) .... mangelnden Selbstbewusst- sein zu verdanken. „(h) .... Meinung von mir selbst war früher nicht sehr hoch", sagte der 50 Jahre alte Frauenschwarm. Aus ähnlichen Gründen seien die meisten (i) .... Kollegen Schauspieler geworden, meinte Gere.

_4_ **Nach einer Party – Ergänzen Sie das Possessivpronomen.**
a) Tom, sind das deine Schuhe? – Ja, das sind _meine_.
b) Und diese Jacke hier. Ist die auch von dir? – Nein, das ist nicht .... , ich glaube, die ist von Steven.
c) Sind das auch seine Zigaretten? – Zeig mal her! Ja, das sind ....
d) Und dieses Brillenetui hier gehört doch Liz? – Genau, das ist ....
e) Und dieser Ring ist sicher von Julia. – Ja, das muss .... sein.

3.1 ADJEKTIVDEKLINATION *TYP 1*

der rote Stein

1 **Funktion**

Da im Deutschen die Satzglieder auf unterschiedlichen Positionen stehen können, dienen die Kasus-Signale 📖 **s. Seite 12-14** zur Unterscheidung der Ergänzungen.
Das Kasus-Signal ist …

… entweder am Artikelwort (Adjektivdeklination Typ 1):	*Den alten Film sehe ich immer wieder gern.*
… oder am Adjektiv (Adjektivdeklination Typ 2 📖 **s. Seite 36**):	*Im Gloria läuft heute nur ein alter Film.*

2 **Formen**

Wenn das Kasus-Signal am Artikelwort ist, bekommt das Adjektiv die Endung *-en*, nur in der markierten „Pistolenform" die Endung *-e*.

	maskulin			neutral			feminin			Plural		
NOM	*der*	*rote*	*Stein*	*das*	*helle*	*Licht*	*die*	*klare*	*Luft*	*die*	*runden*	*Formen*
AKK	*den*	*roten*	*Stein*	*das*	*helle*	*Licht*	*die*	*klare*	*Luft*	*die*	*runden*	*Formen*
DAT	*dem*	*roten*	*Stein*	*dem*	*hellen*	*Licht*	*der*	*klaren*	*Luft*	*den*	*runden*	*Formen*
GEN	*des*	*roten*	*Steines*	*des*	*hellen*	*Lichtes*	*der*	*klaren*	*Luft*	*der*	*runden*	*Formen*

Genauso nach den Artikelwörtern *dieser, jener, jeder, welcher, mancher, alle.*

Wenn ein Nomen mehrere Adjektive hat, werden alle Adjektive gleich dekliniert: *die roten, gelben und braunen Blätter.*

Besondere Adjektive:

hoch	*der*	*hohe*	*Turm*	
dunkel	*eine*	*dunkle*	*Straße*	Adjektive auf *-el* und *-er*
teuer	*meine*	*teure*	*Uhr*	aber: *bitter, finster: eine bittere Medizin*
prima	*eine*	*prima*	*Idee*	Adjektive auf *-a* werden nicht dekliniert
Münchner	*das*	*Münchner*	*Bier*	Adjektive von Städtenamen und einigen
Wiener	*der*	*Wiener*	*Walzer*	Ländernamen enden auf *-er*, werden groß-
Schweizer		*Schweizer*	*Käse*	geschrieben und nicht dekliniert

ÜBUNGEN

1 **Herbst – Unterstreichen Sie die Kasus-Signale und ergänzen Sie die Adjektivendungen im Nominativ.**

maskulin
a) dieser blaue Himmel
b) der bunte Wald
c) jener alte Baum

neutral
d) das herrliche Wetter
e) dieses einmalige Blau
f) jedes einzelne Blatt

feminin
g) die klare Luft
h) die einzige Wolke
i) diese prima...... Idee

2 Ein Picknick im Grünen – Unterstreichen Sie die Kasus-Signale und ergänzen Sie die Adjektivendungen.

Akkusativ

a) über den ganz*en* See

b) für das geplant*e* Picknick

c) ohne die kleinst*e* Pause

Dativ

d) zu dem alt*en* Waldarbeiter

e) mit diesem klein*en* Boot

f) in der golden*en* Abendsonne

Genitiv

g) während des ganz*en* Tages

h) trotz des gut*en* Wetters

i) wegen der beginnend*en* Dunkelheit

3 Natur pur – Unterstreichen Sie die Kasus-Signale und ergänzen Sie die Adjektivendungen im Plural.

a) durch die herbst- lich*en* Wälder

b) für alle hungrig*en* Tiere

c) um die hölzern*en* Bänke

d) zwischen den dunkl*en* Bäumen

e) unter diesen hoh*en* Tannen

f) mit den grün*en* Zweigen

g) unterhalb der hoh*en* Berge

h) jenseits der verschneit*en* Alpen

i) während der kürzer werdend*en* Tage

4 Haushaltstipps – Ergänzen Sie die Adjektive.

KÜHLSCHRANK: Wenn Ihr Kühlschrank nur die halb (a) *volle* (voll) Flasche Wein von gestern Abend und den (b) *restlichen* (restlich) (c) *schweizer* (Schweiz) Käse enthält, verbraucht er mehr Energie als in (d) *gefülltem* (gefüllt) Zustand. Füllen Sie ihn also auf: Mit dem (e) *grünen* (grün) Salat zum Beispiel, den (f) *Wiener* (Wiener) Würstchen oder auch der gerade (g) *gekauften* (gekauft) Flasche Wein.

GESCHIRRSPÜLMASCHINE: Auf dem (h) *gespülten* (gespült) Geschirr sind die (i) *traurige* (traurig) Reste der Tomatensoße vom (j) *gestrigen* (gestrig) Abendessen noch zu sehen? Dann war die Maschine wohl zu voll! Räumen Sie Ihre Spül- maschine beim (k) *nächsten* (nächst) Mal so ein, dass das Wasser überall hinkommt, und reinigen Sie regelmäßig alle Siebe und Filter.

WASCHMASCHINE: Stopfen Sie nicht die (l) *ganze* (ganz) Schmutzwäsche der (m) *letzten* (letzt) Wochen mit Gewalt in die (n) *armen* (arm), (o) *alten* (alt) Maschine, sonst wird der Motor zu stark belastet. Und waschen Sie die (p) *dunkle* (dunkel) T-Shirts getrennt von den (q) *weißen* (weiß) Hemden.

3.2 ADJEKTIVDEKLINATION *TYP 2*

roter Stein – helles Licht – klare Luft

Formen

Wenn es keinen Artikel (Nullartikel) gibt oder das Artikelwort kein Kasus-Signal hat *(ein, kein, mein* usw.*)*, bekommt das Adjektiv das Kasus-Signal.
Ausnahme: Genitiv maskulin und neutral: *-en.* Hier hat das Nomen das Kasus-Signal.

		maskulin		neutral		feminin		Plural	
NOM		*roter*	Stein	*helles*	Licht	*klare*	Luft	*runde*	Formen
AKK		*roten*	Stein	*helles*	Licht	*klare*	Luft	*runde*	Formen
DAT		*rotem*	Stein	*hellem*	Licht	*klarer*	Luft	*runden*	Formen
GEN		*roten*	Steines	*hellen*	Lichtes	*klarer*	Luft	*runder*	Formen

Genauso: nach Kardinalzahlen, z.B. *mit drei grünen Smaragden,* anstelle *zehn roter Edelsteine.*

Wenn ein Nomen mehrere Adjektive hat, werden alle Adjektive gleich dekliniert: *in klarer, frischer Luft.*

ÜBUNGEN

1 Welche Artikelwörter haben kein Kasus-Signal, welche haben eins? – Kreuzen Sie an.

	ohne	mit		ohne	mit		ohne	mit
ein	☒	☐	seinen	☐	☒	unser	☒	☐
einen	☐	☒	sein	☒	☐	unsere	☐	☒
kein	☒	☐	mein	☒	☐	dein	☒	☐
keine	☐	☒	deinem	☐	☒	meinen	☐	☒
Ihr	☒	☐	Ihre	☐	☒	Ihren	☐	☒

2 Sommer – Ergänzen Sie die Adjektivendungen im Nominativ.

maskulin	neutral	feminin	Plural
a) ein weit*er* Weg	e) unser verrostet*es* Rad	i) leis*e* Musik	m) hoh*e* Tannen
b) rot*er* Wein	f) dein alt*es* Radio	j) gesalzen*e* Butter	n) süß*e* Trauben
c) französisch*er* Käse	g) dunkl*es* Brot	k) würzig*e* Wurst	o) lachend*e* Kinder
d) stark*er* Kaffee	h) ein scharf*es* Messer	l) frisch*e* Milch	p) groß*e* Bäume

3 Aktivurlaub – Ergänzen Sie die Adjektive.

Akkusativ

Sie wollen mal richtig raus aus dem Alltag? Sie mögen (a) *gutes* (gut) Essen und (b) ...*exzellenter*... (exzellent) Wein, lieben (c) ...*klassische*... (klassisch) Musik und wünschen sich nebenbei auch noch (d) ...*sportlichen*...(sportlich) Aktivitäten? Dann buchen Sie für ein (e) ......*langer*...... (lang) Wochenende ein (f) ....*komfortabler*......... (komfortabel) Doppel- oder Einzelzimmer in unserem Hotel! Sie werden hier (g) ......*unvergesslichen*...... (unvergesslich) Tage verbringen!

Dativ

Bei (h) ...*frischen*.... (frisch) Neuschnee können Sie auf allen Pisten Ski fahren oder in (i) ......*klarer*...... (klar) Bergluft einmalige Wanderungen machen. Danach geht's in den Fitness-Raum: Mit (j) ...*gezieltem*... (gezielt) Muskeltraining gegen den Speck! Nach dem Sport in die Sauna und danach in (k) ....*eiskaltem*.... (eiskalt) Wasser schwimmen: Da vergessen Sie den Alltag bestimmt! Übrigens: Unsere Skikurse finden alle in (l) ....*klein*........ (klein) Gruppen statt.

Genitiv

Sie werden sich innerhalb (m) .....*kürzesten*..... (kürzest) Zeit wie neu geboren fühlen! Auf der Basis (n) ...*individueller*...(individuell) Beratung wird Ihr ganz persönliches Fitness-Programm zusammengestellt: Anstelle (o) ...*untrainierter*... (untrainiert) Muskeln und (p) ...*trüber*....... (trüb) Gedanken werden bald Waschbrettbauch und Optimismus ihr Leben bestimmen.

4 Deine blauen Augen sind phänomenal! – Ergänzen Sie die Adjektivendungen.

(a) Blauäugig*e* Männer haben offenbar (b) besser*ere* Chancen beim Flirten – auf jeden Fall bei (c) englisch*en* Frauen. Denn nach einer kürzlich veröffentlichten Studie von (d) britisch*e* Psychologen der Universität Manchester ist dort fast jede zweite Frau von (e) blau*en* Augen fasziniert. (f) Verschieden*en* Testmänner mussten sich für die Studie (g) farbig*e* Kontaktlinsen einsetzen und wurden so fotografiert. Die Testfrauen mussten anhand der Fotos dann (h) folgend*en* Fragen beantworten und auf einer Skala bewerten: Ist das ein (i) sympathisch*en* Mann? Ist das ein (j) attraktiv*en* Mann? Ist das ein (k) intelligent*en* Mann? Dabei wussten sie nicht, dass es bei der Befragung um die Augen ging. Das Ergebnis:

(l) Braunäugig*en* Männer wirken nur auf 21 Prozent der Frauen attraktiv, 33 Prozent bevorzugen (m) grün*en* Augen. Bei Männern mit (n) blau*en* Augen wurden 46 Prozent der befragten Frauen schwach. Darüber hinaus haben (o) blauäugig*en* Männer einen weiteren Vorteil: „Findet man jemanden wegen (p) schön*en* Augen attraktiv, spricht man ihm auch (q) höher*en* Intelligenz zu", hat Studienleiter Geoffrey Beattle herausgefunden.

5 Computer und Co. – Formulieren Sie Sätze.

a) ein I leistungsfähig I Computer I sein I heutzutage I billig
   Ein leistungsfähiger Computer ist heutzutage billig.
b) ein I gut I und I augenschonend I Bildschirm I dürfen I nicht I flimmern
c) ein I professionell I Drucker I müssen I hoch I Farbqualität I bieten
d) zwei I klein I Aktiv-Boxen I sein I auch I im I Kaufpreis I enthalten
e) an das I Telefon I können I ein I modern I Faxgerät I angeschlossen werden

3.3 ADJEKTIVDEKLINATION *TYP 3*

ein roter Stein in einem hellen Licht

Die Adjektivdeklination Typ 3 ist eine Mischung aus den Deklinationen Typ 1 und Typ 2.
Der unbestimmte Artikel, der negative Artikel und die Possessivartikel haben manchmal ...
... ein Kasus-Signal ⟶ Adjektivdeklination Typ 1 (helle Kästen) 📖 **s. Seite 34**,
... kein Kasus-Signal ⟶ Adjektivdeklination Typ 2 (dunkelgrüne Kästen) 📖 **s. Seite 36**.

	maskulin			neutral			feminin			Plural		
NOM	*ein*	*roter*	*Stein*	*ein*	*helles*	*Licht*	*eine*	*klare*	*Luft*	*–*	*runde*	*Formen*
AKK	*einen*	*roten*	*Stein*	*ein*	*helles*	*Licht*	*eine*	*klare*	*Luft*	*–*	*runde*	*Formen*
DAT	*einem*	*roten*	*Stein*	*einem*	*hellen*	*Licht*	*einer*	*klaren*	*Luft*	*–*	*runden*	*Formen*
GEN	*eines*	*roten*	*Steines*	*eines*	*hellen*	*Lichtes*	*einer*	*klaren*	*Luft*	*–*	*runder*	*Formen*

	maskulin			neutral			feminin			Plural		
NOM	*kein*	*roter*	*Stein*	*kein*	*helles*	*Licht*	*keine*	*klare*	*Luft*	*keine*	*runden*	*Formen*
AKK	*keinen*	*roten*	*Stein*	*kein*	*helles*	*Licht*	*keine*	*klare*	*Luft*	*keine*	*runden*	*Formen*
DAT	*keinem*	*roten*	*Stein*	*keinem*	*hellen*	*Licht*	*keiner*	*klaren*	*Luft*	*keinen*	*runden*	*Formen*
GEN	*keines*	*roten*	*Steines*	*keines*	*hellen*	*Lichtes*	*keiner*	*klaren*	*Luft*	*keiner*	*runden*	*Formen*

Genauso *mein roter Stein*, ... (alle Possessivartikel)

ÜBUNGEN

1 Welche Artikelwörter haben ein Kasus-Signal, welche haben keins? – Kreuzen Sie an.

	mit	ohne
einen	X	
ein		X
keinem	X	
kein		X
deinen	X	
dein		X
keine	X	

	mit	ohne
einem	X	
meine	X	
mein		X
seiner	X	
sein		X
unseres	X	
unser		X

	mit	ohne
euren	X	
euer		X
eurer	X	
ihr		X
Ihrem	X	
Ihr		X
ihren	X	

2 Unterstreichen Sie die Kasus-Signale in Übung 1.

3 Studenten ziehen um – Ergänzen Sie die Adjektivendungen.

maskulin
a) so ein schön*er* Schreibtisch
b) einen ganz*en* Tag
c) mit einem gemietet*en* Lkw
d) statt eines privat*en* Wagens

neutral
e) ein modern*es* Telefon
f) ohne sein alt*es* Regal
g) aber mit meinem wunderbar*en* Bett
h) trotz unseres eng*en* Treppenhauses

feminin
i) eine ziemlich hässlich*e* Lampe
j) eine gebraucht*e* Geschirrspülmaschine
k) neben meiner neu*en* Mikrowelle
l) unterhalb deiner alt*en* Küchenuhr

maskulin	neutral	feminin
m) weiteren Pläne	o) zusätzlichen Probleme	q) vielen Fragen
n) keine antiken Stühle	p) seine ganzen Bücher	r) unsere nächsten Wochenenden

4 Eine neue Wohnung – Ergänzen Sie die Adjektive.

Tobias hat endlich eine (a) *neue* (neu) und Gott sei Dank nicht sehr (b) ..... teuren ..... (teuer) Wohnung gefunden. Sie hat eine (c) ..... helle ..... (hell) Küche, eine (d) ..... sonnige ..... (sonnig) Terrasse, ein (e) ..... kleines ..... (klein) Wohnzimmer, einen (f) ..... dunklen ..... (dunkel) Flur, und im Badezimmer steht eine (g) ..... wunderschöne ..... (wunderschön), (h) ..... altmodischen ..... (altmodisch) Badewanne. Tobias sucht jetzt noch einen (i) ..... gebrauchten ..... (gebraucht) Fernseher und einen (j) ..... gemütlichen ..... (gemütlich) Sessel. Und dafür hat er auch schon eine (k) ..... wichtige ..... (wichtig) Verabredung. Er will heute Nachmittag mit seiner Freundin Vera in die Stadt gehen und die Sachen kaufen, die noch fehlen. Aber das ist gar nicht so einfach: Denn ein (l) ..... schönes ..... (schön) und (m) ..... gemütliches ..... (gemütlich) Sessel ist ziemlich teuer, und Vera will eigentlich keinen (n) ..... gebrauchten ..... (gebraucht) Fernseher. Sie möchte lieber ein (o) ..... modernes ..... (modern) Gerät mit einem (p) ..... großen ..... (groß) Bildschirm. Das ist aber für Tobias viel zu teuer, deshalb kauft er erst einmal gar nichts. Er fährt mit seinem (q) ..... rostigen ..... (rostig) Fahrrad nach Hause und setzt sich dort an seinen (r) ..... alten ..... (alt) Computer. Dazu trinkt er ein (s) ..... Münchener ..... (München) Weißbier.

5 Im Internetcafé – Ergänzen Sie die Adjektivendungen.

Im Internetcafé

Alle Leute sind hier allein, denn jeder Gast kommuniziert über seinen (a) eigenen Bildschirm gerade mit dem Rest der (b) großen (c) weiten Welt. 5 Euro kostet jede Stunde, die man am Computer verbringt. An allen (d) verfügbaren Computern kann man online die (e) neuesten Zeitungen lesen, mit (f) anderen Leuten „chatten" oder sich zu Hause in (g) angenehmer Erinnerung bringen. Jonathan zum Beispiel muss gerade eine (h) schwierige Frage beantworten, die ihm sein (i) alter Freund Pit in Kanada stellt. Pit hat schon allen (j) gemeinsamen Freunden in Kanada erzählt, dass Deutschland ein (k) schönes Land ist. Aber besonders interessiert ihn, wie die (l) hübsche Studentin heißt, von der Jonathan das (m) letzte Mal erzählt hat. Jonathan hat schon zwei (n) kleine Bier getrunken, und jedes (o) weitere Bier vermehrt seine Tippfehler beim Plaudern mit Pit. Aber das macht nichts, denn bei diesem (p) elektronischen Brief kommt es nicht so sehr auf (q) genaue Rechtschreibung an.
Und Tanja schreibt gerade an ihren (r) neuen Freund in Berlin. Eine E-Mail für Verliebte – in diesem Fall ist natürlich jedes (s) einzelne Wort wichtig.

6 Unterstreichen Sie in Übung 5 alle Artikelwörter, die vor einem Adjektiv stehen und ein Kasus-Signal haben.

3.4 ARTIKEL ODER ADJEKTIV?

alle netten Kollegen – mehrere unklare Antworten

1 Funktion

Um die Adjektivdeklination richtig zu machen, muss man wissen, ob das Wort vor dem Adjektiv ein Artikelwort oder selber ein Adjektiv ist. Das ist besonders bei Wörtern schwierig, die Mengenangaben bezeichnen.

2 Formen

Artikel	Adjektive		Nomen	
alle keine manche solche	geltenden neuen schönen weitreichenden		Regeln Projekte Stunden Pläne	Artikelwörter mit Kasus-Signal ⟶ Adjektivdeklination Typ 1
	einige etliche mehrere*	weitere interessante unklare	Fragen Aspekte Antworten	immer mit Nullartikel ⟶ Adjektiv- deklination Typ 2
die die	viele** vielen wenige** wenigen	neue neuen gut informierte gut informierten	Informationen Informationen Personen Personen	mit Nullartikel ⟶ Adjektivdeklination Typ 2, mit bestimmtem Artikel ⟶ Adjektivdeklination Typ 1

Genauso wie *viele* und *wenige*: *andere, folgende, verschiedene, zahlreiche.*

  * *mehrere = einige* nicht verwechseln mit *mehr. mehr* ist der Komparativ von *viel* und wird nicht dekliniert: *mehr gutes Geld.* So auch *weniger: weniger schlechte Luft*

** Im Singular: *viel neues Wissen, wenig freier Raum*

Pronomen

Wie viele Freunde hast du eigentlich eingeladen? – Alle. *Haben Sie alle Fragen beantwortet? – Nein, nur einige.* *Gibt es noch Brötchen? – Nein, es gibt keine mehr.* *Das sind aber schöne Stifte! Solche möchte ich auch haben.*	alle, einige, keine*, manche, solche können auch als Pronomen verwendet werden.

* 📖 s. Seite 28 (unbestimmter Artikel)

---

1 Benimmregeln fürs Büro – Unterstreichen Sie die Artikelwörter und die unbestimmten Zahladjektive. Ergänzen Sie die Adjektivendungen.

TELEFON

Führen Sie keine (a) privat*en* Gespräche vom Firmenapparat aus, besonders dann nicht, wenn Sie zahlreiche auswärts (b) wohnend...... Freunde und Bekannte haben. In etlichen (c) modern...... Firmen gilt jedoch ein pragmatischer Umgang mit diesem Thema, wenn nicht allzu viel (d) wertvoll...... Arbeitszeit geopfert wird und sich die Kosten im Rahmen halten.

DUZEN

Wenn Sie neu in einer Firma anfangen, werden Sie natürlich nicht alle (e) älter...... Kollegen duzen. Aber für die zahlreichen (f) jugendlich...... Freunde des „Du" sind bessere Zeiten in Sicht: Es gibt mehrere (g) eindeutig...... Hinweise darauf, dass der Trend dahin geht, sich beim Vornamen zu nennen – selbst in etlichen (h) konservativ...... Branchen.

FÜSSE

Die Füße bleiben unter dem Tisch, denn der Chef mag keine (i) entspannt...... Mitarbeiter. Auch wenn Sie glauben, alle (j) cool...... Leute müssten die Füße auf den Tisch legen: Das ist nicht so, und manche (k) wichtig...... Geschäftspartner reagieren auf diese bequeme Haltung ausgesprochen allergisch.

2 So geht's nicht weiter! – Formulieren Sie Sätze mit dem Akkusativ.
Wir fordern ...
a) weniger unbezahlt Überstunden
   ... weniger unbezahlte Überstunden!
b) mehr frei Zeit
c) mehr bezahlt Urlaub
d) nur wenig künstlich Licht im Büro
e) viel frisch Luft
f) mehr grün Pflanzen

3 Betriebsversammlung – Formulieren Sie Sätze.
a) Auf der Betriebsversammlung sieht man heute auch ‖ zahlreich I unbekannt I Gesichter
   Auf der Betriebsversammlung sieht man heute auch zahlreiche unbekannte Gesichter.
b) Es gibt nur noch ‖ wenig I frei I Plätze
c) Der Personalchef hat ‖ viel I neu I Informationen
d) Er äußert sich tatsächlich zu ‖ all I gestellt I Fragen
e) Es gibt allerdings auch ‖ etlich I gut hörbar I Zwischenrufe
f) Ein junger Mitarbeiter macht ‖ einig I kritisch I Bemerkungen
g) Der Personalchef beantwortet plötzlich ‖ kein I weiter I Fragen I mehr

4 Alltägliches – Ergänzen Sie die Artikelwörter, Adjektive und Pronomen.

‹ einiges I mehr I mehrere (2x) I solche I viel (2x) I viele I wenig (2x) I wenige

a) Terry hat heute leider nicht *viel* Zeit.
b) Andy verdient nur 800 Euro pro Monat. Das ist ziemlich ....
c) Ich bin heute so müde! Ich habe eigentlich nur .... Lust, ins Kino zu gehen.
d) Ich kenne nur .... Leute, die so viel essen können wie Hugo.
e) Karin hat wirklich zu .... Arbeit. Sie braucht .... Zeit für sich.
f) In dem Bereich ist sie Expertin. Da weiß sie ....
g) Ich habe zum Geburtstag gleich .... CDs von Mozart bekommen!
h) Das sind aber schöne Gläser! .... hätte ich auch gern.
i) So .... Brote hast du gemacht? Wer soll denn die alle essen?
j) Wo warst du denn gestern? Ich habe .... Male versucht, dich anzurufen!

3.5 KOMPARATIV UND SUPERLATIV

jung – jünger – am jüngsten

1 Funktion: Vergleich

Moritz ist 10 Jahre alt.
Er ist noch jung.

Julia ist erst 5.
Sie ist jünger als Moritz.

Alex ist erst 8 Monate alt.
Er ist am jüngsten.

2 Formen

a beim Verb

					Grundform	nicht dekliniert
Alex ist		dick.			Grundform	nicht dekliniert
Fritz ist		dick	er.		Komparativ	
Karl ist	am	dick	st	en.	Superlativ	

b beim Nomen

						Grundform	Adjektivdeklination s. Seite 34-39
ein		dick		er	Mann	Grundform	Adjektivdeklination s. Seite 34-39
ein		dick	er	er	Mann	Komparativ	
der		dick	st	e	Mann	Superlativ	Superlativ nur mit bestimmtem Artikel

c unregelmäßige Formen

alt	älter	ältest-	a ➝ ä	bei vielen einsilbigen
groß	größer	größt-	o ➝ ö	Adjektiven
jung	jünger	jüngst-	u ➝ ü	
frisch	frischer	frischest-	nach -s, -d, -sch, -ss, -ß, -t, -tz, -x, -z: -est-	
intelligent	intelligenter	intelligentest-	Ausnahme: *größt-*	
dunkel	dunkler	dunkelst-	-e- fällt im Komparativ weg	
teuer	teurer	teuerst-		
hoch	höher	höchst-		
nah	näher	nächst-		
viel	mehr	meist-	*mehr/weniger* stehen vor artikellosen Nomen	
gut	besser	best-	und werden nicht dekliniert: *Mehr Unfälle,*	
gern	lieber	liebst-	*aber weniger Tote!*	

d *wie* oder *als*?

Ist New York so groß wie **Hongkong?** **Nein, New York ist doch** nicht so groß wie **Hongkong.**	Grundform + *wie*
New York hat aber mehr Einwohner als **Hongkong.** **Hongkong hat** weniger Einwohner als **New York.**	Komparativ + *als*

e Relativer Superlativ

Die schönsten Häuser Frankreichs. Max wohnt in einem davon.

Max wohnt in einem der schönsten Häuser Frankreichs.
= Genitiv Plural

1 Ergänzen Sie die Tabelle.

a)	arm	*ärmer*	*am ärmsten*
b)	hart	härter	am hartsten
c)	mehr	mehr	am mehrsten
d)	breit	breiter	am breitesten
e)	stark	starker	am starkesten
f)	best	bester	am besten
g)	teuer	teuerer	am teuersten
h)	lieb		am liebsten
i)	klug	klüger	am klugsten
j)	schwach	schwacher	am schwachsten

2 Unübertrefflich – Ergänzen Sie das passende Adjektiv im Superlativ.

giftig | ~~hoch~~ | lang | ~~schnell~~ | schwierig

a) Der Gepard ist das *schnellste* Säugetier der Welt.
b) Der Mount Everest ist der ...hochsten... Berg der Welt.
c) Der Nil ist der ...langsten... Fluss der Welt.
d) Die Kobra ist die ...giftigsten... Schlange der Welt.
e) Deutsch ist sicher nicht die ...schwierigsten... Sprache der Welt.

3 Vergleichen Sie! – Formulieren Sie Sätze mit dem Komparativ und als bzw. mit
nicht so ... wie.

a) Zu Hause gibt Herbert nicht so viel Geld aus wie im Urlaub.
Zu Hause gibt Herbert weniger Geld aus als im Urlaub.
b) Im Urlaub schmeckt ihm der Wein besser als zu Hause.
Zu Hause schmeckt ihm der Wein nicht so gut wie im Urlaub.
c) Im Urlaub schläft Herbert nicht so schlecht wie zu Hause. (gut)
d) Zu Hause steht er früher auf als im Urlaub. (spät)
e) Im Urlaub ist er nicht so müde wie zu Hause. (aktiv)
f) Im Urlaub ist es sowieso spannender als zu Hause. (langweilig)

4 Keine Übertreibungen – Ergänzen Sie den Superlativ und formulieren Sie dann
Sätze mit dem relativen Superlativ.

a) Claudia Schiffer ist die *schönste* Frau Europas. (schön)
Das stimmt nun wirklich nicht! – *Na gut, aber sie ist eine
der schönsten Frauen Europas.*
b) Der Mops ist der ...hässlichsten... Hund der Welt. (hässlich)
Jetzt übertreibst du aber! – *O.k., aber ...*
c) Rothenburg ist die ...hübschsten... Stadt in Deutschland. (hübsch)
So ein Unsinn! – *Na ja, aber ...*
d) In München gibt es das ...bessesten... technische Museum Europas. (gut)
Das stimmt einfach nicht. – *Na gut, aber ...*
e) Harald ist wirklich der ...nettesten... Mensch der Welt! (nett)
Finde ich nicht. – *Gut, aber ...*

43

3.6 GRADUIERUNG DURCH ADVERBIEN

sehr schön

_1_ **Funktion**

Verstärkung oder Abschwächung der Bedeutung eines Adjektivs.

Lernt Paul eigentlich viel für sein Examen?	*Also ich finde, dass er*	*zu* *sehr* *gar nicht*	*viel (-)* *viel (++)* *viel* *viel (-)*	*lernt.*

_2_ **Formen**

a Adverbien und Adjektive

Verstärkung	Verstärkung einer Negation	Abschwächung	über dem Normalmaß
außerordentlich **hübsch** *ausgesprochen* **schön** *besonders* **schlecht** *ganz** **leer** *sehr* **schnell** *überaus* **sparsam** *ungewöhnlich* **laut**	*Der Film war gar/ überhaupt* **nicht gut.** – *Er hat mir gar/überhaupt* **nicht gefallen.**	*einigermaßen* **frisch** *ganz*** **nett** *halbwegs* **pünktlich** *recht* **schnell** *relativ* **groß** *vergleichsweise* **klein** *ziemlich* **teuer**	*zu* **dick** *viel zu* **dick** *allzu* **dünn**

* betont ** unbetont

b Wortbildung

Diese Zusammensetzungen werden vor allem in der Werbe-, Umgangs- und Jugendsprache verwendet. Sie können aber nicht mit jedem Adjektiv kombiniert werden *(ein* ~~stockschöner~~ *Garten)*:

*hoch***aktuell**	*tief***blau**	*affen***stark**	*riesen***groß**
*extra***breit**	*super***schnell**	*bild***schön**	*stock***finster**
*voll***klimatisiert**	*top***modern**	*nagel***neu**	*tod***traurig**

ÜBUNGEN

_1_ **Ein vergleichsweise netter Abend – Verstärkung oder Abschwächung? Kreuzen Sie an.**

	Ver-stärkung	Ab-schwächung
a) Na, das war ja ein ausgesprochen schlechter Film.	X	
b) Was? Also ich fand den Film recht gut.		X
c) „Gut" sagst du? Also, die Schauspieler haben vielleicht ganz nett gespielt,		X
d) aber die Handlung war doch einigermaßen uninteressant.	X	
e) Und den Schluss fand ich überhaupt nicht logisch.	X	
f) Was? Ich fand, der Schluss war besonders spannend.	X	
g) Dafür habe ich auf den engen Sitzen ganz steife Beine bekommen.	X	XX

2 Ein überaus schöner Mann! – Ergänzen Sie die passenden Adverbien.

Verstärkung ++	Abschwächung +	
■ Also, Kurt hat ja eine (a) *ausgesprochen* lange Nase.	■ Na ja, sie ist zwar (b) *recht* lang, aber trotzdem schön.	ausgesprochen ~~relativ~~
■ Und er hat auch (c) *ungewöhliches* große Ohren.	■ Ja, die sind schon (d) *relativ* groß, aber man sieht sie ja kaum.	ungewöhnlich ~~ziemlich~~
■ Einen (e) *besonders* dicken Bauch hat er übrigens auch.	■ Hm. Dick würde ich nicht sagen. Er ist einfach (f) *ziemlich* stark.	recht ~~sehr~~
■ Und dann noch diese (g) *sehr* kurzen Beine. Er sieht wirklich wie eine kleine Kugel aus.	■ Das ist nicht wahr! Seine Beine sind vielleicht (h) *vergleichsweise* kurz, aber mir gefällt der Mann.	besonders vergleichs- weise

3 Kino – Ergänzen Sie die Sätze mit zu und dem passenden Adjektiv.

■ Das Abendessen war wirklich sehr gut! Ich kann mich kaum noch bewegen. Ich habe wieder mal viel (a) *zu viel* gegessen.
■ Jetzt werde bloß nicht müde! Unser Film fängt gleich an. Ich will auf keinen Fall
(b) *zu spät* kommen.
■ Ach, das letzte Mal waren wir doch auch schon viel (c) *zu früh* im Kino und mussten noch ewig warten.
■ Aber heute sind wir schon spät dran! Sag mal, warum fährst du eigentlich nur 30? Hier darf man 60 fahren! Du fährst viel (d) *zu langsam*
■ Immer mit der Ruhe! Wir kommen schon noch rechtzeitig. Die Werbung hat das letzte Mal fast eine Stunde gedauert. Das ist einfach (e) *zu lang*.
■ Ach, ich glaube, du schläfst während des Films wieder ein. Du bist einfach viel (f) *zu langweilig*, um ins Kino zu gehen.

4 Extragut! – Ergänzen Sie die passenden Vorsilben.

~~extra~~ | hoch (2x) | ~~stock~~ | ~~super~~ | ~~tod~~ | ~~top~~ | ~~voll~~

a) Unsere Bratwürste sind *extra*lang und schmecken *super voll* gut.
b) Diese *top* moderne Küchenmaschine funktioniert natürlich *voll* automatisch.
c) Gerade wenn Sie sich *extra* müde fühlen, wirkt unser Kräutertee Wunder! Trinken
Sie zwei Tassen und Sie sind wieder *stock tod* fit.
d) An manchen Tagen kann man kaum noch gehen und man ist *stock* steif. Mit
unserer *hoch* wirksamen Pflanzencreme werden Sie schnell wieder beweglich.

45

3.7 ZAHLWÖRTER

eins, zwei, drei – erstens, zweitens, drittens

__1__ Funktion

Ich glaube, sie hat fünf Katzen.	Wie viel? Wie viele?	Mengenangabe
Die Veranstaltung beginnt am 5.7. um 16 Uhr.	Wann?	Zeitangabe
Das ist erst mein zweites Bier.	Das wievielte?	Position in einer Reihe

__2__ Formen

ⓐ Kardinalzahlen

1	*Ich muss unbedingt zur Bank. Ich hab nur noch einen Euro in der Tasche, und im Geldbeutel ist auch nur noch einer.*	Deklination wie unbestimmter Artikel/ Pronomen ▯ s. Seite 28
	Ich habe jetzt einen Monat Urlaub.	beim Sprechen betont
	Eins und eins ist zwei. Aber: *Ein mal eins ist eins.*	beim Zählen und Rechnen: *eins*
2–999.999	*Sie hat zwölf Enkel, drei Jungen und neun Mädchen.*	nicht dekliniert
1.000.000 1.000.000.000	*eine Million, zwei Millionen ... eine Milliarde, zwei Milliarden ...*	feminine Nomen
	Könnten Sie mir bitten diesen Hunderter wechseln?	maskuline Nomen
	Das ist ein Film aus den Fünfzigern. (aus den 50er Jahren) Die Zuschauer kamen zu Hunderten. (mehreren Hundert) Zehntausende demonstrierten gegen den Krieg. (mehrere Zehntausend)	Plural

ⓑ Ordinalzahlen

1.	der/die/das	erste	**Datum (dekliniert*):**
2.		zweite	*Der Kurs beginnt am Montag, den zwölften*
3.		dritte	*neunten. (12.9.)*
4.		vierte	*Heute ist der fünfundzwanzigste sechste. (25.6.)*
...		...	*Er hat am vierten zweiten Geburtstag. (4.2.)*
7.		siebte	**Reihenfolge:**
8.		achte	*Wir fahren nicht in Urlaub, denn zu Hause ist es*
...		...	*erstens ruhiger und zweitens billiger.*
20.		zwanzigste	*Beim Radrennen wurde er Zweiter. (dekliniert*)*
...		...	**Herrschernamen (dekliniert*):**
100.		hundertste	*Karl V. – Karl der Fünfte*
101.		hunderterste	*Friedrich II. – Friedrich der Zweite*
102.		hundertzweite	**Personenzahl:**
...		...	*Wir kommen zu zweit.*
			Im letzten Kurs waren wir nur zu dritt.

* Adjektivdeklination ▯ s. Seite 34-39

1 Wann fahren die Züge wohin? – Lesen Sie den Fahrplan laut vor.

a) 8.32 Uhr – Rom   *um acht Uhr zweiunddreißig*
b) 11.11 Uhr – Prag   *nach Rom*
c) 12.58 Uhr – Paris
d) 16.14 Uhr – Brüssel
e) 18.06 Uhr – Barcelona
f) 00.53 Uhr – Warschau

2 Daten und Termine – Lesen Sie den Text laut vor.

a) Den Wievielten haben wir heute? – Moment mal, gestern war Montag, der 23., dann haben wir heute Dienstag, den 24.
b) In diesem Monat bekommen wir unser Gehalt erst am 31., denn es gibt Probleme in der Buchhaltung.
c) Unser Geschäft ist vom 14.8. bis zum 1.9. geschlossen. Ab 4.9. sind wir wieder für Sie da.
d) In diesem Jahr dauern die Herbstferien vom 30.10. bis zum 3.11.

3 Sommerferien – Ergänzen Sie die Zahlen in der richtigen Form.

a) Gott sei Dank, in *einer* (1) Woche beginnen die Ferien.
b) Sigls fahren dieses Jahr wieder mit ihren Söhnen in den Urlaub. – Mit allen? – Nein, ... (1) will nicht, er will lieber mit seiner Freundin wegfahren.
c) Was ist denn das für Musik? – Ich glaube, das ist ein Hit aus den .... (80er).
d) Im letzten Sommer waren wir in Finnland. Da gab es .... (1 000, Plural) von Mücken.
e) Können Sie mir bitte diesen .... (50er) wechseln? Am besten in zwei .... (20er) und einen .... (10er).

4 Klatsch und Tratsch – Ergänzen Sie die Ordinalzahlen in der richtigen Form.

a) Stell dir vor, er heiratet jetzt schon zum *dritten* (3.) Mal. Ich kenne ja nur seine .... (1.) Frau, und die ist eigentlich sehr nett. Seine .... (2.) Frau soll eine ziemliche Hexe gewesen sein.
b) Doris hat aber auch wirklich Pech. Das ist jetzt ihr .... (4.) Auto, und gestern ist ihr jemand reingefahren. Beim .... (3.) Auto war nach kurzer Zeit der Motor kaputt, das .... (2.) hat ihr Freund ruiniert, und ihr .... (1.) Wagen war sehr bald durchgerostet.
c) Ich hab ihm das schon zum .... (100.) Mal gesagt, aber es nützt nichts. Er lässt seine Sachen überall liegen.
d) Silvia ist von ihrem neuen Nachbarn total begeistert: .... (1.) sieht er prima aus, ... (2.) hat er viel Humor, und dann kann er auch noch sehr gut kochen.
e) Petra hat jetzt einen neuen Freund, aber mit ihrem alten versteht sie sich auch noch sehr gut. Sie fahren im Sommer sogar zu .... (3) in den Urlaub.

3.8 PARTIZIP ALS ADJEKTIV

die kochende Suppe – die gekochte Suppe

__1__ Funktion

der Zug, der durch einen Tunnel fährt *Der Zug fährt durch einen Tunnel.*	transformiert eine verbale Struktur (Satz) in eine
der durch einen Tunnel fahrende Zug	nominale Struktur (Adjektiv + Nomen)

Längere Partizipialattribute werden im Deutschen nur in der Schriftsprache gebraucht – und auch da ausschließlich in Texten mit gehobenem Sprachniveau, z.B. in juristischen oder wissenschaftlichen Texten. Meist ist die verbale Struktur stilistisch besser.
Verbalstil/Nominalstil 📖 **s. Seite 194-196**

__2__ Formen

Partizip I		Infinitiv	*d*	Adjektivendung	
das		*parken*	*d*	*e*	*Auto*

Partizip II	*(ge)*	Stamm	*t*	Adjektivendung	
das	*ge*	*park*	*t*	*e*	*Auto*
der		*verkauf*	*t*	*e*	*Wagen*

unregelmäßige Partizipien 📖 **s. Seite 204**

Partizip als Adjektiv		Die Handlung ...	verbale Struktur
die gerade eintreffende *Sendung*	Partizip I	... dauert an (Aktiv)	*Die Sendung trifft gerade ein.*
die täglich einzunehmenden Tabletten	*zu +* Partizip I (Gerundiv)	... muss/kann realisiert werden (Passiv)	*die Tabletten, die täglich eingenommen werden müssen/können*
die gestern eingetroffene Sendung	Partizip II	... ist abgeschlossen (Aktiv)	*die Sendung, die gestern eingetroffen ist*
der gefasste Dieb		(Passiv)	*Der Dieb wurde gefasst.*

Kein Partizip II als Adjektiv haben *sein* und *haben* und Verben ohne Akkusativergänzung mit *haben* im Perfekt, z.B. *arbeiten, leben, schlafen, sitzen, stehen, antworten, danken, drohen, gefallen, nützen, schaden.*

ÜBUNGEN

__1__ Das Happi-Kochstudio empfiehlt – Markieren Sie im folgenden Text die Partizipien I und die Partizipien II.

Für dieses Rezept benötigen sie folgende Zutaten:
2 Liter kochendes Wasser, 3 gewürfelte Kartoffeln, 3 geschälte Karotten, einen Bund gehackte Petersilie, ein frisch geschlachtetes Huhn, unsere nicht spritzende Margarine, 4 getrocknete Lorbeerblätter, 1 klein geschnittene Peperoni, eine ungespritzte Zitrone – und natürlich unsere bewährten aromatisierenden Zusätze.

Welches Partizip passt? Manchmal sind auch beide Lösungen möglich.

Nomen	Verb	Partizip I	Partizip II
a) die Nachfrage	steigen	*die steigende Nachfrage*	*die gestiegene Nachfrage*
b) das Angebot	sinken		
c) die Zahl der offenen Stellen	zunehmen		
d) die Kosten	reduzieren		
e) Rechnungen	bezahlen		
f) die wirtschaftliche Lage	sich verbessern		

Ein feiner Urlaub – Entscheiden Sie: Partizip I oder Partizip II.
a) Hinter der Rezeption sitzt ein *unrasierter* Portier! (nicht rasieren)
b) Die billigsten Zimmer haben nicht einmal *fließendes* Wasser! (fließen)
c) Frisch .... Brot gibt es nur einmal pro Woche! (backen)
d) Ein ständig .... Paar im Nachbarzimmer! (streiten)
e) .... Hunde vor dem Balkon! (bellen)
f) Die Zimmer haben schlecht .... Türen! (schließen)
g) Kein ordentlich .... Bad! (putzen)
h) Unter dem Bett eine .... Maus! (vertrocknen)

Ein Autounfall – Formulieren Sie die Relativsätze als Partizipien.
a) drei Autofahrer, die verletzt sind
   drei verletzte Autofahrer
b) auf der Straße, die verschneit ist
c) die Passagiere, die aus dem Wrack befreit werden müssen
d) mit einem Airbag, der nicht funktioniert
e) mit Bremsen, die quietschen
f) der Krankenwagen, der sofort alarmiert wurde
g) die Unfallgefahr, die nicht unterschätzt werden darf

Ein neuer Sportwagen – Ergänzen Sie das Partizip.
Auf der letzten Frankfurter Automobilausstellung
wurde ein neu (a) *entwickelter* (entwickeln)
offener Sportwagen präsentiert.
Vor der (b) ....
(versammeln) Fachpresse wies der
Vorsitzende des Konzerns auf die
technischen Innovationen des Prototyps hin.
An erster Stelle nannte er das aus Aluminium (c) .... (herstellen), in
Sekundenschnelle (d) .... (geöffnet werden können) Dach.
Den Antrieb übernehmen drei synchron (e) .... (arbeiten), per Computer
(f) .... (steuern) Elektromotoren. Ein Sicherheitssystem erlaubt das
Öffnen und Schließen nur bei (g) .... (laufen) Motor und
(h) .... (stehen) Fahrzeug. Dem Beifall (i) ....
(klatschen) Publikum versprach der Vorsitzende einen knapp (j) ....
(kalkulieren) Preis.

3.9 WORTBILDUNG

schriftlich – praktisch – unfähig

__1__ Funktion und Formen

a Ableitung – Bildung von Adjektiven aus Nomen und Verben durch Nachsilbe

Nachsilbe	Beispiel	Nachsilbe	Beispiel
-lich	*täglich, monatlich** *schriftlich* *menschlich*	-abel -ant -ent	*praktikabel* *elegant* *intelligent*
-isch	*fachmännisch* *griechisch, lateinisch*	-ibel -ell, -iell	*sensibel* *manuell, potenziell*
-bar	*spürbar*	-iv	*aggressiv*
-ig	*witzig*	-ös	*nervös*

* Temporaladjektive ▭ s. Seite 66

b Zusammensetzung – zwei oder mehr Wörter bilden ein neues Adjektiv

hell + grau ⟶ *hellgrau*	Adjektiv + Adjektiv
lernen + willig ⟶ *lernwillig*	Verb + Adjektiv
die Leistung + fähig ⟶ *leistungsfähig* *der Alkohol + frei* ⟶ *alkoholfrei*	Nomen + Adjektiv

c Negation – Bedeutungsänderung durch Vor- oder Nachsilbe

Vorsilbe	Beispiel	Vor-/Nachsilbe	Beispiel
a-	*atypisch*	ir-	*irreal*
de-/des-/dis-	*desillusioniert*	miss-	*missverständlich*
il-	*illegitim*	non-	*nonverbal*
in-	*instabil*	un-	*unfähig*
		-los	*hilflos*

d Verstärkung – Bedeutungsänderung durch Zusammensetzung

	Beispiel
hoch	*hochaktuell*

▭ s. Seite 44 (Graduierung)

__2__ Alternativen

Das Problem ist lösbar.	*lässt sich lösen*	*kann gelöst werden*
Der Schaden ist reparabel.	*lässt sich reparieren*	*kann repariert werden*
inkompetent	*nicht kompetent*	
ungebildet	*nicht gebildet*	

▭ s. Seite 128 (Passiv-Ersatzformen)

1 Ordnen Sie Ausdrücke mit gleicher Bedeutung zu.

desillusioniert   a) bewegt sich sehr viel
uninformiert   b) hat keine Illusionen mehr
hochinteressant   c) lässt sich leicht machen
hyperaktiv   d) der Schaden lässt sich nicht beheben
irreparabel   e) weiß nicht Bescheid
praktikabel   f) sehr wissenswert

2 Analyse – Ordnen Sie die Adjektive aus den Texten.

Negation		-lich	
Verstärkung	*himmelhoch,*	-isch	
-ig		andere	

Wildwest. Natur ohne Grenzen – himmelhoch und abgrundtief. Der neue Tour-Set-Führer „Colorado" beschreibt ein Mekka für aktive Urlauber. Toller Freizeitspaß zwischen Gipfeln und Canyons. Der Führer ist kostenfrei erhältlich.

Revue. Ob rasant, feurig, traurig oder witzig – das Deutsche Theater in München wartet mit musikalischen Spitzenproduktionen auf. Unsere Leser kommen in den Genuss von supergünstigen Karten.

Flair. Unternehmen Sie einen Streifzug durch nächtliche Schlossgärten, erleben Sie den Charme königlicher Architektur in den romantischen Potsdamer Schlössern. Unvergessliche Stunden erwarten Sie.

3 Was bedeuten diese Wörter?

a) alkoholfrei, gebührenfrei
   ohne Alkohol, ...
b) anpassungsfähig, lernfähig
c) humorvoll, liebevoll
d) verantwortungslos, bargeldlos
e) preiswert, überlegenswert
f) funktionsbereit, hilfsbereit
g) erfolgreich, zahlreich

4 Wein – Formulieren Sie mit –bar.

a) Der neue Müller-Thurgau lässt sich wirklich gut trinken.
   Er ist wirklich gut trinkbar.
b) Der 98er Riesling kann leider nicht mehr geliefert werden.
c) Diesen Jahrgang kann man nicht mehr bezahlen.
d) Der Markenname auf dem Etikett lässt sich schwer lesen.
e) Eine Lieferung frei Haus lässt sich nicht durchführen.
f) Unser Lieferproblem kann gelöst werden.

5 Wie heißt das Gegenteil? – Bilden Sie die Negation mit Vorsilben.

a) befristet
   unbefristet
b) kritisch
c) berechtigt
d) formell
e) höflich
f) kompetent
g) übersichtlich
h) unterbrochen
i) ordentlich
j) rational
k) relevant
l) verbindlich
m) verständlich
n) vernünftig

4.1 PERSONALPRONOMEN

er und sie – der und die

1 Funktion

Mein alter Freund Werner **hat gerade angerufen.** *Er* **hat jetzt einen neuen Job.**	unbetonte Weiterführung im Text
Stell dir vor, *der* **hat jetzt einen neuen Job.**	betonte Weiterführung im Text

Die betonten Pronomen werden hauptsächlich in Alltagsdialogen verwendet.

2 Formen

a unbetonte Pronomen

			maskulin	neutral	feminin			
Nominativ	*ich*	*du*	*er*	*es*	*sie*	*wir*	*ihr*	*sie*
Akkusativ	*mich*	*dich*	*ihn*	*es*	*sie*	*uns*	*euch*	*sie*
Dativ	*mir*	*dir*	*ihm*	*ihm*	*ihr*	*uns*	*euch*	*ihnen*

Rechtschreibung: Die formelle Anrede *Sie, Ihnen* wird großgeschrieben.

b betonte Pronomen

			maskulin	neutral	feminin			
Nominativ			*der*	*das*	*die*			*die*
Akkusativ			*den*	*das*	*die*			*die*
Dativ			*dem*	*dem*	*der*			*denen*

Die betonten Pronomen gibt es nur in der 3. Person Singular und Plural.

3 Satzstrukturen

a unbetonte Pronomen

Der Chef braucht sein Handy. **Ich habe** *es ihm* **gerade gebracht.**	Das Personalpronomen im Akkusativ steht vor dem Pronomen im Dativ.
Wir haben *ihm einen/diesen/den/ keinen/welche* **gekauft.**	Alle anderen Pronomen stehen nach dem Pronomen im Dativ.

b betonte Pronomen

Das **haben wir ihm gerade gebracht.** *Den* **habe ich ihm gekauft.**	Die betonten Pronomen stehen meistens auf Position 1.

ÜBUNGEN

1 Leserbrief an Dr. Sommer – Ergänzen Sie die unbetonten Pronomen.

Schüchtern!

(a) *Ich* weiß nicht mehr, was (b) .... machen soll. In meiner Schule gibt es einen süßen Jungen, der (c) .... wirklich gefällt. Gestern hat (d) .... (e) .... gefragt, ob (f) .... mit (g) .... auf das Sommerfest am nächsten Samstag gehen will. (h) ....

habe mich nicht getraut, „ja" zu sagen, obwohl (i) .... schon Lust gehabt hätte. Immer wenn (j) .... (k) .... in der Pause oder nach der Schule sehe, dann werde (l) .... rot, und mein Kopf ist absolut leer.
(m) .... habe schon mit meinen Freundinnen darüber gesprochen. (n) .... sagen, dass (o) .... mal was mit (p) .... unternehmen soll, aber dazu fehlt (q) .... der Mut. Können Sie (r) .... bitte einen Rat geben? Was soll (s) .... machen?
Jana (14)

2 **Teenager unter sich – Ergänzen Sie die betonten Pronomen.**

■ Schau mal, siehst du da hinten den Typen mit den blonden Haaren? (a) *Den* finde ich richtig cool!

▨ Stimmt. (b) .... find ich auch süß. Aber der große, der da am Tisch gegenüber sitzt, (c) .... gefällt mir noch besser. Kennst du (d) .... zufällig?

■ Welchen meinst du denn? (e) .... mit der Sonnenbrille oder (f) .... daneben?

▨ (g) .... Großen mit der Brille. Aber schau jetzt nicht rüber, (h) .... merken sonst, dass wir über sie reden.

■ O.k. Ach, da kommt ja Ulrike! Na, (i) .... sieht ja wieder mal schrecklich aus!

▨ Und das Kleid, das (j) .... anhat. (k) .... hat ja eine scheußliche Farbe. Dein Blonder geht übrigens gerade rüber zu Ulrike! Was (l) .... wohl vorhat?

■ So was! Jetzt tanzt (m) .... auch noch mit (n) ....

▨ Und was macht mein Typ mit der Brille? Wo ist (o) .... denn hingegangen? Siehst du (p) .... irgendwo?

■ Nee, (q) .... kann ich nirgends entdecken.

▨ Na ja, so interessant ist (r) .... auch gar nicht gewesen.

3 **Vater hat einen Computer – Formulieren Sie Antworten mit den unbetonten Pronomen im Akkusativ und Dativ.**
a) Max, gibst du mir mal das Kabel her? – Moment, *ich gebe es dir gleich.*
b) Und bring mir doch bitte auch gleich den Stecker mit. – Gut, ...
c) Julia, erklärst du mir mal, wie diese Programme funktionieren? – Klar, ...
d) Und zeig mir bitte auch noch, wie man ins Internet kommt. – O.k., ...
e) Ach, Max, erklärst du mir mal die Funktion dieser Tasten? – Moment, ...

4 **Vater repariert etwas – Ergänzen Sie mir und die betonten Pronomen.**
a) Max, ich brauche den Schraubenzieher. Bringst du *mir den* mal?
b) Wo ist eigentlich das Werkzeug? Max, suchst du .... bitte?
c) Max, neben dir liegen die Schrauben. Gibst du .... mal?
d) Ach, Max, den Hammer brauche ich noch. Reichst du .... bitte her?
e) Und die Luftpumpe ist in der Garage. Kannst du .... auch gleich bringen?
f) Max, das geht nicht ohne Bohrer! Hol .... doch aus dem Keller.

5 **Max hat keine Zeit – Antworten Sie jetzt mit dir und den unbetonten Pronomen.**
a) *Julia soll ihn dir bringen!*

4.2 ES

Na, wie geht's?

Funktion und Formen

a als Pronomen – *es* ist obligatorisch

	es ersetzt ...
Dieses Mineralwasser schmeckt prima. Es hat auch nicht so viel Kohlensäure.	... ein Nomen im Nominativ
Vera hat es* in dem neuen Getränkemarkt besorgt.	... ein Nomen im Akkusativ
Meine Kolleginnen sind topfit, ich bin es* leider nicht.	... ein Adjektiv oder Partizip
Manchmal gehe ich nach der Arbeit zum Joggen, aber ich muss sagen, ich tue es* nicht sehr gern.	... einen Satzteil oder einen ganzen Satz

* Hier kann *es* nicht auf Position 1 stehen.

b als unpersönliches Subjekt oder Objekt – *es* ist obligatorisch

es regnet, es schneit, es donnert, es blitzt, es ist kalt	Wetter	*es* = Subjekt
Es ist 10 Uhr. Es ist noch früh. Es wird bald Mitternacht.	Zeit	
Es geht mir gut. Es tut mir weh. Es juckt mich am Bein.	persönliches Befinden	
Es schmeckt mir gut. Es gefällt mir nicht. Es duftet hier nach Flieder.	Sinneseindrücke	
es klopft, es klingelt, es läutet, es pfeift, es raschelt	Geräusche	
es gibt, es handelt sich um, es geht um, es kommt an auf, es hängt ab von	Thema	
Er hat es eilig. Er hat es weit gebracht. Sie nimmt es leicht. Er hatte es schwer. Sie meint es ernst.	feste Wendungen	*es* = Objekt

c als Repräsentant für einen Nebensatz oder Infinitivsatz – *es* ist nicht obligatorisch*

Es ist wunderbar, dass du heute Abend kochst. *Es tut mir leid, dass du nicht kommen kannst.*	*dass*-Satz
Es ist normal, auch im Urlaub mal an den Job zu denken. *Ich liebe es, in meiner Hängematte zu liegen.*	Infinitivsatz
Es ist noch unsicher, ob er morgen kommen kann. *Es ist noch noch nicht klar, wen er mitbringt.*	indirekter Fragesatz

* Wenn der Nebensatz oder Infinitivsatz vorangestellt ist, fällt *es* weg oder wird ersetzt durch *das*: *Dass du heute Abend kochst, (das) ist wunderbar.*

d Betonung des Subjekts – *es* ist nicht obligatorisch*

Es haben sich einige Probleme ergeben. *Es werden heute weniger Briefe geschrieben als früher.*	*es* auf Position 1

* *Einige Probleme haben sich ergeben.*

e gesprochene Sprache

Na, wie geht's? *Mir schmeckt's prima.*	*es* kann zu *'s* verkürzt werden

1 Welt der Bücher – Formulieren Sie Sätze.
a) In diesem Buch | gehen um | einen kleinen Jungen
   In diesem Buch geht es um einen kleinen Jungen.
b) Diesen Harry-Potter-Band | geben | leider gerade nicht
c) bei diesem Roman | ankommen auf | den Schluss
d) abhängen von | Vermarktung, wie gut sich ein Buch verkauft
e) bei diesem Atlas | sich handeln um | einen Sprachatlas

2 Menschen wie Silvia – Formulieren Sie die Sätze um. Beginnen Sie mit dem unterstrichenen Satzteil.
a) Es gibt viele <u>Menschen wie Silvia</u>.
   Menschen wie Silvia gibt es viele.
b) Es regnet <u>seit drei Tagen</u> ununterbrochen, und es geht <u>ihr</u> wirklich schlecht.
c) Es summt <u>in ihrem Kopf</u> wie in einem Bienenkorb.
d) Es ist auch schon <u>spät</u>, sie muss jetzt ins Bett.
e) Es gefällt <u>ihr</u> auch nicht, dass Rudolf sich nicht meldet.

3 Nur Fliegen ist schöner – Sind folgende Sätze richtig oder falsch? Kreuzen Sie an.

	richtig	falsch
a) Billige Flüge gibt leider nicht mehr.		✗
b) Sich am Flughafen zu orientieren kann schwierig sein.		
c) Bei diesem Surfbrett handelt sich um Sperrgepäck.		
d) Ob die Maschine pünktlich startet, ist nicht sicher.		
e) Wenn neblig ist, kann die Maschine nicht landen.		
f) Wo ist denn mein Ticket? – Also ich habe nicht.		
g) Dich wiederzusehen ist wunderschön!		

4 Korrigieren Sie die falschen Sätze aus Übung 3.
a) *Billige Flüge gibt es leider nicht mehr.*

5 Tipps zum Abschalten – Markieren Sie, an welcher Stelle im Text es fehlt.

Sie haben im Job weit gebracht, und deshalb haben Sie auch den ganzen Tag sehr   es es
eilig. Umso wichtiger ist, nach der Arbeit abschalten zu können. Denn nur so erholt   es
sich ihr Nervensystem – und Sie brauchen ja am nächsten Tag wieder in Bestform,   es
denn Sie wollen in Ihrem Job ja noch weit bringen. Leider gibt bei uns keinen Knopf   es es
zum Ausschalten wie bei einer Maschine. Ihnen kann körperlich gut gehen, aber wenn   es
Streit mit der Kollegin gegeben hat, ist klar, dass Sie nicht einfach abschalten können.   es
Finden Sie heraus, wie Sie persönlich am besten entspannen können. Manche Leute
mögen, in der Hängematte zu träumen. Andere nehmen ein Bad mit Prickel-Kugeln,   es
dann sprudelt in der Badewanne überall – und für manche gibt nur eins: eine   es 's
Viertelstunde mit geschlossenen Augen ausruhen.

4.3 *DAS*

Das sind meine Freunde.

1 Funktion

Was ist denn das da? – *Das hier ist ein Wetterfrosch.*	*das* verweist auf einen Gegenstand und wird häufig mit *da* und *hier/dort* kombiniert.
Zu welcher Tageszeit das Meer am saubersten ist, das haben jetzt britische Forscher untersucht.	*das* verweist auf etwas, das vorher schon im Text stand.
Wer hat denn gerade angerufen? – *Das war unser Nachbar.* *Das schneit heute vielleicht.* *Sie meint das wirklich ernst.*	*das* wird häufig statt *es* in Gesprächen gebraucht, um etwas besonders zu betonen oder hervorzuheben.*

* In folgenden Fällen kann *es* nicht durch *das* ersetzt werden: *es geht gut/schlecht, es gibt, es handelt sich um, es eilig haben, es weit bringen, es leicht nehmen, es schwer haben.*
  es 📖 **s. Seite 54.**

2 Formen

Nominativ	*Das sind alle meine Freundinnen.*
Akkusativ	*Das meint sie wirklich ernst.* *Sie meint das wirklich ernst.*

das steht meistens auf Position 1.
Die Verbform richtet sich nach dem Subjekt des Satzes: *Schau dir mal dieses Foto an: Das sind wir und das seid ihr.*

betont: Die wichtige Information steht vor dem Pronomen.	unbetont: Die wichtige Information kommt noch.
Mal laut Musik zu hören, das ist doch normal.	*Es ist doch normal, mal laut Musik zu hören.*
Wie du das machst, das gefällt mir gut.	*Es gefällt mir gut, wie du das machst.*
Mit dem Studium in England – das meint sie ernst.	*Sie meint es ernst mit dem Studium in England.*

ÜBUNGEN

1 Schülerleben – Formulieren Sie Sätze.
  a) um sieben Uhr morgens duschen – hassen
     Um sieben Uhr morgens duschen – das hasse ich.
  b) Vokabeln lernen – überhaupt nicht mögen
  c) morgens lange schlafen – mögen
  d) gemütlich frühstücken – super finden
  e) die Mathearbeit morgen schreiben müssen – mir gar nicht gefallen

Urlaubsfotos – Formulieren Sie Sätze mit das hier und das da.

a) wir am Strand – Schmids von Zimmer 401
   Schau mal, das hier sind wir am Strand, und das da sind die Schmids von Zimmer 401.
b) du im Swimmingpool – ich im Liegestuhl
c) Peter mit seinem Mountainbike – ihr beim Volleyballspielen
d) Frau Bolte mit ihrem schrecklichen Hund – meine Freunde auf dem Segelboot
e) der nette Ober – du, als du mit ihm geflirtet hast
f) Herr Schmid, der schon ziemlich viel Bier getrunken hat – wir alle beim Sommerfest

Alltag – Ersetzen Sie es durch das.

a) Mich freut es, dass du noch bleiben kannst.
   Dass du noch bleiben kannst, das freut mich.
b) Mir schmeckt es wirklich sehr gut.
c) Mir gefällt es einfach nicht.
d) Ich finde es gut, dass du kommst.
e) Es ist doch normal, am Sonntag mal auszuschlafen.

Das Interview der Woche – Ergänzen Sie das oder es.

Frau Stein, Sie sind noch jung und haben (a) *es* schon weit gebracht: Sie sind mit 25 Jahren eine der erfolgreichsten Schauspielerinnen in Deutschland und sicher die, die die meisten Stofftiere hat. Wozu brauchen Schauspieler Maskottchen?
Wir sind alle nicht ganz normal, wir Schauspieler. Beim Theater gibt (b) .... eine Menge Aberglauben.

Sie beginnen sowohl privat wie beruflich einen neuen Lebensabschnitt. Handelt (c) .... sich da um einen Zufall?
(d) .... sehe ich beruflich nicht so. Privat schon eher. Seit der Trennung von meinem Partner gibt (e) .... natürlich auch häufiger Momente, in denen (f) .... mir nicht so gut geht.

Was erwarten Sie von Ihren Freunden?
Ich brauche viel Geborgenheit und Zärtlichkeit. Ich will aber auch objektive Kritik von meinen Freunden. (g) .... brauche ich zum Leben.

Bei Männern sagt man: (h) .... gibt drei große Lieben im Leben. Bei den Frauen auch?
(i) .... werde ich ausprobieren, und dann sage ich Ihnen Bescheid.

Eine Kollegin hat mal über Sie gesagt: „Die Deutschen mögen solche Frauen, wie Sie eine sind: rund, dick und blond."
(j) .... ist für mich ein Zeichen von Verbitterung. Diese Kollegin hat (k) .... wahnsinnig schwer gehabt und erlebt dann jemanden wie mich, der in kurzer Zeit nach oben kommt. (l) .... hat sie sicher nicht so gemeint.

Frau Stein, wir danken Ihnen für dieses Gespräch.

4.4 INDEFINITPRONOMEN

man – jemand/niemand – etwas/nichts

__1__ **Funktion**

Wenn man das Abitur hat, kann man an der Universität studieren.	alle Menschen, die Leute
Hier ist es so laut, dass man sein eigenes Wort nicht versteht.	Verallgemeinerung
Klopft da jemand? – Ich höre niemanden.	unbestimmte oder unbekannte Person
Irgendjemand hat mich gefragt, wo du bist.	Verstärkung
Ich hab dir etwas/was mitgebracht!	unbestimmte Sachen oder Sachverhalte
Wir haben nichts von ihm gehört.	
Wenn mir doch nur irgendetwas einfallen würde!	Verstärkung

__2__ **Formen**

Nominativ	man	(irgend)jemand	niemand	(irgend)etwas	nichts
Akkusativ	einen	(irgend)jemand(en)	niemand(en)	(irgend)etwas	nichts
Dativ	einem	(irgend)jemand(em)	niemand(em)	(irgend)etwas	nichts

Wenn ihr noch (irgend)jemanden aus unserem Kurs seht, sagt ihm, wo er uns morgen treffen kann.	(irgend)jemand wird im Text mit er/ihn/ihm weitergeführt
Falls du noch irgendetwas von der Prüfung hörst, sag es mir.	(irgend)etwas wird mit es/das weitergeführt

Standardsprache	Umgangssprache
Irgendjemand hat gesagt, dass du krank bist.	*Irgendwer hat gesagt, dass du krank bist.*
Dir wird schon noch irgendetwas einfallen.	*Dir wird schon noch irgendwas/was einfallen.*

__1__ In einer Berghütte – Ergänzen Sie etwas/was oder nichts.

■ Hey, kannst du mich nicht hören? Ich hab dich (a) *etwas /was* gefragt!

▨ Was sagst du? Gibt es hier überhaupt elektrisches Licht? Es ist absolut (b) .... zu sehen.

■ Warte mal, wenn ich den Vorhang und den Fensterladen aufmache, kommt vielleicht ein bisschen Licht rein.

▨ Nein, das nützt auch (c) .... Es ist immer noch stockdunkel.

■ Du hast doch im Auto sicher (d) .... , womit wir Licht machen können!

▨ Ja, im Handschuhfach habe ich eine Taschenlampe, die hole ich mal.

■ Huch, hast du das auch gehört? Da bewegt sich (e) ....

▨ Du bist ein Angsthase, da ist wirklich (f) ....

2   An der Hotelrezeption – Ergänzen Sie jemand und niemand.

- Hallo, hallo, ist da (a) *jemand*? Wir möchten unser Zimmer bezahlen.
- Ich kann (b) .... sehen. Aber du könntest unser Gepäck schon ins Auto laden.
- Hier ist immer noch (c) .... gekommen. Ich gehe jetzt mal in die Küche, da ist sicher (d) ....
- Und? Hast du (e) .... gefunden?
- Nein, das Hotel ist wie ausgestorben. In der Küche war auch (f) ....
- Also, wenn in fünf Minuten (g) .... hier ist, dann fahren wir einfach weiter, ohne zu bezahlen.
- Aha, jetzt kommt (h) ....

3   Ein Montagmorgen – Ergänzen Sie man/einen/einem.

Wenn (a) *man* morgens zu spät aufwacht und wenn (b) .... nicht richtig ausgeschlafen ist, reicht es eigentlich schon. (c) .... kommt kaum aus dem Bett, dann findet (d) .... den zweiten Schuh nicht, und der Kaffee weckt (e) .... auch nicht so richtig auf. Das Auto springt nicht an, und dann verpasst (f) .... auch noch den Bus! Im Büro schaut (g) .... der Chef so komisch an, weil (h) .... nur ein kleines bisschen zu spät gekommen ist. Alter Pedant! Der Kollege erzählt (i) .... sein Wochenende in allen Einzelheiten, so ein Langweiler! In der Besprechung muss (j) .... sich dann sehr konzentrieren, um nicht einzuschlafen – wirklich eine uninteressante Präsentation! Den Kollegen ist wieder gar nichts Neues eingefallen. Schön wär's, wenn (k) .... sich zurücklehnen und ein kleines Schläfchen machen könnte. – Tja, es wird (l) .... wirklich nicht leicht gemacht!

4   Ein Telefonat – Ergänzen Sie jemand/er/ihn.

Ja, wir haben heute das Thema fertig besprochen. Aber wenn (a) *jemand* noch weitere Fragen hat, dann soll (b) .... ins Kolloquium kommen.

Gut, und wenn du noch (c) .... aus unserem Seminar triffst, grüß (d) .... von mir.

5   Prüfungsstress – Formulieren Sie unpersönlich mit man/einen.

a) In der Bibliothek ist das Buch, das ich gerade brauche, immer ausgeliehen.
   In der Bibliothek ist das Buch, das man gerade braucht, immer ausgeliehen.
b) Das kann mich wirklich wahnsinnig machen. Wie soll ich da meine Seminararbeit rechtzeitig fertig bekommen?
c) Bei der Vorlesung über Reptilien musst du unbedingt mitschreiben.
d) Denn wenn du in der Prüfung nicht weißt, was der Professor über Krokodile gesagt hat, kannst du leicht durchfallen.
e) Wenn ich doch nur wüsste, was mich in der Zukunft erwartet.

4.5 PRÄPOSITIONALPRONOMEN

Worüber? Darüber!

1 Funktion

ⓐ Repräsentant von präpositionalen Ergänzungen

Lisa, worüber ärgerst du dich denn so? *Ach, ich ärgere mich über den angebrannten Kuchen.* *Also darüber würde ich mich nicht so ärgern.*	bei Sachen und Sachverhalten
Von wem hat sie sich denn gerade verabschiedet? *Ich glaube, von ihrer Mutter. Wenn sie sich von ihr* *verabschiedet, muss sie immer weinen.*	bei Personen/Lebewesen/ Institutionen: Präposition/Fragewort + Pronomen

ⓑ Repräsentant von Nebensätzen

Ich kann mich genau daran erinnern, dass du einkaufen wolltest.	dass-Satz
Er kann sich einfach nicht daran gewöhnen, so früh aufzustehen.	Infinitivsatz
Wir sprechen gerade darüber, was wir morgen kochen.	indirekter
Das hängt davon ab, ob Helga zu Besuch kommt oder nicht.	Fragesatz

2 Formen

ⓐ bei Sachen

Frage	*wofür?* *womit?*	*woran?* *worüber? ...*	Fragewort: *wo(r)**+ Präposition
Antwort	*dafür* *damit*	*daran* *darüber ...*	Pronomen: *da(r)**+ Präposition

* Das -r- wird eingefügt, wenn zwei Vokale aufeinandertreffen.

ⓑ bei Personen/Lebewesen/Institutionen

Frage	*für wen?* *mit wem?*	*an wen?* *über wen? ...*	Präposition + Fragewort
Antwort	*für ihn/sie* *mit ihm/ihr*	*an ihn/sie* *über ihn/sie ...*	Präposition + Pronomen

1 Unterstreichen Sie die präpositionalen Ergänzungen und formulieren Sie Fragen dazu.

Rentner gewinnt 64 Millionen Dollar

Chicago (AP) Ein 63 Jahre alter Kleinunternehmer hat in Chicago den Jackpot geknackt und 64 Millionen Dollar gewonnen. Wir haben mit Alex Snow gesprochen und ihn nach seinen Plänen gefragt. „Zuerst habe ich es nicht geglaubt, als mir meine Frau von dem Gewinn erzählt hat, aber dann habe ich mich bei dem Chef der Lottostelle erkundigt, und es hat gestimmt!" Jetzt kann sich das Ehepaar endlich den ersten Urlaub seit 43 Jahren leisten. „Wir freuen uns natürlich sehr über den Gewinn, aber jetzt müssen wir uns noch auf einen gemeinsamen Urlaubsort einigen." Weil er und seine Frau so viel Geld gar nicht ausgeben können, will er einen großen Teil an wohltätige Organisationen und an seine vier Kinder und sechs Enkel verteilen.

Mit wem haben Sie gesprochen?
Wonach haben Sie ihn gefragt?

2 Hier hört jemand schlecht! – Stellen Sie Fragen.

a) Du weißt doch, wir waren dieses Jahr mit Franz im Urlaub. Am Anfang haben wir uns ja sehr über das Hotelzimmer geärgert.
b) Wir wollten uns schon beim Hoteldirektor beschweren.
c) Aber dann haben wir uns an die Aussicht gewöhnt.
d) Und stell dir vor, Franz hat sich in seine Surflehrerin verliebt.
e) Zuerst hat er sich ja nur für die neuen Surfbretter interessiert.
f) Und dann hat er an einem Surfkurs teilgenommen.
g) Und da hat er sich dann verliebt. Jetzt denkt er nur noch an seine neue Freundin.

Wie bitte? Worüber habt ihr euch geärgert?

Was sagst du? Bei wem wolltet ihr euch beschweren?

3 Vor dem Urlaub – Ergänzen Sie die Präpositionalpronomen.

a) Ich kann mich genau *daran* erinnern, dass du die Tickets besorgen wolltest.
b) Hast du denn schon .... angefangen, deinen Koffer zu packen?
c) Nein, ich denke gerade .... nach, welche Kleider ich mitnehmen soll.
d) Sag mal, du wolltest doch .... denken, die Zeitung abzubestellen.
e) Ach, ich freu mich schon richtig .... , morgen Abend nur im T-Shirt auf einer Terrasse zu sitzen.

4 Streit in der Wohngemeinschaft – Ergänzen Sie die Verben und die präpositionale Ergänzung.

(a) *Über wen ärgerst* du dich eigentlich so? – Über Bruno!

Es (b) .... wieder mal .... , dass er nicht abwäscht, wenn er gekocht hat. Und dass er Bratkartoffeln mit Zwiebeln gemacht hat, weiß das ganze Haus, denn sogar im Treppenhaus (c) .... es .... Und dann bringt er fast jeden Abend seine Freunde mit und (d) .... bis Mitternacht Karten! Und wenn ich mich (e) .... , dass es zu laut ist, sagt er nur, ich soll mir etwas in die Ohren stecken! Könntest du nicht mal (f) .... ? Vielleicht (g) .... er ja .... !

sich ärgern über
es geht um
riechen nach
spielen mit
sich beschweren über
sprechen mit
hören auf

5.1 LOKALADVERBIEN (1)

da und dort

1 Funktion

Hallo, Mami, ich bin hier oben.	*wo?*	Ort
Stellt die Gartenstühle nach unten, in den Keller.	*wohin?*	Richtung
Den alten Spiegel habe ich von unten, der war noch im Keller.	*woher?*	

2 Formen

ⓐ Adverbien

Wo?	Wohin? *nach / -hin*	Woher? *von / -her*
da	*dahin*	*von da / daher*
hier	*hierhin*	*von hier*
dort	*dorthin*	*von dort / dorther*
außen*	*nach außen*	*von außen*
draußen**	*nach draußen / hinaus*	*von draußen*
oben	*nach oben / hinauf / aufwärts*	*von oben*
vorn	*nach vorn / vorwärts*	*von vorn*
links, rechts	*nach links, nach rechts*	*von links, von rechts*

* *außen/innen* = an der äußeren/inneren Seite: *Das Gebäude wurde innen und außen renoviert.*

** *draußen/drinnen* = außerhalb/innerhalb eines Raumes: *Draußen regnet es. Die Kinder sind schon drinnen.*

ⓑ Kombination von zwei Lokaladverbien

Ich bin hier oben. *Das Gartentor ist hinten links.* *Die Bierkästen stehen dort unten.*	Zur Präzisierung des Ortes (*Wo?*) kann man zwei Lokaladverbien miteinander kombinieren.

ⓒ Adjektive aus Lokaladverbien

Adverbien	Adjektive
das Stockwerk oben	*das obere Stockwerk*
die Tür vorne	*die vordere Tür*
der Baum rechts	*der rechte Baum*

ÜBUNGEN

1 Wo? – Ergänzen Sie die Lokaladverbien.

⟨ außen I da I ~~dort~~ I draußen I hier oben I oben

a) Wart ihr schon einmal in Rom? – Ja, wir waren letztes Jahr *dort*.

b) Wo wohnt bitte Frau Wagner? – .... im dritten Stock.

c) Julia, wo bist du denn? – .... auf dem Balkon.

d) Oh je, es regnet! Und die Gartenmöbel stehen immer noch ....

e) Guck dir mal unser Gartenhäuschen an! .... geht die ganze Farbe ab.

f) Bist du heute Abend zu Hause? – Ja, ich bin auf jeden Fall ....

2 II

Wohin? Woher? – Ergänzen Sie die Präposition und die Lokaladverbien.

a) Woher kommt denn dieser Lärm? – Ich glaube, *von oben* aus dem Kinderzimmer.

b) Das Wetter ist so schön heute! Wir sollten noch ein bisschen ....
.... gehen.

c) Ich bleibe hier unten im Garten. – Ich nicht. Ich gehe ....
und setze mich auf den Balkon.

d) Wo ist denn das Mineralwasser? – Ich hab die Kästen ....
in den Keller gestellt.

e) Wie komme ich bitte zum Bahnhof? – Gehen Sie immer geradeaus und biegen Sie an der
zweiten Kreuzung .... ab.

f) Woher kommt denn dieser schreckliche Gestank? – Ich glaube ....
.... , mach doch bitte die Fenster zu!

3 II

Eine Idylle – Ergänzen Sie die Lokaladverbien und -adjektive.

hinten I linken I links I nach oben I nach unten I oben I oberen I rechten I rechts I unten I
vorne

Das Bild zeigt das Leben in einer Kleinstadt. Man sieht ein Haus, in dem eine Großfamilie lebt.
(a) *Unten* kommt der Vater gerade aus der Haustür, er schaut (b) ....
.... in den Himmel. Vor ihm steht seine Frau mit einem Baby auf dem Arm. (c) .... im Bild sieht man Kinder, Vögel und einen kleinen Hund.
(d) .... im Bild spielen zwei kleine Jungen, (e) .... im Bild steht ein Brunnen, an dem eine Frau Wasser holt. Im
(f) .... Stockwerk schaut ein Mann aus dem Fenster (g) ....
.... auf die Straße, dabei raucht er ganz gemütlich seine Pfeife. Ganz
(h) .... sieht man ein Liebespaar, das sich küsst. (i) .... im Bild steht die Kirche mit zwei Kirchtürmen. Den
(j) .... Kirchturm sieht man ganz, den (k) .... nur halb.

5.2 **LOKALADVERBIEN (2)**

hin und her

<u>1</u>   Funktion

hin	Wo läufst du denn *hin*?	Richtung vom Sprecher weg
her	Wo kommst du denn *her*?	Richtung zum Sprecher

<u>2</u>   Formen

🅐 *hin-* und *her-* + Verb

hin-	her-
Bringst du die Kinder morgen in die Schule? – Na gut, ich *bring* sie *hin*.	Ich kann hier nicht vom Telefon weg. *Bringst du mir bitte mal den Ordner her?*
Könntest du mich bitte *hinfahren*?	Wie lange seit ihr denn *hergefahren*?
Gehst du auch zu Florian? – Ja, ich *komme* auch *hin*.	Immer fahren wir zu euch. Jetzt *kommt* ihr mal *her*!
Jetzt ist Schluss! *Setzt* euch *hin*!	*Setz* dich doch mal *her* zu mir!
Sie *träumte* so *vor sich hin*. Er *starrte* die ganze Zeit *vor sich hin*.	Der Hund *lief* die ganze Zeit *vor/neben/hinter* mir *her*.
In Verbindung mit *vor sich*: Handlung, die nicht an einen Partner adressiert ist.	In Verbindung mit *vor, hinter, neben*: zwei Bewegungen in gleicher Richtung.

🅑 *hin-/her-* + Präposition + Verb

hin-	her-
Max *trug* seine Einkäufe ins Haus *hinein*. Paula *sah* traurig zum Fenster *hinaus*.	*Kommen* Sie doch bitte *herein*! *Gehen* Sie mehr aus sich *heraus*, wenn Sie erfolgreich sein wollen!
Die Katze *ist* den Baum *hinaufgeklettert*. Er *sah* lange zu ihr *hinüber*.	Die Katze *sprang* vom Baum *herunter*. Könnten Sie mir bitte das Salz *herüberreichen*?

🅒 Neutralisierung von *hin-* und *her-*

Gesprochene Sprache			
Komm rein!	rein	hinein – herein
Ach, gehen wir doch kurz mal *raus*!	raus	hinaus – heraus
Ich bin hier oben im Baumhaus. Komm doch auch *rauf*!	rauf	hinauf – herauf
Peter! Steig sofort vom Schrank *runter*!	runter	hinunter – herunter
Ich schick Ihnen das Fax gleich *rüber*.	rüber	hinüber – herüber

1 Ein Sommerabend – Ergänzen Sie raus, rauf, rein, rüber, runter.

a) Es ist so schön warm draußen. Wollen wir uns nicht in den Garten *raus*setzen?

b) Ich glaube, wir können sogar draußen essen. Stell doch die Gartenmöbel schon mal ....

c) Bei den Nachbarn ist heute Abend ein Gartenfest. Sie haben gefragt, ob wir nicht .... kommen wollen.

d) Tom, ich glaube, wir haben keinen Wein mehr. – Doch, doch, ich geh gleich .... in den Keller und hol noch welchen ....

e) Wo ist denn bei euch die Toilette? – Oben im ersten Stock links. – Gut, dann geh ich jetzt mal kurz ....

f) So langsam wird es mir hier draußen zu kalt. Können wir uns nicht .... setzen?

2 Kurz vor dem Gipfel – Ergänzen Sie hin oder her.

■ Bernd, komm doch (a) *her* zu mir!

■ Ich würde ja gerne, aber ich trau mich nicht. Rechts und links geht es ja schließlich ziemlich tief (b) ....unter.

■ Ach, dir kann überhaupt nichts passieren. Du darfst halt nicht (c) ....schauen.

■ Nein, ich bleibe hier. Schau (d) .... , hier ist ein wunderschöner Platz. Willst du nicht zu mir (e) ....kommen? Dann können wir unser Picknick gemütlich zusammen machen.

■ Hier oben hat man aber einen besseren Ausblick! Man kann sogar bis nach Italien (f) ....übersehen. Toll! Aber gut, ich komm zu dir.

3 Gespräch beim Abendessen – Ergänzen Sie die Verben.

herfahren I herschicken I hinbringen I hinfahren I hingehen I hinlegen I hinstellen

Mutter:	Unsere Waschmaschine ist jetzt schon wieder kaputt. Morgen früh will die Firma einen Mechaniker (a) *herschicken*. – Max, wenn du das Glas so schief hältst, kann ich dir nicht einschenken. (b) .... das Glas bitte .... !
Lisa:	Mutti, darf ich morgen zu der Geburtstagsfeier von Florian? Bitte!!! Alle anderen aus meiner Klasse (c) .... auch ....
Mutter:	Ja, gut. Ich (d) .... dich dann morgen Nachmittag .... Bloß, wie kommst du am Abend wieder zurück nach Hause?
Vater:	Ich kann nach der Arbeit (e) .... und Lisa abholen. Max, lass diesen Unsinn mit dem Messer! (f) .... es sofort ....
Mutter:	Stellt euch vor, als ich vorhin vom Italienischkurs nach Hause gefahren bin, (g) .... die ganze Zeit ein Polizeiauto hinter mir .... (Perfekt).

5

5.3 TEMPORALADVERBIEN UND -ADJEKTIVE

morgen – morgens – morgendlich

1 Funktion

Wann wollen wir denn mit unserem Sportprogramm anfangen?	*Wie wäre es mit morgen?*	Zeitpunkt
Ab wann sind Sie in München?	*Ab übermorgen.*	
Seit wann joggst du eigentlich?	*Seit gestern.*	Zeitraum
Bis wann kann ich die Bücher haben?	*Bis übermorgen.*	
Wie lange dauert dein Englischkurs?	*Das ist ein dreimonatiger Kurs.*	Zeitdauer
Wie oft gehst du zum Joggen?	*In letzter Zeit ziemlich oft. Wenn es geht, täglich. Sonst immer dienstags und freitags.*	Häufigkeit Wiederholung
Zuerst laufe ich eine halbe Stunde, und dann gehe ich noch fünf Minuten.		zeitliche Reihenfolge

2 Formen

a Adverbien

morgens mittags abends (...)	Nomen + -s	Tageszeiten	Wiederholung
montags mittwochs freitags (...)	Nomen + -s	Wochentage	

zuerst	dann/danach	anschließend	schließlich/zuletzt	zeitliche Reihenfolge

immer	meistens*	oft	öfters	manchmal	selten	nie	Häufigkeit
100 %						0 %	

* *meistens* = sehr oft: *Ich jogge meistens im Wald.*
 am meisten = Superlativ von *viel*: *Paul isst von uns allen am meisten.*

b Adjektive

Er fährt täglich mit dem Rad zur Arbeit. Die wöchentliche Arbeitszeit beträgt 38,5 Stunden.	Adjektiv auf *-lich* mit Umlaut	Wiederholung
Sein morgendliches Frühstück besteht aus einer Zigarette und schwarzem Kaffee.	ohne Umlaut: *morgendlich, monatlich*	
Sie nimmt an einem mehrtägigen Fortbildungskurs teil.	Adjektiv auf *-ig* mit Umlaut	Dauer

---

ÜBUNGEN

1 Wann? Bis wann? Seit wann? Wie oft? Wie lange? – Formulieren Sie Fragen.

a) Das ist eine zweistündige Vorlesung.
   Wie lange dauert die Vorlesung?
b) Ich esse täglich in der Mensa, das Essen ist gar nicht so schlecht.
c) Dienstags findet ein Kolloquium zur Vorlesung statt.

d) Seit vorgestern habe ich einen Computer.

e) Bis übermorgen muss ich eine eigene E-Mail-Adresse haben.

f) Diese Zeitschrift erscheint monatlich.

2 Lehrer-Alltag – Ergänzen Sie die Temporaladverbien und –adjektive.

< abendliche I abends I morgendliche I ~~morgens~~ I täglich I wöchentliche

(a) *Morgens* muss Anna um halb sieben aufstehen, denn sie ist Lehrerin für Physik und Mathematik. Um diese Uhrzeit ist sie oft noch etwas müde, deshalb fällt das (b) .... Joggen meistens aus. Sie fährt aber (c) .... mit dem Rad in die Schule, um sich fit zu halten. Ihre (d) .... Stundenzahl beträgt 24 Stunden. Das ist ziemlich viel, findet Anna. (e) .... ist sie auch oft müde, und der (f) .... Spaziergang findet deshalb nicht immer statt.

3 Ein Sportlehrer – Ergänzen Sie meistens oder am meisten.

Wenn ich nach Hause komme, mache ich mir (a) *meistens* erst mal einen Kaffee und lese die Zeitung. Von allen Teilen interessiert mich da der Sportteil (b) .... , aber (c) .... lese ich auch die Kommentare zu den politischen Ereignissen. Nach der Zeitungslektüre mache ich (d) .... noch etwas Sport. Nach dem Abendessen gehe ich dann (e) .... noch in eine Kneipe oder manchmal auch ins Kino. Action-Filme interessieren mich (f) .... , da langweilt man sich nämlich (g) .... nicht.

4 Wie oft? Wie lange? – Ergänzen Sie das Adjektiv oder Adverb auf –lich oder –ig.

a) Diese Zeitschrift erscheint *wöchentlich* . (jede Woche)

b) Woher kann Tanja denn plötzlich so gut Italienisch? – Sie hat an einem .... (4 Wochen) Sprachkurs teilgenommen.

c) Ute verdient .... (jeden Monat) ungefähr 2000 Euro.

d) Sie hat eine .... (1 Stunde) Mittagspause.

e) Toni liest .... (jeden Tag) die „Süddeutsche Zeitung".

f) Er ist gerade auf einem .... (zwei Tage) Fortbildungsseminar.

g) Jetzt ist es kurz vor fünf. Der Zug muss gleich kommen, denn er fährt .... (jede Stunde).

5 Gestern Abend – Formulieren Sie Sätze in der richtigen Reihenfolge. Verwenden Sie die Adverbien zuerst, dann, danach, zuletzt.

a) sich umziehen und eine halbe Stunde joggen

b) ~~einen Kaffee trinken und die Zeitung lesen~~

c) die 23-Uhr-Nachrichten im Fernsehen anschauen

d) sich duschen und sich die Haare waschen

e) eine Kleinigkeit essen

Also, gestern Abend bin ich ziemlich früh nach Hause gekommen.
Zuerst habe ich einen Kaffee getrunken und die Zeitung gelesen.

5.4 LOKALE PRÄPOSITIONEN (1)

zu – bei – durch – um ...

ⓐ Präpositionen mit Dativ

ab	*Der Flug geht ab Frankfurt.* *Ab der nächsten Ampel fahren Sie bitte immer geradeaus.*	Ausgangspunkt
aus	*Er nahm das Geschenk aus dem Schrank.*	Bewegung aus einem Raum
	Sie kommt aus Finnland.	Herkunft generell
bei	*Starnberg liegt bei München.*	Ort in der Nähe
	Eva wohnt noch bei ihren Eltern.	Person
	Er arbeitet bei einer Werbeagentur, sie bei BMW.	Arbeitsplatz, Firma
gegenüber	*Das Hotel liegt gegenüber der Post.** *Das Hotel liegt der Post gegenüber.** *Mir gegenüber saß ein Kollege aus Rom.**	auf der anderen Seite eines Platzes, einer Straße u.a.
nach	*Sie fährt mit dem Zug nach Frankfurt.* *nach Süden** / Hause / oben / vorne / links ...*	Richtungsangaben
von	*Ich komme gerade von meinem Bruder.* *Die Flasche ist vom Tisch gefallen.*	Herkunft aktuell
von ... aus	*Von hier aus hat man eine tolle Aussicht.*	Perspektive
	Alle Seminare werden von Berlin aus organisiert.	Ausgangsort eines Ereignisses
zu	*Ich fahre jetzt zu meiner Freundin / zur Arbeit / zum Flughafen ...*	Ziel

* bei Nomen Vor- oder Nachstellung, bei Pronomen nur Nachstellung

** bei Nomen mit bestimmtem Artikel *in*: *Der Zug fährt in den Süden / in das schöne Frankfurt / in die Türkei.*

ⓑ Präpositionen mit Akkusativ

bis	*Der Zug geht nur bis Frankfurt.* (ohne Artikel) *Ich bringe dich bis zur Bushaltestelle.* (Dativ)* *Er fuhr uns bis vors Kino.* (Akkusativ)*	Endpunkt
durch	*Der Magier ging durch die Tür.*	
entlang	*Sie spazierten den Fluss entlang.***	Parallelität
gegen	*Das Motorrad fuhr gegen einen Bus.*	Herstellung eines Kontakts
um	*Die Gäste standen um das Buffet (herum).* *Wir bauen einen Zaun um den Garten (herum).*	Umkreisung

* Oft mit zweiter Präposition. Der Kasus richtet sich dann nach der zweiten Präposition.

** immer nachgestellt

ⓒ Präpositionen mit Genitiv

innerhalb	*Das Ticket gilt nur innerhalb der Stadtgrenze.*	Begrenzung
außerhalb	*Außerhalb der Stadt ist die Luft viel besser.*	

Im Zusammenhang mit Städte- und Ländernamen sowie in der gesprochenen Sprache wird auch *von* + Dativ verwendet: *innerhalb von Oslo – außerhalb von Frankreich*

1 Urlaubsfreuden I – Markieren Sie die passende Präposition. Es können auch zwei Lösungen richtig sein.

nach – zu – in	a) Nach seinem Abitur ist Stefan zuerst mal ... England gefahren.
bei – mit – zu	b) Dort kann er ... Freunden wohnen.
bei – vor – außerhalb von	c) Sie haben ein Haus ... Cambridge.
Von ... ab – Von ... aus – Aus ... heraus	d) ... seinem Zimmer ... hat er eine tolle Aussicht auf einen Park.
entlang – gegenüber – durch	e) Aber Stefan liebt es, am frühen Morgen den Fluss ... zu joggen.
um – neben – innerhalb	f) Anschließend läuft er ... den ganzen Park herum.
Bis – Bis nach – Bis zu	g) ... Hause sind es zu Fuß 30 Minuten.

2 Woher kommt Paul gerade? – Antworten Sie mit aus oder von. Es gibt manchmal zwei Möglichkeiten.

Büro I Ute I London I Klinik I Kino I Skifahren I Keller I Arbeit I Gardasee I sein Chef I Wasser I Bahnhof I Joggen I oben I Domplatz I U-Bahn

Woher kommt Paul?   *Aus dem Büro.*

3 Petra und Joachim – Ergänzen Sie bei, zu oder nach.

Petra ist gleich nach ihrem 18. Geburtstag (a) zu Karl-Heinz, ihrem Freund, gezogen. Sie hat es (b) .... ihren Eltern einfach nicht mehr ausgehalten. Aber (c) .... Karl-Heinz auch nicht lange. (d) .... Hause zurück (e) .... ihren Eltern wollte sie auf gar keinen Fall, also ist sie vorübergehend (f) .... Steffi, ihrer besten Freundin, gezogen. Aber das ist auch keine Lösung. Sie hat sich deshalb entschlossen, (g) .... Paris zu gehen. Sie wird dort (h) .... einer Modefirma arbeiten und befürchtet, dass Karl-Heinz dann gleich (i) .... ihr zu Besuch kommt.

Joachim ist 24. Er wohnt noch immer (j) .... seiner Mutter. Sie hat eine 3-Zimmer-Wohnung (k) .... Starnberg. Jeden Morgen fährt er (l) .... München (m) .... Universität. Da er im Sommer (n) .... Frankreich fahren möchte, hat er für die Semesterferien einen Job (o) .... Siemens angenommen. Er muss dann jeden Morgen um sechs Uhr aufstehen, um gerade noch rechtzeitig (p) .... Arbeit zu kommen. Da ihn seine Mutter nervös macht, verbringt er die Wochenenden oft (q) .... Steffi. Aber (r) .... der wohnt im Moment so eine verrückte Petra.

4 Urlaubsfreuden II – Ergänzen Sie die Präpositionen.

Liebste Karin,
endlich Urlaub im sonnigen Süden – haben Tom und ich uns gedacht, als wir in Frankfurt (a) aus dem Bus in das Flugzeug gestiegen sind. Unser Flug (b) .... Frankfurt war ganz in Ordnung – bis auf das Gewitter, (c) .... das wir geflogen sind. Aber dann ... Die erste Überraschung war das Hotel, das wir (d) .... Deutschland .... gebucht hatten. (e) .... unserem Balkon .... hat man zwar eine tolle Aussicht – aber direkt unserem Zimmer (f) .... ist eine Diskothek! Für den Lärm tagsüber sorgen die Baustellen, die sich (g) .... das Hotel gruppiert haben. Unser einziger Trost ist das Meer! Man kann kilometerweit den Strand (h) .... laufen.
Viele Grüße von deiner tapferen Freundin Claudia

5.5 LOKALE PRÄPOSITIONEN (2): WECHSELPRÄPOSITIONEN

in – an – auf ...

Die folgenden Präpositionen stehen mit dem Dativ, wenn sie „Ort" (Wo?) bedeuten, mit dem Akkusativ, wenn sie „Richtung" (Wohin?) bedeuten:

		Wo? + Dativ	Wohin? + Akkusativ
in	☐	*Die Zeitung ist im (in dem) Wohnzimmer.*	*Er geht ins (in das) Wohnzimmer.*
an	⊲	*Ich saß am (an dem) Klavier.*	*Ich setzte mich ans (an das) Klavier.*
auf	○	*Das Buch liegt auf der Kommode.*	*Sie legt das Buch auf die Kommode.*
über	○	*Die Lampe hängt über dem Bett.*	*Ich hänge die Lampe über das Bett.*
unter	○	*Der Hund liegt unter dem Tisch.*	*Der Hund legt sich unter den Tisch.*
vor	○	*Die Bank steht vor dem Haus.*	*Wir stellen die Bank vor das Haus.*
hinter	○	*Das Auto parkt hinter dem Haus.*	*Ich fahre das Auto hinter das Haus.*
neben	○|	*Er saß neben einem hübschen Mädchen.*	*Er setzte sich neben ein hübsches Mädchen.*
zwischen	|○|	*Jetzt sitzt er zwischen zwei hübschen Mädchen.*	*Dann setzte er sich zwischen zwei hübsche Mädchen.*

Umgangssprachlich auch: *überm (über dem), übers (über das), unterm, unters, vorm, vors, hinterm, hinters*

Bitte unterscheiden Sie:

nach – in	*Ich fahre nach Italien / Rom ...*	*nach* bei Länder- und Städtenamen ohne Artikel
	Ich fahre in die Türkei / Bundesrepublik Deutschland / USA ...	*in* bei Länder- und Städtenamen mit Artikel
zu – in	*Ich gehe zum Bahnhof.*	Ziel
	Ich gehe in den Bahnhof.	Gebäude

Bei *Post, Bank, Polizei, Bahnhof, Flughafen* gibt es eine spezielle Verwendung von *auf:*
Ich gehe auf die Post / Bank / Polizei / den Bahnhof / den Flughafen. (Alternative: *zu*)

1 Dativ oder Akkusativ? – Ergänzen Sie den Artikel.

■ Sag mal, wollen wir heute nicht in (a) d*as* neue italienische Lokal in (b) d...... Maximilianstraße gehen? Du weißt schon, hinter (c) d...... Oper.
▪ Ich habe gehört, dass man in (d) d...... Lokal zwar gut, aber auch ganz schön teuer isst.
■ Gerd hat gesagt, man muss in (e) d...... Lokal gehen – und zwar soll man unbedingt das Menü von der Tageskarte nehmen, die an (f) d...... Wand hängt.
▪ Ein ganzes Menü – das ist mir zu viel und liegt mir dann nur (g) i...... Magen. Ich schaue lieber in (h) d...... Karte.
■ Und Gerd sagt, auf (i) d...... Tisch stellen sie jeden Tag frische Orchideen.
▪ Ein bisschen übertrieben, oder? Ich hätte lieber für das Geld was Ordentliches auf (j) d...... Teller.
■ Wollen wir uns an (k) d...... Bar oder vor (l) d...... Restaurant treffen? Wir könnten auch vorher noch in (m) d...... Maximilianstraße einen kleinen Schaufensterbummel machen.
▪ Das wird mir zeitlich zu knapp. Ich stehe Punkt 8 vor (n) d...... Eingangstür. In (o) d...... Bar können wir ja nachher gehen. Wenn wir dann noch einen Pfennig in (p) d...... Tasche haben!

2 Wohin gehen/fahren Sie, wenn Sie Folgendes tun wollen? – Ergänzen Sie in, auf oder zu. Manchmal gibt es zwei Möglichkeiten.

⟨ der Arzt I der Bahnhof I die Bank I ~~die Drogerie~~ I die Post I das Reisebüro I das Theater

a) Wenn Sie Sonnencreme kaufen wollen, *gehen Sie zur / in die Drogerie* .
b) Wenn Sie Geld überweisen wollen, ...
c) Wenn Sie Briefmarken brauchen, ...
d) Wenn Sie eine Reise buchen wollen, ...
e) Wenn Sie gesund werden wollen, ...
f) Wenn Sie Goethes „Faust" sehen möchten, ...
g) Wenn Sie nach Nürnberg fahren möchten, ...

3 Reiselust – Ergänzen Sie die Wechselpräpositionen und Artikel bzw. Pronomen.

Ein Stadtstreicher in New York

Frankfurt – Die Stewardessen (a) *in der* Lufthansa-Maschine trauten ihren Augen nicht.
(b) .... ihnen saß (c) .... Luxus-Sessel der Reihe 3 ein ärmlich gekleideter älterer Mann. „Eine Flasche Sekt bitte", verlangte der Fluggast (d) .... abgetragenen Mantel. Die Überprüfung ergab: Einem Stadtstreicher war es gelungen, sich als blinder Passagier (e) .... Flugzeug zu schmuggeln. Hubert H. kannte sich gut aus (f) .... Frankfurter Flughafen. Wenn es (g) .... Straßen und Plätzen und (h) .... Parks der Stadt zu kalt wurde, fand er (i) .... Gebäuden des Flughafens eine warme Unterkunft. Jetzt packte ihn die Reiselust. Unerkannt spazierte er (j) .... Großraum-Jet und setzte sich selbstbewusst (k) .... erste Klasse. Dort machte er es sich (l) .... eleganten Geschäftsleuten bequem. (m) .... New Yorker Kennedy Airport stellte sich heraus, dass sich (n) .... löcherigen Anzug des Obdachlosen weder ein Pass noch ein Pfennig Geld befanden. Nach sechsstündigem Aufenthalt wurde Hubert H. (o) .... seine Heimatstadt Frankfurt zurücktransportiert. Nach einer Vernehmung (p) .... dortigen Polizeistation durfte er gehen.

5.6 TEMPORALE PRÄPOSITIONEN (1): ZEITDAUER

seit – bis – während ...

ab = von ... an	Ab heute habe ich einen Internet-Anschluss. Von nächster Woche an bin ich verreist.	+ DAT	Beginn in der Vergangen- heit / Gegenwart / Zukunft
seit	Ich bin seit letzter Woche krank.		Beginn in der Vergangen- heit und Dauer bis zur Gegenwart
von ... bis	Wir sind vom 8.1. bis 21.1. verreist.		Beginn und Ende
zwischen	Die Praxis ist zwischen Weihnachten und Neujahr geschlossen.		
bis zu	Paul bleibt noch bis zum Ende der Woche.		Endpunkt
bei*	Beim Joggen hat sie mir von ihrem neuen Job erzählt.		Gleichzeitigkeit
über	Ich fahre übers Wochenende weg.	+ AKK	Zeitraum
bis	Bis nächste Woche muss ich mich entscheiden.		
während	Während der Woche gehe ich nie aus.	+ GEN	
innerhalb	Ich muss innerhalb eines Monats antworten. Ich muss innerhalb von einem Monat antworten. (von + DAT: gesprochene Sprache)		
außerhalb	Außerhalb der Öffnungszeiten bin ich in dringenden Fällen zu Hause erreichbar.		

* oft mit nominalisiertem Infinitiv

Für die Angabe der Länge eines Zeitraums gebraucht man den Akkusativ ohne Präposition:
Hans und Inge waren einen Monat (lang) in Schottland.

ÜBUNGEN

1 | Hans im Glück I – Markieren Sie die passenden Präpositionen.

seit – bis – ab	a) Hans lebt erst ... zwei Jahren in München.
während – I – über	b) Als Kind hat er ... viele Jahre auf dem Land gelebt.
Über – Zwischen – Bis zu	c) ... seinem 19. Lebensjahr hat er in Köln gewohnt.
Außerhalb – Innerhalb – Während	d) ... der ersten vier Semester seines Studiums war er in Heidelberg.
Von ... an – Von ... bis – Bis ... zu	e) ... 1997 ... 1999 studierte er dort Philosophie.
Zwischen – Bei – Über	f) ... das Wochenende fuhr er meistens zu seiner Kölner Freundin.
Bei – Ab – Innerhalb	g) ... 1999 stand für Hans der Entschluss, nach München zu gehen, fest.
Bis zu – Innerhalb – Während	h) Hans im Glück: ... einer Woche hatte er in München eine passende Wohnung.
beim – zwischen dem – seit	i) Er hatte die Annonce ganz zufällig ... Herumblättern in der Zeitung gefunden.
bis zu – I – ab	j) Bald muss er schon wieder umziehen, denn er wird ... ein Jahr in London arbeiten.

2 Firmenalltag – Ergänzen Sie während, innerhalb oder außerhalb.

a) Entwickeln Sie bitte *innerhalb* einer Woche eine neue Werbestrategie!

b) .... der Arbeitszeit dürfen Sie nicht privat ins Internet.

c) Die Rechnung muss .... der nächsten 14 Tage bezahlt werden.

d) .... der Bürozeiten können Sie mich auf meinem Mobiltelefon erreichen.

e) Können wir das nicht .... des Essens besprechen?

f) .... von zwei Stunden musste eine Entscheidung getroffen werden.

3 ab, von ... an, von ... bis, bis zu oder zwischen? – Ergänzen Sie die richtige Präposition und – wo nötig – den Artikel.

a) *Bis zum* 23.12. ist die Praxis geöffnet, ... 27.12. .... 7.1. wenden Sie sich bitte an meinen Urlaubsvertreter.

b) .... 1. Januar des nächsten Jahres gilt die um zwei Prozentpunkte höhere Mehrwertsteuer. .... Mitte des Jahres soll auch über eine Erhöhung der Erbschaftsteuer entschieden werden.

c) Sie wollen einen Termin .... dem 21. und 24. März? Das wird leider nicht klappen, denn .... 20. .... bin ich auf einem Kongress – und zwar .... 24. März.

4 Arbeit und Freizeit – Ergänzen Sie die Präpositionen.

〈 ab | beim | bis | bis zum | ~~übers~~ | während

■ Hast du Lust, (a) *übers* Wochenende mit zum Skifahren zu gehen?

■ Lust schon, aber ich muss (b) .... nächsten Mittwoch meine Seminararbeit fertig haben. Und mir ist (c) .... jetzt kaum etwas eingefallen. Und (d) .... Dienstagabend habe ich wieder den Kneipenjob.

■ Du wirst sehen, (e) .... Wintersport kommen einem oft die besten Ideen. Stell dir vor, mir ist neulich (f) .... eines Sauna-Gangs ein geniales Konzept für ein Psychologiereferat eingefallen.

5 Hans im Glück II – Ergänzen Sie – wo nötig – die Präpositionen und die Artikel.

Liebe Evelyn,

stell dir vor, es hat mit London geklappt! (a) *Ab* nächster Woche werde ich dort (b) .... ein Jahr bei einer Werbeagentur als „creative assistant" arbeiten. Ich musste mich (c) .... drei Tagen entscheiden. Ich hoffe, es geht (d) .... Januar .... finanziell ein wenig aufwärts mit mir. Nötig wäre es! Anstrengend wird es sicherlich: Als ich mir (e) .... einen Tag lang die Agentur angesehen habe, sind die meisten Leute zwar erst so (f) .... 10 und 11 Uhr gekommen, dann ging es aber (g) .... 9 Uhr abends rund. (h) .... Abendessen hat man mir erzählt, dass das normal ist. (i) .... wichtigen Projekten bleiben die Leute angeblich auch mal (j) .... Nacht im Büro. Im Vergleich zu München ist selbst wochentags eine Menge los in London – leider kann ich das Freizeitangebot nur (k) .... Arbeitszeit nutzen! (l) .... nächsten paar Wochen werde ich mich um meine neue Wohnung kümmern müssen, aber dann kommst du mich ja hoffentlich mal (m) .... ein verlängertes Wochenende besuchen. (n) .... dann!

Dein Hans

5.7 TEMPORALE PRÄPOSITIONEN (2): ZEITPUNKT

an – in – um ...

an	Sie besucht mich *am Dienstag.*	+ DAT	Tag
	Bertolt Brecht wurde *am 10.2.1898* geboren.		Datum
	Ich möchte lieber *am Vormittag* einkaufen.*		Tageszeit
	Paula besucht mich *an Ostern.*		Feiertag
aus	Dieser Tisch ist *aus dem 17. Jahrhundert.*		zeitliche Herkunft
in	Ich besuche dich *in der nächsten Woche.*		Woche
	Richard verreist *im August.*		Monat
	Im Frühling ist Mallorca am schönsten.		Jahreszeit
	In den 70ern waren viele Studenten politisch aktiv.		Jahrzehnt
	Bertolt Brecht ist *im 19. Jahrhundert* geboren.		Jahrhundert
	Aber: Er ist *1898* geboren.		
	Im nächsten Jahr fliege ich nach Australien.		Zukunft
	Ich habe ihn *in letzter Zeit* oft gesehen.		Zeitraum
nach	*Nach dem Kino* gehen wir noch essen.		
vor	Ich war *vor der Prüfung* ziemlich nervös.		
zu	*Zu dieser Zeit* war ich in London.		Zeitpunkt/Zeitraum in der Vergangenheit**
gegen	Wir kommen erst *gegen Abend.*	+ AKK	ungenaue Tageszeit
	Die Party beginnt *gegen 8.*		ungenaue Uhrzeit
	Dieses Gebäude entstand *gegen Ende des 17. Jahrhunderts.*		ungenaue Zeitangabe
um	Das Flugzeug startet *um 22.16 Uhr.*		genaue Uhrzeit
	Dieses Gebäude ist *um 1700* entstanden.		ungenaue Zeitangabe mit Jahreszahl

* aber: *in der Nacht*
** immer in Verbindung mit den Nomen *Zeit/Zeitpunkt*

<u>1</u>   **Der Mensch und die Zeit – Markieren Sie die passende Präposition.**

am – im – l	a) Eva-Maria wurde ... 28.1.1975 geboren.
l – in – innerhalb	b) Ihr Bruder Paul ist ... 1977 geboren.
Vor – Seit – Ab	c) ... einem Jahr ist Bärbel nach Hamburg gezogen.
in – l – gegen	d) Wir treffen uns so ... halb acht.
nach – um – an	e) Wir waren ... 10 vor 8 verabredet.
Im – Am – Vor	f) ... nächsten Jahr werde ich sicher nach Rom fahren.
vor – nach – in	g) Wir können erst ... der Vorlesung schwimmen gehen.
gegen – während – an	h) Ich kann dich erst ... Weihnachten besuchen.
zu – um – gegen	i) Dieses Bild wurde ... 1800 gemalt.
in – vor – innerhalb	j) Peter ist ... den letzten Wochen so still geworden.
am – im – um	k) Warst du ... Vormittag in der Stadt?
Während – Bis – Im	l) ... Herbst bin ich am liebsten in den Bergen.
an – um – in	m) Herbert kam erst spät ... der Nacht von der Reise zurück.
zu – in – bei	n) Ich hatte ... dem Zeitpunkt einfach kein Geld.
gegen – um – zu	o) Das Stück wurde ... Ende des 19. Jahrhunderts komponiert.

2 an oder in? um oder gegen? – Ergänzen Sie die richtige Präposition und – wo nötig – den Artikel.

an oder *in*		*um* oder *gegen*
a) *am* Nachmittag	f) .... Ostern	k) *um* 19.52 Uhr.
b) .... Nacht	g) .... Morgen	l) .... sieben (ungefähr)
c) .... zwei Wochen	h) .... Mai	m) .... halb vier (genau)
d) 28.2.1987	i) .... Montag	n) .... Mitte des 18. Jahr-
e) .... Herbst	j) .... letzten Jahr	hunderts
		o) 1900

3 vor oder seit? – Ergänzen Sie die Präpositionen und – wo nötig – den Artikel.

■ Wie lange arbeiten Sie schon hier?
▨ (a) *seit* 30 Jahren. Ich habe fast auf den Tag genau (b) .... 30 Jahren hier angefangen.
■ (c) .... damals hat sich sicherlich eine Menge verändert?
▨ Natürlich. Die größte Veränderung kam (d) .... 12 Jahren – durch die Fusion.
■ Was ist (e) .... dieser Zeit so anders?
▨ Nun, als unsere Firma (f) .... 12 Jahren übernommen wurde, wurden alle früheren
Extras sofort gestrichen. Und (g) .... zwei Jahren gibt es regelmäßig Samstagsarbeit.

4 in oder zu? – Ergänzen Sie die Präpositionen und – wo nötig – den Artikel.

a) *In* meiner Jugendzeit träumte ich davon, in ferne Länder zu reisen. Bloß hatte ich ....
.... Zeit überhaupt kein Geld.
b) Die industrielle Agrarproduktion ist .... letzter Zeit wieder ziemlich ins Gerede
gekommen.
c) „ .... meiner Zeit hätte es ein solches Benehmen nicht gegeben!", schimpfte die alte
Dame mindestens fünfmal pro Tag.
d) .... Zeit König Ludwigs I. lebten die meisten Bayern noch auf dem Land.
e) „Ich habe .... nächster Zeit leider keine einzige freie Minute für dich, mein Schatz",
sagte der Firmenchef zu seiner misstrauischen Ehefrau.

5 Hans und Evelyn – Ergänzen Sie die Präpositionen und – wo nötig – den Artikel.

Lieber Hans,
über Deinen Brief aus London habe ich mich wirklich sehr gefreut. Auch bei mir hat sich
(a) *in den* letzten Wochen und Monaten viel getan. (b) .... meiner Ausbildung zur
Innenarchitektin habe ich (c) .... Frühling ein Praktikum bei einem Antiquitäten-
händler begonnen. Es macht mir ausgesprochen Spaß, und ich lerne so „wichtige" Dinge wie z.B.,
ob ein französischer Tisch (d) .... frühen, mittleren oder späten 18. Jahr-
hundert stammt. Oder ob ein englischer Schrank (e) .... 1900 oder schon (f) ....
Mitte des 19. Jahrhunderts angefertigt wurde. Nicht nur Dein neuer Job in London ist anstrengend: Ich muss (g) .... fünf Wochentagen (h) .... Punkt 8.30 Uhr anfangen und
komme meist erst so (i) .... 8 Uhr abends nach Haus. Was deine nette Einladung nach
London betrifft: (j) .... März kann ich auf gar keinen Fall weg, aber vielleicht klappt es
ja (k) .... Ostern. Bis bald!
Deine Evelyn

PS: Ich weiß, Du hast (l) .... letzten Wochenende angerufen, aber (m) ....
.... Zeitpunkt war ich bei meinen Eltern.

5.8 PRÄPOSITIONEN

wegen – trotz – für – aus ...

1 kausale Präpositionen

Warum ist das so? ⟼ Grund, Ursache

wegen	*Wegen eines Unfalls* hatte die U-Bahn Verspätung. *Wegen seinem Charme* konnte ich ihm nicht böse sein. **Ich habe das** *wegen dir / deinetwegen* **getan.**	+ Genitiv* / Dativ
angesichts*	*Angesichts seiner finanziellen Situation* musste er auf den Hauskauf verzichten.	+ Genitiv
aufgrund* infolge*	*Aufgrund der Krise* wurden zahlreiche Fabriken geschlossen. *Infolge der Sparpolitik* werden die Renten gekürzt.	
aus	*Ich habe ihm* aus Mitleid *geholfen.*	+ Dativ
vor	*Er zitterte* vor Angst*.*	

* vor allem schriftsprachlich   Kausalsätze 📖 **s. Seite 180**

2 konzessive Präpositionen

Angabe eines Grundes, der gegen eine Handlung, Beschaffenheit oder einen Zustand spricht:

trotz	*Trotz seiner Grippe* ist er ins Kino gegangen.	+ Genitiv

Konzessivsätze 📖 **s. Seite 188**

3 finale Präpositionen

Wofür / Wozu / Für wen brauchst/tust du das? ⟼ Ziel, Zweck, Addressat

für	**Ich mache das nicht** *für dich*, **sondern** *für meine Karriere.*	+ Akkusativ
zu	**Was brauchst du alles** *zum Kochen** **heute Abend?**	+ Dativ

* oft mit substantiviertem Infinitiv   Finalsätze 📖 **s. Seite 184**

4 modale Präpositionen

Wie mache ich das? ⟼ Art und Weise   *Wie* ist das? ⟼ Eigenschaft, Beschaffenheit

aus	*Dieser Tisch ist* aus Aluminium*.*	+ DAT	Beschaffenheit
in	**Ich erkläre dir alles** *im Einzelnen.* **Meinst du das** *im Ernst?*		Art des Erklärens und Meinens
mit	**Ich fahre** *mit dem Auto* **nach Berlin.**		Art und Weise
nach	*Nach Ansicht des Experten* ist der Schaden groß. *Meiner Meinung nach** ist die Lage äußerst ernst.*		Eigenschaft
zu	*Zu meiner großen Freude* ist Paul wieder gesund.*		Gefühlsausdruck
auf	**Wie heißt das** *auf Spanisch?* **Ich komme** *auf jeden Fall.*	+ AKK	Sprache Art und Weise
durch	**Die Stadt wurde** *durch Bomben* **zerstört.**		Art und Weise
für	*Für so viel Arbeit* **wirst du so schlecht bezahlt.**		Vergleich
ohne	*Ohne Diplom* **bekommst du den Job nicht.**		Eigenschaft
mithilfe	*Mithilfe dieser neuen Therapie*** wurde er geheilt.	+ GEN	Art und Weise
mittels	**Er öffnete das Schloss** *mittels eines Drahtes.*		

* mit Possessivartikel immer nachgestellt; ** auch: *mithilfe von* + Dativ; Modalsatz

📖 **s. Seite 192**

1 | Das liebe Geld! – Ergänzen Sie die Ausdrücke in Klammern.

a) Wegen (seine schlechten Finanzen) kann sich Paul dieses Jahr keinen teuren Urlaub leisten. Aus (dieser Grund) ist er ziemlich schlecht gelaunt. Zu (die Überraschung seiner Freunde) plant er jetzt, mit (das Fahrrad) quer durch Deutschland zu fahren.
Wegen seiner schlechten Finanzen kann sich Paul dieses Jahr keinen teuren Urlaub leisten.

b) Infolge (geringere Steuereinnahmen) droht nach (ein Bericht der Süddeutschen Zeitung) ein Haushaltsloch von vier Milliarden Euro. Aufgrund (die geplante Familienförderung) wird für das nächste Jahr noch eine weitere Finanzlücke in Höhe von fünf Milliarden Euro erwartet. Angesichts (diese Belastungen) plant die Regierung, zu (die Gegenfinanzierung) die Steuern zu erhöhen.

2 | Komische Vögel – Ergänzen Sie die Präpositionen.

auf (2x) I aus I durch I für (2x) I in ~~(2x)~~ I mithilfe (2x) I nach I ohne I trotz

ÖSTERREICHER SCHRECKEN VÖGEL AB

Wien – Einen Weltrekord (a) *im* (+ dem) Abschrecken gefräßiger Vögel will ein kleiner Ort in Österreich aufstellen. (b) .... der gesamten Bevölkerung sollen in Wippenham bis Herbst Vogelscheuchen gebastelt werden. (c) .... diese Weise möchte man nicht nur die lästigen Feldräuber loswerden – und das (d) .... Gewaltanwendung. „Wir machen die Aktion auch (e) .... eine Eintragung ins Guinnessbuch der Rekorde.", so der Bürgermeister. (f) .... einiger Bedenken der Landschaftsschützer hat man die ersten 1000 Vogelscheuchen (g) .... Holz und Stoff bereits aufgestellt.

HILFLOSER VATER SCHEITERT AN MILCHFLASCHE

Braunschweig – (h) .... Panik, seine kleine Tochter könnte verhungern, hat ein Vater aus Braunschweig die Polizei alarmiert. Dem 24 Jahre alten Mann gelang es den Polizeiangaben (i) .... nicht, die Milch des Kindes zu erwärmen. (j) .... einen „Großeinsatz" der Polizei kam das schreiende Kind doch noch zu seinem Abendessen. (k) .... eines Buches (l) .... junge Väter will er künftig derartige Notrufe überflüssig machen. Doch leider ist das Buch (m) .... Schwedisch!

3 | Die Macht der Liebe – Ergänzen Sie die Präpositionen sowie die Ausdrücke in Klammern.

~~aus~~ I in I mit I ohne I trotz I wegen I zu (2x) I vor

(a) *Aus Liebe* (Liebe) ist Karl (b) .... (das schlechte Wetter) am Wochenende zu seiner kranken Freundin Anne gefahren. (c) „ .... (der starke Schneefall) kommst du aber besser (d) .... (der Zug)", rief sie besorgt am Telefon. Er hörte leider nicht auf sie: Die Straßen waren (e) .... (ein schrecklicher Zustand): spiegelglatt und voll. (f) .... (sein großer Ärger) waren auch noch viele Sonntagsfahrer unterwegs. (g) .... (das Pausemachen) hatte er keine Nerven mehr. (h) .... (Unterbrechung) fuhr Karl, bis er an seinem Ziel war. Die junge Frau weinte (i) .... (Freude), als sie ihn sah.

5.9 MODALPARTIKELN

Das ist aber teuer!

Im gesprochenen Deutsch drücken diese zusätzlichen Wörter eine Absicht oder emotionale Färbung aus. Wie häufig diese Wörter gebraucht werden, hängt vom Sprecher ab. Man kann auch mehrere Partikeln in einem Satz kombinieren. Die meisten Partikeln haben mehrere Funktionen bzw. Bedeutungen.

Aussagesätze

eben	*Die letzte U-Bahn für heute ist vor 5 Minuten abgefahren.*	Unabänderliche
	Dann müssen wir eben zu Fuß gehen.	Konsequenz
halt	*Warum willst du denn nicht? Ich will halt nicht.*	Resignation
einfach	*Diese Übung verstehe ich einfach nicht.*	Unzufriedenheit
	Wenn Sie kein Bargeld dabeihaben, dann geben Sie mir einfach einen Scheck.	Problemlösung
eigentlich	*Eigentlich wollte er heute kommen.*	Erstaunen, Kritik
*ja**	*Das ist ja bekannt.*	Bekanntes
	Sie brauchen mich nicht mehr. Dann kann ich ja gehen.	Selbstverständliches
schon	*Das wird schon gut gehen.*	Beruhigung

Aufforderungen

mal	*Würden Sie mir mal helfen?*	Bitte
	Gib mir doch mal den Hammer.	
	Könnten Sie mir bitte mal ihren Stift leihen?	
doch	*Setz dich doch in den Sessel.*	Rat
	Das hättest du mir doch sagen können.	
*ja***	*Tu das ja nicht.*	Warnung
bloß	*Tu das bloß nicht.*	
nur	*Tu das nur nicht.*	
ruhig	*Lass das Licht ruhig an, wenn du rausgehst. Es verbraucht nicht viel Strom.*	Ermunterung

Fragen

denn	*Was gibt es denn zu essen? Hast du denn keinen Hunger?*	Interesse
	Was macht denn eigentlich unser alter Freund Tim?	
eigentlich	*Warst du eigentlich schon mal in der neuen Disco?*	

Ausrufe

doch	*Das ist doch nicht richtig!*	Gegensatz
*ja**	*Es hat ja geschneit. Das ist ja gar nicht teuer.*	Überraschung
aber	*Das ist aber teuer. Das ist aber nett.*	
vielleicht	*Das ist vielleicht ein Service!*	Verärgerung

* unbetont ** betont

1 Empfehlungen – Formulieren Sie kleine Dialoge mit doch mal und eigentlich.
a) den Artikel in der „Frankfurter Allgemeinen Zeitung" (FAZ) lesen
   Lies doch mal den Artikel in der FAZ! – Ich lese eigentlich nicht gerne die FAZ.
b) klassische Musik hören
c) mit deiner Chefin sprechen
d) die alten Fotos anschauen
e) ein bisschen mehr Sport treiben

2 Theaterbesuch – Ergänzen Sie aber, denn, ja, ruhig, vielleicht. Manchmal gibt es mehrere Möglichkeiten.

Vorher:
Was, es gibt noch Karten für die „Zauberflöte"? Das ist (a) *ja* super.
Was sollen die Karten (b) .... kosten?
Nur 10 Euro? Das ist (c) .... wirklich preiswert. Das können wir uns (d) .... leisten, finde ich.

Nachher:
Das Stück war (e) .... langatmig. Das hätte ich mir (f) .... denken können. Wer schaut sich (g) .... heute noch Opern an? Und außerdem: Die Königin der Nacht hat (h) .... leise gesungen.

3 Beim Psychoanalytiker – Ergänzen Sie in diesem Dialog eben, einfach, doch, denn. Manchmal gibt es mehrere Möglichkeiten.

Patientin   Heute ist mir nicht nach Reden zumute. Mir fällt (a) *einfach* nichts ein, was wichtig wäre ...
Psychologin   Wichtig oder unwichtig, darauf kommt es (b) .... gar nicht an.
Patientin   Ich will (c) .... nicht.
Psychologin   Möchten Sie (d) .... darüber sprechen, warum Sie nicht reden möchten?
Patientin   Ich fühle mich (e) .... nicht wohl. Wollen Sie wirklich wissen, wie es mir geht? Das ist Ihnen (f) .... völlig egal.
Psychologin   Warum? Sie sind (g) .... meine Patientin.

4 Alte Bekannte – Ergänzen Sie denn, eigentlich und ja. Manchmal gibt es mehrere Möglichkeiten.

■ Mensch, das ist (a) *ja* eine Überraschung. Wie kommst du (b) .... hierher?
■ Ach, ich habe in der Nähe zu tun. Das ist (c) .... wirklich ein Zufall, dich zu treffen. Wie geht es dir (d) .... so?
■ Ganz gut, danke. Sag mal, weißt du (e) .... , ob Andrea noch hier wohnt?
■ Nein, leider nicht.
■ Lebt (f) .... euer Hund noch?
■ Nein, der war (g) .... damals schon 16 Jahre alt.
■ Hast du (h) .... die Eva mal wieder gesehen?
■ Ja, die sehe ich (i) .... regelmäßig. Die arbeitet (j) .... hier in der Nähe.
■ Hat die (k) .... ihren Freund geheiratet?
■ Nein. Aber das war (l) .... klar, die haben (m) .... wirklich nicht zusammengepasst.
■ Stimmt. Ich muss leider weiter. Hier ist meine Telefonnummer. Wir könnten (n) .... mal zusammen was trinken gehen.

5.10 GRADUIERUNG DURCH ATTRIBUTE

Schon um 7 oder erst um 9 Uhr? – Hans hatte nur wenig Zeit.

Funktion
Durch ein Attribut kann man ein Satzelement hervorheben.

Formen

nicht	*Nicht er spielt Tennis(, sondern sie).* *Er spielt nicht Tennis(, sondern Fußball).* (📖 **s. Seite 148**)	Negation eines Satzglieds, mit dem es eine gemeinsame Position im Satz bildet
nur *bloß*	*Er spielt Tennis, aber nur selten.* *Ich liebe nur dich.* *Ich wollte bloß sagen, ich komme morgen.* *Petra verdient bloß 1000 EUR im Monat.*	Einschränkung: nicht oft, sondern ... niemand anderen als ... nichts anderes als ... nicht mehr als ...
erst	*Wir gehen erst um drei Uhr essen.* *Petra verdient erst 1.000 EUR im Monat.*	Einschränkung: später als erwartet oder erwünscht Zahlengröße noch nicht so hoch wie erwartet oder erwünscht
schon *bereits*	*Wir gehen schon um halb 12 essen.* *Paul verdient bereits 5.000 EUR.*	das Gegenteil von erst: früher als erwartet oder erwünscht Zahl höher als erwartet oder erwünscht
allein	*Allein im Restaurant gibt es 20 Angestellte.* *Allein im ersten Monat verkaufte sich das Buch 7000 Mal.*	räumliche und zeitliche Einschränkung: auch anderswo, aber hier ist nur vom Restaurant die Rede.
auch	*Auch unsere Nachbarn waren verreist.*	Einschließen
sogar *selbst*	*Sogar die alte Tante hat getanzt!* *Selbst Eva hat gebacken!*	Überraschung
besonders *gerade* *vor allem*	*Besonders die Armen leiden unter der Krise.* *Ich finde gerade ihn sympathisch.* *Ich mag vor allem deinen Bruder.*	Sonderstatus

Aber:
Erst (= zuerst) gehen wir essen, dann tanzen.
Wir waren in dem Restaurant ganz allein (= ohne andere Menschen).
Eva hat selbst (= ohne fremde Hilfe) gebacken.

1 Max will Karriere machen – Kreuzen Sie an.

	nur	allein	erst	schon
a) Max ist ... spät in der Nacht nach Hause gekommen.			✗	
b) Er musste ... heute 100 E-Mails schreiben!				
c) Jetzt denkt er ... noch an eins: schlafen gehen.				
d) Und morgen früh muss er ... wieder um 6 Uhr aufstehen!				
e) Ist das etwa ein schönes Leben? Ich bin doch ... 23!				
f) Und ich habe doch ... dieses eine Leben!				
g) Na, immerhin verdiene ich für mein Alter ... eine Menge Geld.				

2 Nichts als Fragen - Antworten Sie mit nur bzw. erst.

a) Wie lange bleibst du hier? (zwei Wochen) > *Nur zwei Wochen.*

b) Wie lange bist du schon in München? (seit drei Tagen)

c) Hat die Fahrt lange gedauert? (40 Minuten)

d) Wann bist du angekommen? (um 23 Uhr)

e) Wie viel hat das Ticket gekostet? (20 Euro)

3 Finanzen – Antworten Sie.

a) Haben Sie schon von unserem neuesten Finanzprodukt gehört? – (erst / hat / bei mir / Ihr Kollege / gestern / angerufen) *Erst gestern hat Ihr Kollege bei mir angerufen.*

b) Sie haben sicher noch Fragen dazu ... – (geht / es / die Sicherheit / besonders / mir / um)

c) Da kann ich Sie beruhigen. – (sogar / eine große Bank / garantieren / keine ... mehr / Sicherheit / kann)

d) Sie sehen das zu pessimistisch. – (nicht / möchte / ich / das neue Produkt, / ein Sparbuch sondern / lieber)

e) Das bringt keine hohen Zinsen. – (nur / ich / weiß, / drei Prozent)

f) Wann kommen Sie zu uns? – (nächste Woche / habe / Zeit / ich / erst)

4 Falsch geparkt! – Ergänzen Sie allein, besonders, bloß, erst, nicht, nur, schon, sogar.

(a) *Schon* 12.000 Mitbürger hat Georg Müller angezeigt – und das in (b) .... vier Jahren! (c) .... im letzten Jahr konnten sich 3.584 Personen im nordeutschen Städtchen Flinburg bei Georg Müller für eine Anzeige „bedanken". (d) .... die direkten Nachbarn fürchten den Hobby-Polizisten: (e) .... vor kurzem hat jemand eine tote Maus in den Briefkasten des 60-jährigen Frührentners geworfen. Zu seiner Verteidigung sagt Georg Müller: „Ich bin (f) .... verrückt, sondern ich will (g) .... Ordnung!". (h) .... seine Mutter findet die Aktivitäten ihres Sohnes übertrieben. Sie erzählt: (i) .... als kleiner Junge wollte mein Georg am liebsten (j) .... mit Polizeiautos spielen. Kontakt mit Kindern gleichen Alters hatte er (k) .... selten. Leider ist mir (l) .... spät aufgefallen, dass das nicht normal ist. Da war es (m) .... zu spät! (n) .... die Polizei lacht heimlich über ihn.

Testen Sie Ihre Grammatikkenntnisse!

Wenn Sie die Grammatikkapitel gelesen und die Übungen gemacht haben, können Sie nun testen, wie erfolgreich Sie gelernt haben und an welchen Themen Sie noch etwas intensiver arbeiten sollten.

Wenn Sie schon Vorkenntnisse haben und die Grammatik selektiv verwenden möchten, können Sie mithilfe der Tests auch feststellen, auf welche Kapitel Sie sich konzentrieren sollten, um Ihre Kenntisse gezielt zu verbessern.

Dazu stehen Ihnen drei große Testblöcke zur Verfügung. Ein Testblock besteht aus je vier übersichtlichen Testeinheiten. Entweder können Sie einen ganzen Testblock bearbeiten oder nur die Testeinheiten ausfüllen, die für Sie von Interesse sind. Der Lösungsschlüssel im Begleitheft ermöglicht Ihnen in beiden Fällen eine präzise Bewertung Ihrer Kenntnisse und verweist Sie an die Grammatikkapitel, die Sie (nochmals) durcharbeiten sollten.

T

In diesem Testblock können Sie Ihre Kenntnisse in den folgenden Themen überprüfen:
Nomen und Artikelwörter, Adjektive, Pronomen, Adverbien, Präpositionen und Partikeln.
Die Lösungen finden Sie im Begleitheft ab Seite 36.
Viel Erfolg!

Test 1 • Nomen und Artikelwörter

Kapitel 1.1 – 2.4

1 Welcher Artikel passt? Es gibt nur eine richtige Lösung.

(0) *der* Sturm
(1) .... Briefträger   (6) .... Name
(2) .... Märchen   (7) .... Leben
(3) .... Weißwein   (8) .... Ergebnis
(4) .... Forschung   (9) .... Fluss
(5) .... Hilfe   (10) .... Sicherheit

2 Was ist richtig? Kreuzen Sie die richtige Antwort an.
Es gibt nur eine richtige Lösung.

(0) Heute hat *der Beamte* von der Steuerbehörde schon zweimal angerufen.
    ☐ A den Beamten   ☐ B des Beamten   ✗ C der Beamte

(11) Die Assistentin erklärt .... die Firmenstruktur.
    ☐ A der Praktikant   ☐ B des Praktikanten   ☐ C den Praktikanten

(12) Das ist .... des Abteilungsleiters.
    ☐ A ein Bekannter   ☐ B einen Bekannten   ☐ C einem Bekannten

(13) Der Chef stellt .... eine Frage.
    ☐ A sein Angestellter   ☐ B seinem Angestellten   ☐ C seine Angestellten

(14) Es gibt nichts .... von unserem Projekt.
    ☐ A Neue   ☐ B Neuen   ☐ C Neues

(15) Ich gehe heute mit .... zum Mittagessen.
    ☐ A meine Kollegen   ☐ B meinen Kollegen   ☐ C mein Kollege

(16) Thomas kommt nicht mit zum Essen, denn er ist mit .... Frau verabredet.
    ☐ A seine   ☐ B seiner   ☐ C ihrer

(17) Ich habe versucht, Lisa und Peter anzurufen. Aber .... Nummer ist dauernd besetzt.

    ☐ A ihre   ☐ B ihren   ☐ C ihrer

(18) Claudia räumt .... Schreibtisch auf.

    ☐ A seinen   ☐ B ihrem   ☐ C ihren

(19) Es ist schon 19 Uhr. Das war heute ein langer ....

    ☐ A Arbeittag   ☐ B Arbeitstag   ☐ C Arbeitertag

(20) Heute Abend möchte ich das .... zwischen Deutschland und Brasilien sehen.

    ☐ A Länderspiel   ☐ B Landesspiel   ☐ C Landspiel

_3_ Welche Endungen passen: –em, –en, –es, –n oder – (= keine Endung)? Es gibt pro Wort nur eine richtige Lösung.

(0)   Martin hilft sein*em* Freund.

(21) Das ist das neue Fahrrad mein..... Nachbar.....

(22) Die Besichtigung dies ... Schloss..... ist nur am Wochenende möglich.

(23) Alex hat unter seinem Kopfkissen ein..... Liebesbrief..... gefunden.

(24) Das neue Museum gefällt all ..... Stadtbewohner..... .

(25) Die Verkaufszahlen haben unser..... Direktor..... überzeugt.

(26) Ich kann mich einfach nicht an sein..... Name..... erinnern.

(27) Tina hat ihr..... Kollege ..... Bernd diesmal nichts aus dem Urlaub mitgebracht.

(28) Das Filmfestival dauert ein..... Monat..... .

(29) Silvia will mit ihr.... Brüder..... in den Urlaub fahren.

(30) Simon hält nichts von dies..... Plan..... seiner kleinen Schwester.

_4_ Fehlt ein Artikel? Welcher?

Nicht weit von (0) *einem* kleinen Dorf, das an (31) .... See lag und von (32) .... Fischern bewohnt war, konnte man jedes Jahr (33) .... wunderschöne junge Frau sehen. (34) .... junge Frau segelte in (35) .... kleinen Schiff. Niemand wusste, woher sie kam oder wohin sie fuhr, wenn sie wieder verschwand. (36) .... Fischerleute und ihre Kinder hatten (37) .... junge Frau sehr lieb, denn sie schenkte (38) .... Kindern immer (39) .... schöne, weiße Perlen. (40) .... Fischer und ihre Frauen gaben (41) .... schönen Perlenprinzessin immer etwas zu essen und zu trinken: (42) .... Fische, (43) .... Brot und (44) .... Wein und (45) .... Prinzessin aß und trank ein bisschen.

(nach: Die Perlenkönigin, Ludwig Bechstein)

Test 2 • Adjektive

Kapitel 3.1 – 3.9

1 **Verstärkung oder Abschwächung? Kreuzen Sie an.**

		Verstärkung	Abschwächung
(0)	Dieser Film ist *überaus* komisch.	☒	☐
(1)	Der Regisseur hat *außerordentlich* viel Talent.	☐	☐
(2)	Die Kosten für den Film waren *besonders* hoch.	☐	☐
(3)	Der Mafiaboss ist in diesem Film *relativ* harmlos.	☐	☐
(4)	Die junge Schauspielerin aus China ist *bild*hübsch.	☐	☐
(5)	Die Story ist auch *einigermaßen* aktuell.	☐	☐
(6)	Der ganze Film ist *ungewöhnlich* kurz.	☐	☐

2 **Welche Endung passt? –e oder –en ? Es gibt nur eine richtige Lösung.**

(0) eine erfolgreich*e* Schriftstellerin
(7) genau der richtig... Ort
(8) zu einem bestimmt... Zeitpunkt
(9) alle eingeladen... Gäste
(10) eine gut erzählt... Geschichte
(11) viele interessant... Fragen
(12) eine kurz... Antwort
(13) mit der neuest... Technik
(14) einige schwierig... Situationen
(15) die gut informiert... Journalisten
(16) keine ander... Probleme

3 **Was ist richtig? Kreuzen Sie die richtige Antwort an.
Nur eine der Lösungen ist richtig.**

(0) ein *klassisches* Konzert
 ☒ A klassisches ☐ B klassischer ☐ C klassische

(17) ein .... Sänger
 ☐ A berühmtes ☐ B berühmter ☐ C berühmte

(18) seine .... Stimme
 ☐ A dynamische ☐ B dynamischen ☐ C dynamischer

(19) mit ganz .... Klang
 ☐ A besonderem ☐ B besonderen ☐ C besondere

(20) sein .... Programm
 ☐ A aktuelle ☐ B aktuelles ☐ C aktueller

(21) das .... Konzert
 ☐ A zweitens ☐ B zweite ☐ C zu zweit

(22) in den .... Jahren
 ☐ A 90er ☐ B 90ern ☐ C 90.

T

(23) ein .... Abend

 ☐ A wunderschönen ☐ B wunderschönes ☐ C wunderschöner

(24) mit .... Emotionen

 ☐ A große ☐ B großen ☐ C großer

(25) trotz ungewöhnlich .... Eintrittspreise

 ☐ A hohe ☐ B hohe ☐ C hoher

_4_ **Ergänzen Sie Partizip I oder Partizip II.**

gelingen	(0) *Gelungene* Flucht
verhaften	In einem Gefängnis hat sich ein kürzlich (26) ....
	Geldfälscher selbst per LKW in die Freiheit verschickt. Der Gefangene
vergehen	hatte sich am (27) .... Montag in der Gefängniswerkstatt
	unbemerkt in einem Pappkarton versteckt, der zusammen mit anderen
abstellen	(28) .... Kartons von dem LKW einer Speditionsfirma
bewachen	abgeholt worden war. Nachdem der LKW das (29) ....
	Gefängnisgelände verlassen hatte, hat der Mann den Karton und die LKW-
fahren	Plane aufgeschnitten, ist von dem (30) .... LKW abge-
	sprungen und ist unbeobachtet entkommen. Jetzt sitzt er wahrscheinlich unter
blühen	einem (31) .... Apfelbaum und überlegt, wie er in Zukunft
	bessere „Blüten" * produzieren kann.

* Blüten = Falschgeld

_5_ **Sagen Sie es anders.**

(0) Dieses alte Schloss kann nicht bezahlt werden. Es ist *unbezahlbar*.

(32) Dieses Haus ist nicht zu bewohnen. Es ist ....

(33) Diese Farbe lässt sich nicht definieren. Sie ist ....

(34) Diese Handschrift kann man nicht verwechseln. Sie ist ....

(0) Dieser Wolkenkratzer ist höher als alle anderen.
 Das ist *der höchste Wolkenkratzer.*

(35) Dieser Mann ist reicher als alle anderen.
 Das ist ....

(36) Der Champagner ist besser als alle anderen.
 Das ist ....

(37) Das Feuerwerk ist heller als alle anderen.
 Das ist ....

(0) Tom ist nicht so klein wie seine Schwester. *Tom ist größer als seine Schwester./ Toms Schwester ist kleiner als er.* (Verschiedene Lösungen sind möglich.)

(38) Tina gibt nicht so viel Geld aus wie ihre Freundin.
 ....

(39) Im Sommer ist es nicht so dunkel wie im Winter.
 ....

(40) Die Pension „Flora" ist nicht so teuer wie das Hotel „Atlanta".
 ....

__1__ **Was ist richtig? Kreuzen Sie die richtige Antwort an. Aber Achtung: Nur eine der Lösungen ist richtig.**

(0) Max hat sich sehr *darüber* gefreut, dass wir ihm ein Märchenbuch geschenkt haben.

☐ A darauf   ☒ B darüber   ☐ C dabei

(1) Als die Prinzessin den Frosch mit der goldenen Kugel sah, fürchtete sie sich zuerst ein bisschen ....

☐ A auf ihn   ☐ B über ihn   ☐ C vor ihm

(2) Ich soll diesen Frosch küssen und dann verwandelt er sich in einen Prinzen? .... muss ich noch mal nachdenken, sagte die Prinzessin.

☐ A Davon   ☐ B Daran   ☐ C Darüber

(3) .... hat sie sich verliebt? In einen Frosch? Das glaube ich nicht!

☐ A Mit wem   ☐ B In wen   ☐ C Von wem

(4) Stell dir vor, die Prinzessin hat sich .... entschieden, ihren reichen Verlobten Karl-Theodor zu heiraten.

☐ A dagegen   ☐ B dazu   ☐ C darum

(5) Sag mal, ... hängt es eigentlich ab, ob die Hochzeit mit dem Frosch stattfindet?

☐ A worum   ☐ B worauf   ☐ C wovon

__2__ **Was passt? Es oder das? Es gibt nur eine richtige Lösung.**

Wenn (0) *es* kalt ist, stehen uns die Haare wild vom Kopf ab. Woher kommt (6) .... ? – Dieses Problem gibt (7) .... nur im Winter, wenn man aus der Kälte kommt und ein geheiztes Zimmer mit einem Boden aus Kunststoff betritt. Dann können die Haare elektrisch geladen werden, (8) .... ist bewiesen. (9) .... kommt aber auch darauf an, ob man lange Haare hat oder nicht. Männer mit kurzen Haaren haben dieses Problem nicht, (10) .... hat mir vor kurzem mein Friseur erzählt.

__3__ **Was ist richtig? Kreuzen Sie A, B oder C an. Es gibt nur eine richtige Lösung.**

Bei der Ufo*-Meldestelle in Mannheim ist (0) *man* an einigen Unsinn gewöhnt. Aber dort hat (11) .... selten so viele Anrufe oder E-Mails wegen leuchtender Objekte am Nachthimmel bekommen wie seit Weihnachten. Viele Bürger haben (12) .... am dunklen Himmel gesehen. „Es sind viele rot-goldene Lichter. Fliegt da draußen (13) .... ?", fragen sie. Der Herr von der Ufo-Meldestelle beruhigt die Anrufer: „Nein, da ist (14) .... ". Es handelt sich um Miniatur-Heißluftballone, die (15) .... auf Weihnachtsmärkten und zu Silvester angeboten werden.

* Unknown Flying Object

(0) ☐ A jemand   ☒ B man   ☐ C etwas

(11) ☐ A man   ☐ B er   ☐ C jemand

(12) ☐ A etwas   ☐ B nichts   ☐ C man

(13) ☐ A niemand   ☐ B man   ☐ C jemand

(14) ☐ A niemand   ☐ B jemand   ☐ C man

(15) ☐ A etwas   ☐ B einem   ☐ C man

4 **Ergänzen Sie die Sätze.**

(0) Zeigst du mir den Weg?
Natürlich zeige ich *ihn dir*.

(16) Gibst mir die Zeitung?
Natürlich gebe ich ....

(17) Erklärst du Stefan das Problem?
Natürlich erkläre ich ....

(18) Schenkst du Ulrike den Wein?
Natürlich schenke ich ....

(19) Erzählst du den Kindern die Geschichte?
Natürlich erzähle ich ....

(20) Empfehlen Sie mir dieses Menü?
Natürlich empfehle ich ....

Test 4 • Adverbien, Präpositionen, Partikeln

Kapitel 5.1 – 5.10

1 **Was ist richtig? Kreuzen Sie die richtige Antwort an. Nur eine Lösung ist richtig.**

(0) Eine reife Banane ist *außen* gelb.

  ☐ A von draußen   ☒ B außen   ☐ C nach außen

(1) Wir bleiben noch ein bisschen im Wohnzimmer. Aber wenn ihr müde seid, könnt ihr schon .... gehen. Das Gästezimmer ist im ersten Stock.

  ☐ A nach oben   ☐ B von oben   ☐ C nach unten

(2) Woher kommst du denn? – .... , ich habe gerade die Wäsche im Keller aufgehängt.

  ☐ A Nach unten   ☐ B Von oben   ☐ C Von unten

(3) Wenn du .... schaust, kannst du den Regenbogen sehen.

  ☐ A nach drinnen   ☐ B von draußen   ☐ C nach draußen

(4) Hallo Tom, ich bin hier oben auf der Dachterrasse. Komm doch auch .... !

  ☐ A rüber   ☐ B runter   ☐ C rauf

(5) Ich kann nicht vom Telefon weg. Anna, könntest du mir bitte meinen Kalender .... bringen?

  ☐ A hin   ☐ B her   ☐ C hinunter

(6) Max ist schon wieder auf den Baum gestiegen und kommt jetzt nicht mehr .... Hilfst du ihm bitte?

  ☐ A rauf   ☐ B herunter   ☐ C raus

(7) Komm doch zu mir .... , auf dieser Straßenseite ist es nicht so nass.

  ☐ A rüber   ☐ B rauf   ☐ C runter

Was ist richtig? Kreuzen Sie A, B oder C an. Es gibt nur eine richtige Lösung.

(0) *Besonders* wichtige Erfindungen in der Zukunft

Bei kleinen Alltagsproblemen helfen (8) .... praktische
Lösungen: Zum Beispiel haben die Leute (9) ....
Probleme damit, nach dem Waschen die Socken zu finden, die zueinanderpassen.
Denn irgendwie verschwindet die zweite Socke (10) ....
Wer (11) .... zwölf einzelne Socken im Schrank hat, dem wird folgende
Idee gefallen: Jemand sollte so bald wie möglich eine „Zweite-Socken-Suchmaschine"
erfinden. Und zwar nicht (12) .... in der fernen Zukunft.
Denn (13) .... hat schon heute niemand Lust, immer nach der
passenden Socke zu suchen. Am besten wäre es (14) .... ,
wenn diese Maschine die Socken auch gleich zusammenlegen könnte.

(0)	☐	A nur	☒	B besonders	☐	C schon
(8)	☐	A nie	☐	B zuerst	☐	C manchmal
(9)	☐	A die meisten	☐	B meistens	☐	C am meisten
(10)	☐	A oft	☐	B selten	☐	C nie
(11)	☐	A nur	☐	B schon	☐	C erst
(12)	☐	A bloß	☐	B erst	☐	C schon
(13)	☐	A doch	☐	B halt	☐	C eigentlich
(14)	☐	A ja	☐	B denn	☐	C mal

Was ist richtig? Kreuzen Sie A, B oder C an. Es gibt nur eine richtige Lösung.

(0) Lisa kommt mittwochs immer erst um 14 Uhr *aus* der Schule.
   ☐ A nach   ☒ B aus   ☐ C bei

(15) Florian fährt sonntags oft mit seinem Rad .... den Wald.
   ☐ A durch   ☐ B nach   ☐ C zu

(16) Mario bekommt einen Brief .... der Universität.
   ☐ A bei   ☐ B aus   ☐ C von

(17) Wir fliegen im Frühling .... New York.
   ☐ A in   ☐ B zu   ☐ C nach

(18) Die Fahrkarte gilt nur .... Hamburg.
   ☐ A bis   ☐ B aus   ☐ C zu

(19) Tina ist schon 25 Jahre alt, aber sie wohnt immer noch .... ihrem Vater.
   ☐ A mit   ☐ B bei   ☐ C zu

(20) Karl geht mit seiner Schwester .... das neue Asien-Restaurant.
   ☐ A in   ☐ B zu   ☐ C nach

(21) Das Auto unseres Nachbarn steht immer .... der Garage.
   ☐ A auf   ☐ B unter   ☐ C vor

T

4   **Antworten Sie mit der richtigen Präposition.**

(0)   Wann hast du Urlaub? – Dieses Jahr *im* Juli.

(22) Wann kommst du an? – Morgen Vormittag .... Viertel nach zehn.

(23) Wie lange bist du schon in Deutschland? – .... sechs Monaten.

(24) Wie lange bleibst du in Berlin? – Vier Tage, ... Montag .... Donnerstag.

(25) Was machst du in der nächsten Woche? – .... des Filmfestivals sehe ich mir jeden Tag drei bis vier Filme an.

(26) Und was machst du später am Abend? – .... dem Kino gehe ich meistens in eine Kneipe.

(27) Wann hast du Geburtstag? – .... 4. Mai.

(28) Wann musst du wieder arbeiten? – Erst im September, ich habe .... zum 31. August Urlaub.

5   **Was passt zusammen?**

(0) Außerhalb	A ihr Examen lernt Petra im Moment Tag und Nacht.
(29) Durch	B der nächsten zwei Monate muss Stefan seine Diplomarbeit abgeben.
(30) Für	C nach solltest du dich wärmer anziehen.
(31) Innerhalb	D des schlechten Wetters konnten wir nicht kommen.
(32) Meiner Meinung	**E der Hochsaison ist es an der Ostsee am schönsten.**
(33) Ohne	F den starken Regen kam es an vielen Orten zu Überschwemmungen.
(34) Trotz	G der Kälte sind wir eine Stunde spazieren gegangen.
(35) Wegen	H Evas Hilfe hätte ich das nicht geschafft.

6   **Bilden Sie Sätze.**

(0)   fliegen / ich / in d... Türkei / morgen   *Ich fliege morgen in die Türkei.*

(36) stellen / die Schuhe / Chris / vor sein... Tür

....

(37) liegen / hinter dein... Kaffeetasse / deine Brille

....

(38) warten / Maria / neben d... Eingang der Disco / auf ihren Freund

....

(39) sitzen / Alex / und / zwischen seine... Mutter / sein... Großmutter

....

(40) hängen / das Foto ihres Freundes / Ulrike / über ihr... Schreibtisch

....

In diesem Testblock können Sie Ihre Kenntnisse in den folgenden Grammatikthemen überprüfen:
Zeitformen des Verbs, Verbergänzungen, Verben mit Präpositionen, reflexive Verben, Modalverben und modalverbähnliche Verben, trennbare und untrennbare Verben, Passiv und Zustandspassiv, Passivsersatzformen, Konjunktiv und Nomen-Verbverbindungen.
Die Lösungen finden Sie im Begleitheft ab Seite 41.
Viel Erfolg!

Test 1 • Zeitformen des Verbs, Verbergänzungen, Verben mit Präpositionen, reflexive Verben

Kapitel 6.1 – 6.9

1 **Was ist richtig? Kreuzen Sie die richtige Antwort an. Nur eine der Lösungen ist richtig.**

Vatertag: Hans (0) *fragte* seinen Sohn: „(1) .... du schon, wann du mich mit Anna besuchen kommst?". Hans ist manchmal traurig, weil er seine Kinder nur sehr selten (2) .... „(3) .... mir bitte noch Bescheid, wann genau ihr kommt!"

Verkehrs-Stress: Klaus (4) .... mich gerade angerufen, dass ich euch am Bahnhof abholen soll. Er (5) .... sich mal wieder verspätet. Ich (6) .... sofort losgefahren, stecke jetzt aber im Stau.

Schlaflos: Susanne (7) .... ihren Mann gestern dringend, endlich zum Arzt zu gehen, nachdem er schon die dritte Nacht nicht geschlafen (8) ....

Warten aufs Flugzeug: „Hoffentlich (9) .... unser Flug morgen pünktlich sein! Letzte Woche (10) .... wir stundenlang!"

(0)	☐	frag	☒	fragte	☐ fragtet
(1)	☐	Weiß	☐	Weißt	☐ Wisst
(2)	☐	seht	☐	siehst	☐ sieht
(3)	☐	Gebt	☐	Gibst	☐ Gibt
(4)	☐	habe	☐	hast	☐ hat
(5)	☐	hat	☐	war	☐ wird
(6)	☐	bin	☐	habe	☐ hatte
(7)	☐	bat	☐	batet	☐ bittet
(8)	☐	hatte	☐	hätte	☐ war
(9)	☐	werdet	☐	wird	☐ wurde
(10)	☐	warten	☐	wartet	☐ warteten

2   **Was ist richtig? Kreuzen Sie A, B oder C an. Es gibt nur eine richtige Lösung.**

(0)   Der Patient ist inzwischen operiert *worden*.

    ☐ A gewesen   ☐ B geworden   ☒ C worden

(11)   Zum Ärger seiner Eltern ist Hans nach seinem Studium Automechaniker ....

    ☐ A geworden   ☐ B worden   ☐ C wurden

(12)   Ihr Auto ist gestern repariert ....

    ☐ A gewesen   ☐ B geworden   ☐ C worden

(13)   Ist dieses Problem inzwischen gelöst .... ?

    ☐ A gewesen   ☐ B geworden   ☐ C worden

(14)   Karl ist in letzter Zeit immer stiller ....

    ☐ A gewesen   ☐ B geworden   ☐ C worden

3   **Was ist richtig? Kreuzen Sie A, B oder C an. Es gibt nur eine richtige Lösung.**

(0)   Gefällt *dir* dieses Bild?

    ☐ A dich   ☒ B dir   ☐ C du

(15)   Gibst du bitte .... zurück?

    ☐ A dem Jungen   ☐ B den Jungen   ☐ C dem Jungen
       den Ball   dem Ball   dem Ball

(16)   Wir möchten .... Bruder gerne helfen.

    ☐ A dein   ☐ B deinem   ☐ C deinen

(17)   Wo gibt es denn hier .... Buchladen?

    ☐ A ein   ☐ B einem   ☐ C einen

(18)   Du bist .... Freund!

    ☐ A mein bester   ☐ B meinem besten   ☐ C meinen besten

(19)   Vor einem Jahr hat er .... letzten Brief geschrieben.

    ☐ A mich den   ☐ B mich der   ☐ C mir den

(20)   Die Polizei verdächtigte den Firmenchef .... Steuerbetrugs.

    ☐ A dem   ☐ B den   ☐ C des

4   Ergänzen Sie das Verb.

erklären	Mit einem Telegramm (0) *erklärte* man früher die Liebe – oder auch einen Krieg.
spielen	Heute dagegen (21) .... das Telegramm kaum noch eine Rolle.
treten	An seine Stelle sind E-Mails und SMS (22) ....
erfinden	1792 (23) .... der Franzose Claude Chappe die Urform des Telegramms. Sender war ein fünf Meter hohes Holzgerüst.
ersetzen	1844 (24) .... ein elektromagnetischer Apparat den Ur-Telegrafen.
	Eines der berühmtesten Telegramme: Nachdem der Norweger Roald Amundsen dem britischen Rivalen Robert Scott seine angeblich kurz
mitteilen	bevorstehende Landung am Südpol (25) .... hatte,
wollen	(26) .... Scott seine Expedition nicht fortsetzen.
bringen	Einen letzten Boom (27) .... dem Telegramm in Deutschland der Fall der Mauer 1989, da damals zwischen Ost und West nur wenige
existieren	telefonische Verbindungen (28) ....
	Heute ist das Telegramm eine Rarität, aber aktuelle Zahlen
erfahren	(29) .... man von der Post nicht.
	Keiner weiß, ob es in Zukunft überhaupt noch Telegramme
geben	(30) .... wird.

5   Was passt zusammen?

Nur 10 Prozent der Deutschen halten Politiker	(0)	A	über ihre Politiker.
Nur in Griechenland, Bulgarien und Italien denkt die Bevölkerung ähnlich schlecht	(31)	B	von der Feuerwehr.
Nur 15 Prozent der Deutschen bezeichnen sie	(32)	C	über einen guten Ruf freuen.
Besonders viel halten die Deutschen	(33)	D	für ehrlich.
97 Prozent verlassen sich	(34)	E	als kompetent.
Auch die Polizei kann sich	(35)	F	auf deren Können im Notfall.

6   Bilden Sie Sätze.

(0)	ich / sich waschen / die Hände	>	Ich habe *mir die Hände* gewaschen.
(36)	sich kämmen / heute schon	>	Hast du .... gekämmt?
(37)	sich begegnen / nicht schon	>	Sind wir .... begegnet?
(38)	sich aufsetzen / eine Mütze	>	Bitte setz .... auf!
(39)	sich freuen / über das Geschenk	>	Habt ihr .... gefreut?
(40)	sich gewöhnen / an die Hitze	>	Es ist schwer, ... zu gewöhnen.

Test 2 • Modalverben und modalverbähnliche Verben
kennen – wissen – können
legen/liegen – setzen/sitzen

Kapitel 6.10 – 6.17

__1__ **Was ist richtig? Kreuzen Sie an. Es gibt nur eine Lösung.**

Im Unterschied zu seiner Freundin Karin (0) *konnte* Alex noch nicht besonders gut Tango tanzen. „Du (1) .... einfach mehr Geduld haben!", sagte ihm Karin immer wieder. „Du (2) .... auch öfter mit mir trainieren. Vor allem darfst du nicht immer (3) .... , wenn unsere Tanzlehrer neue Figuren zeigen!"

„Leider (4) .... ich gestern Nachmittag nicht mit euch Fußball spielen.", sagte Peter traurig am Telefon. „Ihr kennt ja meine Mutter. Sie sagt, ich (5) .... den ganzen Tag lernen, damit meine Noten besser werden. Ich (6) .... wohl der Klassenbeste werden! Was erwartet die eigentlich noch von mir? Dass ich später einmal Fußballer (7) .... will, interessiert sie gar nicht!"

(0)	☒	konnte	☐	konntet	☐	könnte
(1)	☐	musst	☐	sollst	☐	willst
(2)	☐	sollst	☐	solltest	☐	solltet
(3)	☐	schlafen	☐	zu schlafen	☐	geschlafen
(4)	☐	durfte	☐	musste	☐	sollte
(5)	☐	brauche	☐	habe	☐	muss
(6)	☐	muss	☐	soll	☐	will
(7)	☐	werde	☐	werden	☐	zu werden

Was ist richtig? Kreuzen Sie A, B oder C an. Es gibt nur eine richtige Lösung.

__2__ (0) Meine Äpfel .... der Nachbarjunge gestohlen haben, da bin ich mir sicher!
☐ A dürfte   ☐ B könnte   ☒ C muss

(8) Hast du schon gehört? Der neue Chef .... ziemlich viel von seinen Leuten verlangen.
☐ A soll   ☐ B sollte   ☐ C will

(9) Niemand will den Unfall .... So steht es jedenfalls im Polizeiprotokoll.
☐ A sehen.   ☐ B gesehen.   ☐ C gesehen haben

(10) Stell dir vor, der Direktor soll vor kurzem mit seiner Sekretärin im Urlaub .... !
☐ A sein   ☐ B gewesen sein   ☐ C gewesen zu sein

(11) Wissen Sie, was der neue Kollege von sich behauptet? Er .... der beste Zahnarzt der Stadt sein!
☐ A soll   ☐ B sollte   ☐ C will

(12) Der Anrufer gestern Nacht .... Peter gewesen sein. Niemand sonst würde
so spät noch anrufen..

☐ A dürfte   ☐ B muss   ☐ C müsste

(13) Es .... heute noch schneien, vielleicht aber auch nicht.

☐ A dürfte   ☐ B könnte   ☐ C müsste

(14) So ein dummer Witz .... nur aus dem Mund deines Bruders kommen. Das
steht fest.

☐ A kann   ☐ B könnte   ☐ C muss

(15) Wir .... Schwierigkeiten haben, den Kredit zurückzuzahlen. Das ist auch
die Einschätzung der Bank.

☐ A dürfen   ☐ B dürften   ☐ C können

3 Was passt zusammen?

Kennst du	(0)	A	welche Frau die richtige für ihn ist.
Er wusste lange nicht,	(16)	B	mich, den schönen Micha, noch nicht.
Aber dann liebte er	(17)	C	wen sie will!
Francesca konnte	(18)	D	**Ralf, meinen Bruder?**
Auch hatte sie	(19)	E	Ralf wirklich sehr gern.
Zwar gefiel er	(20)	F	eine temperamentvolle Italienerin.
Aber da kannte sie	(21)	G	drei Sprachen fließend und war wunderschön.
Nun weiß sie nicht mehr,	(22)	H	ihr auch sonst sehr gut.

4 Sagen Sie es anders.

(0) Diese Lebensmittel kann man nicht mehr verwenden.
Diese Lebensmittel sind *nicht mehr zu verwenden / nicht mehr verwendbar.*

(23) Musst du denn heute noch viel tun?
Hast .... ?

(24) Du musst den Rasen nicht mehr mähen.
Du .... zu mähen.

(25) Deine Schrift kann man wirklich nicht lesen!
Deine Schrift .... zu lesen!

(26) Ich will nicht, dass du mir Vorschriften machst!
Du .... keine Vorschriften zu machen!

(27) Ich muss nur noch einen Koffer packen, dann bin ich fertig!
Ich brauche .... , dann bin ich fertig!

_5_ Bilden Sie Sätze im Perfekt.

(0) mein Auto / waschen / lassen > Ich *habe mein Auto waschen lassen* .

(28) dich / Ski laufen / sehen. > Wir ....

(29) du / stehen / bleiben > Warum .... ?

(30) er / den Koffer / stehen / lassen > Schon wieder .... !

(31) mir / kochen / helfen > Eva ....

(32) einkaufen / gehen > Ich hoffe, dass Franz mit Petra ....

_6_ Ergänzen Sie das Verb in der richtigen Zeitform.

liegen	Einige Milliarden D-Mark (0) *liegen* auch heute noch in deutschen Haushalten herum. Manchmal haben die früheren Besitzer sie einfach in
stecken	eine Tasche ihrer Kleidung (33) .... – und sind dann kurz darauf verstorben! Kurios: Ein Student entdeckte, dass hinter einem alten Küchenschrank, vor dem seine nun verstorbene Großmutter immer so
sitzen/hängen	gerne (34) .... hatte, ein Sack voll Geld (35) .... !
hängen	Wann seine Oma ihn dorthin (36) .... hatte, weiss keiner.
legen	Nachdem er die Scheine auf den Tisch (37) .... hatte, zählte er 100.000 D-Mark!
stellen	Ein Mann (38) .... einen Koffer mit 200.000 D-Mark in ein Loch unter dem Holzboden und vergaß ihn einfach.
stehen	Dort (39) .... er, bis Umzugshelfer ihn zufällig fanden. Dann
liegen	aber war die Überraschung doppelt, denn darunter (40) .... noch ein Kuvert mit Geldscheinen aus der Kaiserzeit!

Test 3 • Trennbare und nichttrennbare Verben, Passiv und Passiversatzformen

Kapitel 6.18 – 6.24

_1_ Was ist richtig? Kreuzen Sie A, B oder C an. Es gibt nur eine richtige Lösung.

(0) Hier .... bald ein Hotel gebaut.

☐ A ist ✗ B wird ☐ C würde

(1) In dem Neubau können bis zu 500 Gäste pro Nacht untergebracht ....

☐ A sein ☐ B werden ☐ C worden

(2) Am Marktplatz sind schon viele Häuser renoviert ....

☐ A gewesen ☐ B geworden ☐ C worden

(3) Ich kann dich leider nicht abholen, unser Wagen .... gerade repariert.

☐ A ist ☐ B wird ☐ C würde

(4) Müsst ihr die neue Wohnung noch einrichten? – Nein, sie .... schon
fertig eingerichtet.
- [ ] A ist
- [ ] B wird
- [ ] C werden

(5) .... du von diesem Typen dumm angeredet?
- [ ] A Wurdest
- [ ] B Würdest
- [ ] C Warst

(6) Ich möchte von dir unbedingt informiert .... , bevor du den Wagen kaufst!
- [ ] A sein
- [ ] B werden
- [ ] C worden

(7) Warum konnte Hans nicht benachrichtigt .... ?
- [ ] A sein
- [ ] B werden
- [ ] C worden

(8) Diese Krankheit lässt sich nicht so schnell ....
- [ ] A heilen
- [ ] B zu heilen
- [ ] C geheilt

(9) Deine Frage ist schwer ....
- [ ] A beantworten
- [ ] B zu beantworten
- [ ] C beantwortet

(10) Die Prüfungsaugaben waren für die meisten Studenten kaum ....
- [ ] A lösbar
- [ ] B löslich
- [ ] C gelöst

2 Ergänzen Sie.

(0) **abholen**: Ich möchte dich bitten, mich *abzuholen*.
(11) **ausgehen**: Hast du Lust heute Abend .... ?
(12) **aufstehen**: Wann bist du heute früh .... ?
(13) **besteigen**: Peter hat den Baum ....
(14) **zerstören**: Im letzten Weltkrieg wurden viele Städte komplett ....
(15) **mitmachen**: Warum hast du bei dem neuen Projekt eigentlich nicht .... ?
(16) **widersprechen**: Macht es dir eigentlich Spaß, mir die ganze Zeit .... ?
(17) **wiederholen**: Der Lehrer hat mit den Schülern die Übung ....
(18) **wiederholen**: Ich habe mir mein Fahrrad ....
(19) **durchsetzen**: Alex tut alles, um seine Pläne ....
(20) **durchqueren**: Wir haben versucht, den Fluss ....

3 Was fehlt?

(0) Der kleine Tom hat sich beim Spielen schon wieder seine Hose *zer*rissen.
(21) Wir haben in den Verhandlungen zum Glück eine Menge ....reicht.
(22) Ich werde auch immer vergesslicher, mir ist sein Name ....fallen.
(23) So ein Pech! Ich glaube, wir haben uns total ....verstanden.
(24) Würdest du mir bitte helfen, das Fotoalbum zu ....schriften?
(25) Ich habe Angst, weil ich mich im dunklen Wald ....laufen habe.
(26) Der Radfahrer ist in den See gefahren und ....trunken!
(27) Eva hat sich in letzter Zeit sehr ....ändert.

__4__ **Welches Wort fehlt? Es passt ein Wort in jede Lücke.**

Nirgendwo in Deutschland (0) *wird* der Karneval so wie in Köln und
Mainz gefeiert. Die beiden Städte sind sogar schon mit Rio de Janeiro
verglichen (28) .... ! Der Spaß (29) .... hier mit
großem Ernst betrieben. Der erste organisierte Karneval (30) ....
in Köln im Jahre 1823 durchgeführt. Damit wirklich an jeder Ecke der beiden „Hauptstädte"
des deutschen Karnevals gefeiert (31) .... kann, haben viele Arbeitnehmer an
diesem Tag frei oder nehmen sich frei. Mit den Vorbereitungen in den Karnevalsvereinen
(32) .... bereits kurz nach dem „Aschermittwoch", dem Ende der alten Saison,
begonnen. Sie (33) .... erst beendet, wenn am 11.11. um 11 Uhr 11 der Einzug
der Karnevalsvereine gefeiert (34) .... So (35) .... sich das
Vergnügen das ganze Jahr über genießen – für die Fans jedenfalls.

__5__ **Sagen Sie es anders.**

(0) Mit diesem Gerät ist jede Hausarbeit schnell und bequem zu erledigen.
Mit diesem Gerät *lässt sich jede Hausarbeit schnell und bequem erledigen.*

(36) Das Museum hat ab 10 Uhr offen.
Das Museum ist ....

(37) Diesen Wein kann man kaum noch trinken.
Dieser Wein ist ....

(38) Hast du die Blumen schon gegossen?
Sind .... ?

(39) In meinem Garten hat man einen Dinosaurierknochen gefunden.
In meinem Garten ist ....

(40) Die Software, die mühelos installiert werden kann, kostet nur 99 Euro.
Die Software, die sich .... , kostet nur 99 Euro.

Test 4 • Konjunktiv 2, indirekte Rede, Nomen-Verb-Verbindungen

Kapitel 6.25 – 6.31

__1__ **Was ist richtig? Kreuzen Sie A, B oder C an. Es gibt nur eine richtige Lösung.**

(0) .... du am Samstag ins Kino mitkommen?
☐ A Wärst   ☐ B Wurdest   ☒ C Würdest

(1) Leider geht es nicht, aber ich .... heute Abend gern bei dir!
☐ A bin   ☐ B war   ☐ C wäre

(2) Robert .... sich mit der neuen Kollegin gern alleine treffen.
☐ A wird   ☐ B würde   ☐ C würdet

(3) Es wäre toll, wenn ihr am Freitag etwas früher kommen ....

☐ A könnst   ☐ B könntet   ☐ C konntet

(4) .... du es besser, wenn Max dabei wäre?

☐ A Fandest   ☐ B Fändest   ☐ C Findest

(5) .... gewonnen, wäre ich jetzt reich!

☐ A Hätte ich im Lotto   ☐ B Ich hätte im Lotto   ☐ C Im Lotto hätte ich

(6) Arbeit, nichts als Arbeit! Wenn ich ....

☐ A doch endlich Urlaub hätte!

☐ B hätte doch endlich Urlaub!

☐ C Urlaub doch endlich hätte!

(7) Die finanziellen Probleme der Firma sind inzwischen zu groß, als ....

☐ A man sie noch lösen könnte.

☐ B dass man sie noch lösen könnte.

☐ C ob man sie noch lösen könnte.

(8) Peter sieht aus, als ....

☐ A er krank wäre.

☐ B dass er krank wäre.

☐ C ob er krank wäre.

(9) Der Richter sagte den Angeklagten, ...

☐ A er glaube ihnen nicht.

☐ B er glaube nicht ihnen.

☐ C er ihnen nicht glaube.

(10) Die Angeklagten erwiderten, ...

☐ A sie die Tat nicht begangen hätten.

☐ B sie hätten die Tat nicht begangen.

☐ C hätten sie die Tat nicht begangen.

Was passt zusammen?

Die Regierung hat weitreichende Beschlüsse	(0)	A	erzielt.
Zur Förderung der Familie werden zahlreiche Maßnahmen	(11)	B	gefasst.
Jedem Kind soll ein Kindergartenplatz zur Verfügung	(12)	C	getreten.
Zwischen den Regierungsparteien wurde schnell ein Kompromiss	(13)	D	getroffen.
Ein entsprechendes Gesetz ist deshalb bereits in Kraft	(14)	E	stehen.
„Das reicht alles nicht" – diese Ansicht wird von der Opposition	(15	F	vertreten.

3 **Ergänzen Sie. Es gibt nur eine richtige Lösung.**

treten I ziehen I ~~üben~~ I nehmen I stellen I treffen

(0) Die Oppostion hat an den Maßnahmen der Regierung Kritik *geübt*.
(16) Der Minister wird bald eine Entscheidung ....
(17) Die Zugführer sind für ihre Forderung in Streik ....
(18) Die Firma .... jedem Manager einen Wagen mit Chauffeur zur Verfügung.
(19) Für die Vorteile musst du auch einige Nachteile in Kauf ....
(20) Die Ausführungen des Wissenschaftlers wurden in Zweifel ....

4 **Sagen Sie es anders.**
(0) Wäre Eva nicht so unentschlossen, würde sie sich von Joe scheiden lassen.
Wenn *Eva nicht so unentschlossen wäre* , würde sie sich von Joe scheiden lassen.
(21) Ich weiß leider nicht, wie es dir geht.
Aber ich .... gern, wie es dir geht.
(22) Ich weiß, ich habe euch nicht besucht.
Aber fast ....
(23) Anne raucht zu viel.
Ich an ihrer Stelle ....
(24) Leider bin ich nicht auf den Malediven.
Aber .... es gern!
(25) Joe denkt: „Ich bin sehr tolerant. Sonst hätte ich mich längst von Eva getrennt."
Joe denkt: „Wäre .... , hätte ich mich längst von Eva getrennt."
(26) Ich wünschte mir, wir hätten endlich Wochenende!
.... endlich Wochenende!
(27) Die wirtschaftliche Lage ist so ernst, dass man darüber nicht lachen kann.
Die wirtschaftliche Lage ist zu ernst, als dass ....
(28) Du sprichst mit mir wie mit einem kleinen Kind.
Du sprichst mit mir, als ob ....
(29) Peter hat sich sehr über dich geärgert. Zumindest hörte er sich am Telefon so an.
Peter hörte sich am Telefon so an, als .... geärgert.
(30) Der Hund ist plötzlich auf die Straße gelaufen. Deshalb ist es zu dem Unfall gekommen.
Wenn .... , wäre es nicht zu dem Unfall gekommen.

5 **Sagen Sie es anders.**
(0) Die gavianische Presse berichtete:
„Es geht Prinzessin Kiko gesundheitlich besser."
Die gavianische Presse berichtete,
es *gehe Prinzessin Kiko gesundheitlich besser.*
(31) In einem Interview sagte sie: „Ich und mein Mann freuen uns auf öffentliche Auftritte."
In einem Interview sagte sie, sie ....
....

(32) Sie fügte hinzu: „Wir sind der Öffentlichkeit sehr dankbar für die große Sympathie während der schwierigen letzten Jahre."
Sie fügte hinzu, sie ....
....

(33) Sie betonte aber: „Ich muss noch etwas Rücksicht auf meine Gesundheit nehmen."
Sie betonte aber, dass ....

(34) Indiskret fragte der Journalist: „Haben Sie Ihre Depressionen vollständig überwunden?
Indiskret fragte der Journalist, ob ....
....

(35) Daraufhin antwortete Prinzessin Kiko leise: „Ich bin auf dem besten Weg."
Daraufhin antwortete Prinzessin Kiko leise, dass ....
....

6 Ergänzen Sie das Verb im Präsens.

(0) Es besteht für das Gericht kein Zweifel, dass die Tat des Angeklagten unter Strafe *steht*.

(36) Der Richter .... dem Angeklagten die Frage, ob dieser vermögend sei.

(37) Der Richter .... dem Verteidiger die Erlaubnis, neue Beweismittel vorzulegen.

(38) Der Staatsanwalt .... die Ansicht, dass dies die Verhandlung verzögere.

(39) Der Verteidiger möchte dazu nicht Stellung ....

(40) Der Richter .... in Erwägung, die Verhandlung zu vertagen.

T

In diesem Testblock können Sie Ihre Kenntnisse in den folgenden Grammatikthemen überprüfen:
Stellung der Satzglieder, Negation, Imperativ, Fragesatz und Fragewörter; die Konnektoren
und, oder, aber, denn, sondern und *dass*; Sätze mit Infinitiv + *zu*; Relativsätze, Aufzählungen
und Alternativen; Nebensätze mit temporaler, kausaler, konditionaler, finaler, konsekutiver,
konzessiver, adversativer und modaler Bedeutung.

Die Lösungen finden Sie im Begleitheft ab Seite 47.
Viel Erfolg!

Test 1 • Stellung der Satzglieder, Negation, Imperativ, Fragesatz und Fragewörter

Kapitel 7.1 – 7.7

1 **Was ist richtig? Kreuzen Sie A, B oder C an. Es gibt nur eine richtige Lösung.**

(0) Sag mir bitte, ... Kleid ich anziehen soll.

    ☐ A welche   ☐ B welcher   ☒ C welches

(1) .... doch bitte etwas lauter, Michael. Ich verstehe dich so schlecht.

    ☐ A Sprecht   ☐ B Sprich   ☐ C Sprichst

(2) .... bitte vorsichtig, wenn ihr über die Straße geht.

    ☐ A Sei   ☐ B Seid   ☐ C Seit

(3) .... wünscht du dir denn zum Geburtstag?

    ☐ A Was   ☐ B Welches   ☐ C Wo

(4) .... hast du denn eben so lange telefoniert? – Mit Luise.

    ☐ A Womit   ☐ B Mit was   ☐ C Mit wem

(5) Ich habe überall nach deiner CD gesucht – ich habe sie .... gefunden.

    ☐ A nirgendwo   ☐ B niemals   ☐ C noch nie

(6) Meine Freunde belügen? So etwas würde ich .... tun.

    ☐ A nirgends   ☐ B niemand   ☐ C niemals

(7) Du siehst schlecht aus. Hast du etwas? – Nein, ich habe ....

    ☐ A keins   ☐ B nicht   ☐ C nichts

(8) Haben wir noch Milch? Nein, wir haben .... mehr.

    ☐ A kein   ☐ B keine   ☐ C keins

(9) Ist Benni noch nicht verheiratet? ....

    ☐ A Doch, seit letztem Jahr.   ☐ B Ja, seit letztem Jahr.   ☐ C Nein, seit letztem Jahr.

(10) Hast du schon mal ein Computer-Spiel gespielt? Nein, ...

    ☐ A noch nie.   ☐ B nicht mehr.   ☐ C schon oft.

2   Was ist richtig? Kreuzen Sie A, B, C oder D an. Es gibt nur eine richtige Lösung.

(0) Bis zum Abflug müssen ....

    ☐ A einiges erledigen wir noch.   ☐ B erledigen wir noch einiges.

    ☐ C noch einiges erledigen wir.   ☒ D wir noch einiges erledigen.

(11) Leider kann ich noch nicht sagen, wann ....

    ☐ A bin ich mit der Arbeit fertig.   ☐ B ich bin mit der Arbeit fertig.

    ☐ C ich mit der Arbeit fertig bin.   ☐ D mit der Arbeit bin ich fertig.

(12) Können Sie mir sagen, wie ....

    ☐ A hier meldet man sich an?   ☐ B man meldet sich hier an?

    ☐ C man sich hier anmeldet?   ☐ D sich meldet man hier an?

(13) .... Wenn nicht, dann gehe ich jetzt.

    ☐ A Es gibt noch etwas zu tun.   ☐ B Gibt es noch etwas zu tun?

    ☐ C Etwas zu tun gibt es.   ☐ D Zu tun gibt es etwas.

(14) Könnten Sie ....

    ☐ A das Salz geben Sie mir bitte mal?   ☐ B geben Sie mir bitte mal das Salz?

    ☐ C geben Sie das Salz bitte mal mir?   ☐ D mir bitte mal das Salz geben?

(15) Leon will ....

    ☐ A heute noch ins Kino gehen unbedingt.   ☐ B ins Kino gehen heute unbedingt noch.

    ☐ C unbedingt ins Kino heute noch gehen.   ☐ D heute unbedingt noch ins Kino gehen.

T

_3_ Hier stehen einige Verben am falschen Platz. Schreiben Sie jeden Satz richtig.

Familienfrauen wollen wieder in den Beruf

(0) Ein interessantes Seminar Frauen auf den Berufseinstieg nach der Familienphase vorbereitet. – *Ein interessantes Seminar bereitet Frauen auf den Berufseinstieg nach der Familienphase vor.*

(16) Bei vielen Frauen in den Jahren der Familientätigkeit das Selbstbewusstsein wird immer schwächer. (17) Um Frauen in dieser Situation zu unterstützen am 3. März beginnt das Seminar „Neuer Start". (18) Das Seminar vom Verein für *Fraueninteressen e.V.* angeboten und vom Staat unterstützt wird. (19) Es geht darum, Familienfrauen auf eine berufliche Tätigkeit vorzubereiten außerhalb des eigenen Heims. (20) In dem Seminar sie lernen Zeitmanagement, Bewerbungstraining und vieles mehr. (21) Zu dem Kurs auch ein zweiwöchiges Praktikum gehört. (22) Drei Monate lang müssen teilnehmen die Frauen regelmäßig an vier Vormittagen in der Woche an dem Seminar. (23) Das von den Frauen Disziplin erfordert. (24) Denn konnten sie jahrelang ohne feste Termine leben.

(25) Der Verein für *Fraueninteressen e.V.* wurde gegründet schon 1894 mit dem Ziel, Frauen mehr Bildungschancen sowie gesellschaftliche und staatsbürgerliche Rechte zu verschaffen.

_4_ **Sagen Sie es anders.**

(0) Müssen wir morgen arbeiten?
Kannst du mir sagen, ob wir morgen arbeiten müssen?

(26) Hat der Zug aus München Verspätung?
Ich möchte wissen, ...

(27) Wo bekomme ich hier Auskunft?
Ich möchte wissen, ...

(28) Emily fährt bei gutem Wetter mit dem Fahrrad in die Schule.
Bei gutem ....

(29) Henry geht samstags mit seinen Freunden in die Disco.
Samstags ....

(30) Bleib doch lieber zu Hause.
An deiner Stelle ....

(31) Ich fliege schon heute Abend ab, weil ich morgen einen wichtigen Termin habe.
Weil ....

(32) Du solltest lieber Honig statt Zucker nehmen.
Nimm ....

(33) Räum bitte dein Zimmer endlich auf.
Es wäre schön, ...

(34) Seien Sie bitte leise.
Könnten ....

Bilden Sie Sätze.

(0) die Benzinpreise / obwohl / sind / stark gestiegen / viele / mit dem Auto / fahren / noch immer

Obwohl die Benzinpreise stark gestiegen sind, fahren noch immer viele mit dem Auto.

(35) aus / die Arbeitsblätter / den Teilnehmern / die Kursleiterin / teilt

Die Kursleiterin ....

(36) am Samstag / die Banken / geöffnet / ich weiß nicht / ob / sind

Ich weiß nicht, ...

(37) ein Hotel / finden / ich hier / ich weiß nicht / kann / wo

Wo ....

(38) die Geschichte / geht / wie / wir / wissen nicht / zu Ende

Wir ....

(39) der Ski-Lift / des Sturms / geschlossen / heute / ist / leider / wegen

Heute ....

(40) Helga / leistet sich / ein großes Auto / trotz / steigender Benzinpreise / immer noch

Trotz ....

Test 2 • Die Konnektoren *und, oder, aber, denn, sondern* und *dass*, Sätze mit Infinitiv + *zu*

Kapitel 7.8 – 7.11

_1_ **Was ist richtig? Kreuzen Sie A, B oder C an. Es gibt nur eine richtige Lösung.**

(0) Johannes geht samstags gerne ins Restaurant .... nachher ins Kino.
　　☐ A aber　　　　☐ B denn　　　　✗ C und

(1) Wussten Sie, ... die Hälfte aller Lebewesen auf der Erde Bakterien sind?
　　☐ A da　　　　☐ B das　　　　☐ C dass

(2) .... einige Bakterien gefährlich sind, ist schon lange bewiesen.
　　☐ A Dass　　　　☐ B Denn　　　　☐ C Wie

(3) Anna hat beschlossen, bei ihrem Freund ....
　　☐ A einziehen.　　　　☐ B einzuziehen.　　　　☐ C zu ein ziehen.

(4) Es ist gut, dieses Wochenende einmal so richtig ausschlafen ....
　　☐ A um zu können.　　　　☐ B können.　　　　☐ C zu können.

(5) Johanna wäre gerne mitgegangen, ... sie muss leider noch arbeiten.
　　☐ A aber　　　　☐ B denn　　　　☐ C und

(6) Es ist schön, mit dir etwas ....
　　☐ A unternommen.　　　　☐ B unternehmen.　　　　☐ C zu unternehmen.

2   Was ist richtig? Kreuzen Sie A, B, C oder D an. Es gibt nur eine richtige Lösung.

(0)   Peter will nicht mehr Geld, sondern ...
- ☒ A er möchte mehr Freizeit.
- ☐ B Freizeit möchte er mehr.
- ☐ C mehr Freizeit möchte er.
- ☐ D möchte er mehr Freizeit.

(7)   Wir hoffen, dass ...
- ☐ A bald kommt er zurück.
- ☐ B er bald zurückkommt.
- ☐ C er kommt bald zurück.
- ☐ D kommt er bald zurück.

(8)   Gestern gab es eine gute Sendung im Fernsehen, aber ... sie mir anzusehen.
- ☐ A hatte ich keine Zeit,
- ☐ B ich hatte keine Zeit,
- ☐ C ich keine Zeit hatte,
- ☐ D keine Zeit ich hatte,

(9)   Ich bin sehr dafür, dass ...
- ☐ A früh Kinder werden selbstständig.
- ☐ B früh Kinder selbstständig werden.
- ☐ C Kinder früh selbstständig werden.
- ☐ D selbstständig werden Kinder früh.

(10) Es wäre sehr schön, wenn ...
- ☐ A begleiten du mich würdest.
- ☐ B du mich begleiten würdest.
- ☐ C würdest du mich begleiten.
- ☐ D mich begleiten du würdest.

(11) Ich wollte fragen, ob ...
- ☐ A ihr zu unserem Fest kommen könnt.
- ☐ B könnt ihr zu unserem Fest kommen.
- ☐ C kommen könnt ihr zu unserem Fest.
- ☐ D zu unsrem Fest könnt ihr kommen.

3   Was passt zusammen? Ordnen Sie zu.

Öffentliche Verkehrsmittel werden immer wichtiger,	(0)	A	*aber* auch des politischen Willens.
Um zur Arbeit zu kommen kann ich *entweder* die U-Bahn nehmen	(12)	B	*dass* wir in unserer Stadt bald noch mehr U-Bahn-Strecken bekommen.
Normalerweise ist die U-Bahn schneller,	(13)	C	*sondern* meistens auch bequemer.
Die U-Bahn ist nicht nur schneller,	(14)	D	*oder* den Bus.
Dafür ist die U-Bahn zur Hauptverkehrszeit voller,	(15)	E	*denn* viele fahren lieber mit ihr als mit dem Bus.
Ich hoffe,	(16)	F	*und* gleichzeitig gesünder als U-Bahn und Bus.
Das ist zwar vor allem eine Frage des Geldes,	(17)	G	*weil* sie unabhängig vom Straßenverkehr ist.
Oft habe ich keine Lust, mit einem öffentlichen Verkehrmittel	(18)	H	*weil* das Autofahren immer problematischer wird.
Fahrradfahren ist billiger	(19)	I	*zu* fahren.

4 Welches Wort fehlt in jeder Lücke?

„googlen"
Warum die Firma *Google* immer einflußreicher
(0) *und* möglicherweise gefährlicher wird

Es gibt Leute, die finden, (20) .... die Internet-Firma Google langsam gefährlich wird. Es ist bekannt, (21) .... die Suchmaschine mit dem bunten Namenszug immer mehr Bedeutung bekommt, (22) .... diese Firma hat inzwischen fast ein Monopol. Es stimmt, (23) .... ein Begriff wie „sich informieren" inzwischen ersetzt wird durch das Modewort „googlen". (24) .... das hat bisher kaum jemanden wirklich gestört. Der Firma aus Kalifornien gehört (25) .... die Suchmaschine, sondern sie besitzt auch Internet-Programme wie You Tube, Double Click und Teile von AOL. Google hat nicht nur die neuen Medien fest im Griff, (26) .... auch die alten. Zur Zeit scannt die Firma Hunderttausende von Büchern. Für Google Maps fahren Kameras umher, um in allen Metropolen Straßenzug für Straßenzug (27) .... fotografieren. Da bekommt manch einer Angst, was mit diesen Fotos gemacht werden kann. (28) .... Wissen ist bekanntlich Macht, (29) .... Wissen ist Googles Geschäft.

5 Sagen Sie es anders.
(0) Ich glaube, dass ich nächste Woche mehr Zeit habe.
   Ich glaube, nächste Woche mehr Zeit zu haben.
(30) Ich hoffe, bald von dir zu hören.
   Ich hoffe, ...
(31) Ich würde mich freuen, wenn ich dich nächstes Jahr wiedersehe.
   Ich würde mich freuen, dich ....
(32) Ursula musste ihren Urlaub unterbrechen, weil sie einen Unfall hatte.
   Ursula musste ihren Urlaub unterbrechen, denn ....
(33) Wegen starker Kopfschmerzen kann ich leider nicht kommen.
   Weil ....
(34) Ich habe mich seit Jahren nicht so amüsiert.
   Es ist schon einige Jahre her, ...
(35) In Deutschland darf in Restaurants nicht mehr geraucht werden.
   Es ist in Deutschland in Restaurants verboten ....

6 Bilden Sie Sätze.
(0) Thomas wäre gerne gekommen, aber / eine Grippe / er / hat /seit gestern

   Thomas wäre gerne gekommen, aber er hat seit gestern eine Grippe.

(36) Hättest du nicht Lust, / in die Berge / machen / zu / einen Ausflug
   ....
   ....
(37) Was machst du lieber, / Computer spielen / oder / Musik hören
   ....
   ....
(38) Lousia soll das Schuljahr wiederholen, denn / hatte / schlechte Noten / sie / zu viele
   ....
   ....
(39) Höflichkeit und kleine Lügen schließen sich nicht aus, / auch / ergänzen / können / sich / sie / sondern
   ....
   ....
   ....
(40) Bernd möchte viel Geld verdienen, aber / auch / er / haben / möchte / viel Freiheit
   ....

Test 3 • Relativsätze, Aufzählungen und Alternativen

Kapitel 7.12 – 7.15

__1__ **Was ist richtig? Kreuzen Sie A, B oder C an. Es gibt nur eine richtige Lösung.**
(0) Sind Sie die Dame, *die* gestern schon hier war?
　　☐ A den　　　　☐ B der　　　　✗ C die

(1) Ich nehme die Maschine, ... am Nachmittag ankommt.
　　☐ A die　　　　☐ B wann　　　　☐ C welches

(2) Ich brauche einen Koffer, ... ich im Flugzeug als Handgepäck mitnehmen darf.
　　☐ A die　　　　☐ B der　　　　☐ C den

(3) Tanja hat Flugangst. .... macht sie eine Therapie oder sie muss auf Flugreisen verzichten.
　　☐ A Entweder　　　　☐ B Sowohl　　　　☐ C Weder

(4) Susi besucht keinen Sprachkurs mehr. .... macht sie regelmäßig Online-Übungen.
　　☐ A Oder　　　　☐ B statt　　　　☐ C Stattdessen

(5) Christian hat mir Blumen mitgebracht, ... ich mich sehr gefreut habe.
　　☐ A die　　　　☐ B was　　　　☐ C worüber

Was ist richtig? Kreuzen Sie A, B, C oder D an. Es gibt nur eine richtige Lösung.
__2__ (0) Die E-Mail, die *gestern abgeschickt wurde*, kam nie an.
　　☐ A abgeschickt wurde gestern　　　☐ B abgeschickt gestern wurde
　　✗ C gestern abgeschickt wurde　　　☐ D gestern wurde abgeschickt

(6) Sowohl die Regierungsparteien ... die Opposition haben für das Gesetz gestimmt.
　　☐ A als auch　　　　☐ B auch
　　☐ C noch　　　　☐ D und doch

(7) Das ist das Beste, ...
　　☐ A konnte uns was passieren.　　　☐ B uns konnte was passieren.
　　☐ C was konnte uns passieren.　　　☐ D was uns passieren konnte.

(8) Chris macht Triathlon. Er ist ein sehr guter Läufer und ...
　　☐ A er kann auch gut schwimmen.　　　☐ B kann er auch gut schwimmen.
　　☐ C schwimmen kann auch gut er.　　　☐ D schwimmen kann gut er auch.

(9) In diesem Kurs lernt man nicht nur Grammatik, ...
　　☐ A auch eine gute Aussprache.　　　☐ B eine gute Aussprache auch.
　　☐ C sondern auch eine gute Aussprache.　　　☐ D sondern eine gute Aussprache.

(10) Flavia lernt weder Englisch, ...
　　☐ A Französisch lernt sie noch.　　　☐ B lernt sie noch Französisch.
　　☐ C noch lernt sie Französisch.　　　☐ D sie lernt noch Französisch.

_3_ Was passt zusammen? Ordnen Sie zu.

Kennst du eine Universität in Deutschland,	(0)	A	als auch für Psychologie mehr Bewerber als Studienplätze.
Henry interessiert sich weder für Mathematik	(11)	B	die Stefanie Spaß machen würde.
Florian interessiert sich für einen Beruf,	(12)	C	in dem er mit Menschen zu tun hat.
Niko will entweder eine Ausbildung zum Piloten machen	(13)	D	noch für Naturwissenschaften.
Ein Studium in Maschinenbau ist nicht nur etwas für Jungen,	(14)	E	oder er will studieren.
Es gibt sowohl für Medizin	(15)	F	sondern auch Mädchen interessieren sich zunehmend dafür.
Tanjas Lieblingsfächer sind Literatur und Philosophie	(16)	G	sowie Theater.
Kati studiert Germanistik	(17)	H	von der ihm eine Freundin erzählt hat.
Leon besucht die Vorlesung,	(18)	I	und Geschichte.
Geografie wäre sicher eine Studienrichtung,	(19)	J	was seine Eltern sehr freut.
Thomas hat das Studium endlich beendet,	(20)	**K**	**wo man Kulturwissenschaften studieren kann?**

_4_ Welches Wort fehlt in jeder Lücke?

Markus: Also, ich sehe es so: (0) _Entweder_ du fährst mit dem Auto, (21) .... du nimmst du das Fahrrad.

Evelyn: Ehrlich gesagt gefällt mir (22) .... die eine (23) .... die andere Idee.

Markus: Nun, etwas, (24) .... du immer machen kannst, ist natürlich zu Fuß zu gehen.

Evelyn: Ich hasse es, lange zu gehen, denn es ist (25) .... nur langsam, (26) .... auch langweilig.

Markus: Ja dann, weiß ich auch nicht mehr, was ich dir raten soll. (27) .... lange mit mir zu diskutieren, solltest du einfach den Bus nehmen. Sieh mal, da kommt einer.

Evelyn: Ist das denn der Bus, (28) .... vor unserer Firma hält?

Markus: Ja, genau der ist es.

Evelyn: Also dann, tschüss.

T

_5_ Sagen Sie es anders.

(0) Wir suchen einen an langfristiger Beschäftigung interessierten Mitarbeiter.
Wir suchen einen Mitarbeiter, der an langfristiger Beschäftigung interessiert ist.

(29) Wenn Sie Interesse an dieser Stelle haben, dann melden Sie sich bitte.
Wer .... , soll ....

(30) Die ausgeschriebene Stelle ist leider besetzt.
Die Stelle, die ....

(31) Ich wünsche mir einen Job, wo man viel verdient.
Ich wünsche mir einen Job, in ....

(32) Für die anfallenden Überstunden werden Sie bezahlt.
Für die Überstunden, ...

(33) Statt eines höheren Gehaltes bekommen Sie einen Dienstwagen.
Anstatt dass wir Ihnen ....

(34) Er bekommt eine mit dem Alter steigende Zahl von Urlaubstagen.
Er bekommt eine Zahl von Urlaubstagen, ...

(35) Der gerade abgeschlossene Arbeitsvertrag ist ab sofort gültig.
Der Arbeitsvertrag, ...

_6_ Bilden Sie Sätze.

(0) Ich ziehe nach Berlin,
meine Schwester / wo auch / wohnt

Ich ziehe nach Berlin, *wo auch meine Schwester wohnt.*

(36) Ernst braucht einen neuen Anzug,
den / tragen kann /
zum Vorstellungsgespräch / er

....
....
....

(37) Peter wird ihm einen Anzug leihen,
er / freut / sehr / sich / worüber

....
....

(38) Erwin zieht lieber Jeans und Pullover an,
einen Anzug / zu tragen / statt

....
....

(39) Ich kaufe
auch / das passende Hemd / den Anzug /
sowohl / als

....
....
....

(40) Die Hose,
die / gefällt / gekauft habe, / ich / mir /
nicht mehr

....
....
....

Test 4 • Nebensätze mit temporaler, kausaler, konditionaler, finaler, konsekutiver, konzessiver, adversativer und modaler Bedeutung

Kapitel 7.16 – 7.26

<u>1</u>   **Was ist richtig? Kreuzen Sie A, B oder C an. Es gibt nur eine richtige Lösung.**

(0)   Sie ging nach Hause, *sobald* die Vorstellung zu Ende war.
 ☒ A sobald ☐ B solange ☐ C sooft

(1)   Je mehr er davon erzählt, ... merkwürdiger kommt es mir vor.
 ☐ A aber ☐ B desto ☐ C doch

(2)   Es hat diesen Sommer wenig geregnet, ... steigen die Preise für Kartoffeln.
 ☐ A denn ☐ B deshalb ☐ C wegen

(3)   ... du nichts zum Mittagessen gekauft hast, muss ich jetzt noch einkaufen.
 ☐ A Da ☐ B Obwohl ☐ C Wann

(4)   Der Film war nicht so gut, ... wir erwartet hatten.
 ☐ A was ☐ B wenn ☐ C wie

(5)   ... er alles erledigt hatte, ging er schlafen.
 ☐ A Nachdem ☐ B Solange ☐ C Während

(6)   Eigentlich hatte ich keine Lust, zu dem Fest zu gehen, trotzdem ...
 ☐ A bin ich hingegangen.
 ☐ B ich bin hingegangen.
 ☐ C ich hingegangen bin.

(7)   Fragen Sie bei der Lehrkraft nach, ...
 ☐ A sollten Sie etwas nicht verstehen.
 ☐ B Sie etwas nicht verstehen sollten.
 ☐ C wenn Sie verstehen etwas nicht sollten.

(8)   Er ist bestimmt nicht mehr gekommen, weil ...
 ☐ A er die Einladung zu spät erhalten hat.
 ☐ B er hat die Einladung zu spät erhalten.
 ☐ C hat er die Einladung zu spät erhalten.

(9)   Die Polizei bittet die Bevölkerung um Mithilfe, da ...
 ☐ A bisher blieb ihre Suche erfolglos.
 ☐ B ihre Suche bisher erfolglos blieb.
 ☐ C ihre Suche blieb bisher erfolglos.

(10) Es ist schwer jetzt noch ein Hotelzimmer zu finden.
 – Ich weiß, aber könnten Sie es bitte ... versuchen?
 ☐ A deswegen ☐ B obwohl. ☐ C trotzdem

2 Was passt zusammen? Ordnen Sie zu.

Das Hotel ist nur von März bis Oktober geöffnet,	(0)	A	aber ich habe leider wenig Zeit dafür.
Ich mache noch schnell eine Übung,	(11)	B	dass ich viel Zeitung lese.
Ich erweitere meinen Wortschatz dadurch,	(12)	C	indem ich die Kritiken lese.
Ich esse einen großen Nachtisch,	(13)	D	bevor ich joggen gehe.
Ich informiere mich über neue Filme,	(14)	E	stattdessen konzentriere mich lieber auf die Grammatik.
Ich kann keine Musik hören,	(15)	F	sooft ich ihn sehe.
Ich lerne nicht so gerne Wörter,	(16)	G	während ich Vokabeln lerne.
Mir macht das Lernen zwar Spaß,	(17)	H	weil im Winter nicht genug Gäste kommen.
Peter ist gut gelaunt,	(18)	I	wenn ich noch Hunger habe.

3 Welches Wort fehlt?

(0) Ich schlafe am Wochenende lang, *damit* ich mich mal richtig ausruhen kann.

(19) Gestern passierte etwas Komisches, ... ich zum Kurs ging.

(20) Ich brauche deine Hilfe, ... werde ich nicht rechtzeitig fertig.

(21) .... der Wetterbericht schönes Wetter vorausgesagt hatte, regnete es.

(22) Eva liest täglich Zeitung, ... sich zu informieren.

(23) .... du Lust hast, gehen wir zusammen noch etwas spazieren.

(24) Er bezahlte die Rechnung erst, ... er eine Mahnung bekommen hatte.

(25) Anna kam erst im Theater an, ... die Vorstellung schon begonnen hatte.

(26) Peter arbeitet lieber allein, ... Hanna Teamarbeit bevorzugt.

(27) .... seiner starken Erkältung machte Heinz bei dem wichtigen Fußballspiel mit.

(28) Maria war so hungrig, ... ich sie noch nie erlebt habe.

4 Sagen Sie es anders.

(0) Ich bin total müde und muss deshalb dringend ins Bett.
Ich muss dringend ins Bett, weil ich total müde bin.

(29) Wenn ich koche, höre ich gerne klassische Musik.
Beim ....

(30) Bei Regen gehen wir nicht in den Park.
Wenn ....

(31) Die Sonne scheint, aber es ist immer noch kalt.
.... *die Sonne scheint, ist es immer noch kalt.*

(32) Diese Zeitung ist mir nicht informativ genug, deshalb lese ich sie nicht.
Ich lese diese Zeitung nicht, ...

(33) Hermann ist jetzt viel zufriedener mit seiner Arbeit. Es wurden flexible Arbeitszeiten eingeführt.
.... *, ist Hermann viel zufriedener mit seiner Arbeit.*

(34) Luise tut alles, um ihre Karriere nicht zu gefährden.
Luise tut alles, ... *sie ihre Karriere nicht gefährdet.*

(35) Bei ihrer Hochzeit waren Annas Eltern noch sehr jung.
.... *Annas Eltern heirateten, waren sie* ....

5 **Bilden Sie Sätze.**

(0) Moritz trainiert täglich im Box-Studio.
sein / noch immer / trotzdem /seiner Nase

Trotzdem ist seine Nase noch immer nicht gebrochen.

(36) Das ist doch nicht so schlimm.
Deshalb / du dich / nicht / so aufregen / solltest

....
....
....

(37) Ich merke mir Wörter auch,
eine Vokabelkartei / ohne / schreiben / in / sie / zu

....
....
....

(38) Er braucht keine Schreibmaschine mehr,
einen Computer / er sich / gekauft hat / seitdem

....
....
....

(39) Ich muss mich beeilen,
noch keine / habe / ich / Fahrkarte / weil

....
....

(40) Er ging spazieren,
es regnete / obwohl / sehr stark

....
....

6 **Sagen Sie es anders.**

(0) *Wenn es blitzt und donnert,* haben kleine Kinder manchmal Angst.
Bei Blitz und Donner haben kleine Kinder manchmal Angst.

(41) Tanja tanzt in der Disco, *obwohl sie erkältet ist.*
Tanja tanzt .... in der Disco.

(42) Max fährt in die Stadt, *um einzukaufen.*
Max fährt .... in die Stadt.

(43) Wir kaufen diesen Wein *wegen seines guten Geschmacks.*
Wir kaufen diesen Wein, ...

(44) *Nachdem wir aufgestanden sind,* frühstücken wir in aller Ruhe und fahren dann nach Hause.
.... frühstücken wir in aller Ruhe und fahren dann nach Hause.

(45) Klaus, geh *vor unserer Abfahrt* doch bitte noch mal durch alle Zimmer.
Klaus, geh doch bitte noch mal durch alle Zimmer, ...

T

6.1 PRÄSENS

ich lerne

1 Funktion

Sag mal, wo ist denn die Monika?
Die kommt doch sonst auf jede Party.

Die ist schon seit Wochen im Krankenhaus.
Beinbruch! Aber übermorgen kommt sie raus.

„Und – was machst du gerade so?"	in diesem Moment Gegenwärtiges
Ich studiere seit drei Monaten in Berlin.	Handlungen und Zustände, die zum Zeitpunkt des Sprechens noch andauern
Ich fliege erst nächsten Donnerstag.	Zukünftiges (+ Zeitangabe)
Die Erde ist rund.	zeitlos Gültiges
Als Maria die Tür öffnet, steht Karl vor ihr. Er bittet sie um Verzeihung.	Vergangenes (um es lebendiger zu schildern)

2 Formen

a regelmäßige Verben

	sagen	antworten	reisen	sammeln
ich	sage	antworte	reise	sammle
du	sagst	antwortest	reist	sammelst
er/sie/es	sagt	antwortet	reist	sammelt
wir	sagen	antworten	reisen	sammeln
ihr	sagt	antwortet	reist	sammelt
sie/Sie	sagen	antworten	reisen	sammeln

b unregelmäßige Verben

	sehen	geben	schlafen	halten	stoßen	laufen	wissen
ich							weiß
du	siehst	gibst	schläfst	hältst	stößt	läufst	weißt
er/sie/es	sieht	gibt	schläft	hält*	stößt	läuft	weiß
	e ➞ ie	e ➞ i	a ➞ ä	a ➞ ä	o ➞ ö	au ➞ äu	i ➞ ei

* Stamm auf *-t*, aber ohne *e*-Erweiterung
Liste der unregelmäßigen Verben **s. Seite 204**

Um die Aktualität des Gegenwärtigen zu betonen, gibt es drei Möglichkeiten:

Siehst du nicht, dass ich gerade arbeite? – Er wohnt derzeit in Rom.	*gerade, derzeit, im Augenblick, im Moment* u.a.
Was hältst du von seinem Brief? – Ich bin gerade dabei, ihn zu lesen.	*dabei sein* + Infinitiv mit *zu*
Stör die Mutter jetzt nicht. Sie ist gerade am/ beim Kochen.	*sein* + *am/beim* + nominalisierter Infinitiv (umgangssprachlich)

1 Vorstellungsgespräch – Fragen Sie mit seit wann + schon.

a) in München leben
b) Spanisch lernen
c) Ingenieur sein
d) Golf spielen
e) bei BMW arbeiten
f) Rallyes fahren

a) *Seit wann leben Sie schon in München?*

2 Muttersorgen – Ergänzen Sie die Verben im Präsens.

Lieber Harald,
ich (a) weiß (wissen), dass Du in Kürze nach Brasilien (b) .... (fliegen) und von
morgens bis abends (c) .... (arbeiten), aber vielleicht (d) .... (lesen) Du
ja meine Zeilen doch noch. Ich (e) .... (hoffen), Du (f) .... (nehmen) es
mir nicht übel, wenn ich Dich jetzt noch mit meinen Sorgen (g) .... (belästigen).
Ich habe entdeckt, dass mein Sohn (h) .... (stehlen). Ich (i) .... (sehen)
schon seit langem, dass er sehr viel Geld (j) .... (ausgeben). Wenn man ihn
(k) .... (fragen), von wem er es (l) .... (bekommen), dann
(m) .... (sehen) er weg und (n) .... (antworten):
„Ich (o) .... (stehlen) nicht, ich (p) .... (sammeln) nur."
Das (q) .... (brechen) mir das Herz! Was (r) .... (raten) Du mir?
Alles Liebe
Deine Angelika

3 Pläne für die Zukunft – Formulieren Sie Sätze im Präsens.

a) nächstes Wochenende I besuchen I mich I meine Freundin Paula • am Samstag I gehen I wir I zum Einkaufen • in einer Woche I fahren I wir I nach Berlin • kommen I ihr I mit
Nächstes Wochenende besucht mich meine Freundin Paula. Am Samstag ...
b) im Oktober I beginnen I ich I mit meinem Studium • ich I studieren I dann I Ökonomie I in Konstanz am Bodensee • ich I brauchen I drei Jahre I dafür • danach I machen I ich I ein Aufbaustudium I in Harvard
c) in etwa zehn Jahren I übernehmen I ich I die Firma I meines Vaters • anschließend I gründen I ich I eine Familie I und I bauen I ein Haus • in 20 Jahren I bekommen I ich I die Midlife-Crisis • dann I suchen I ich I mir I eine Freundin • in 30 Jahren I sein I ich I vielleicht I bereits I Großvater • und in 40 Jahren I aufhören I ich I zu arbeiten

4 Abgelehnt – Beantworten Sie die Fragen negativ. Verwenden Sie die angegebenen Verben und abwechselnd ich bin gerade dabei und ich bin gerade am.

a) „Kommst du mit zum Schwimmen?" – (aufräumen)
„Nein, ich bin gerade dabei, aufzuräumen."
b) „Hast du Lust, ein Eis zu essen?" – (abnehmen)
„Nein, ich bin gerade am Abnehmen."
c) „Möchtest du eine Zigarette?" – (mir das Rauchen abgewöhnen)
d) „Hast du einen Moment Zeit für mich?" – (weggehen)
e) „Wollen wir eine Runde Tennis spielen?" – (mein Auto reparieren)
f) „Kannst du deine Frau rufen?" – (fernsehen)
g) „Hilfst du mir bei den Hausaufgaben?" – (die Küche putzen)
h) „Siehst du dir nicht die Nachrichten an?" – (Koffer packen)

6.2 PERFEKT

ich habe gesucht – ich bin gefahren

1 Funktion

„*Was* hast *du gestern Abend* gemacht?" – „*Ich* habe *meine Eltern* besucht."	Tempus für die Vergangenheit in der gesprochenen Sprache
Seitdem er weggezogen ist*, sehen wir uns nur noch selten.*	abgeschlossene Vorgänge in der Vergangenheit mit Gegenwartsbezug
Morgen in einer Woche habe *ich die Arbeiten an diesem Projekt* abgeschlossen.	für Zukünftiges (als Ersatz für das Futur II)

2 Formen

ⓐ *haben* und *sein*

haben	*Ich* habe *die Koffer* gepackt.	die meisten Verben
	Wir haben *uns gut* unterhalten.	alle reflexiven Verben
sein	*Ich* bin *ins Kino* gegangen.	Verben der Ortsveränderung (ohne Akkusativ): *fahren, kommen, gehen u.a.**
	Ich bin *heute erst um 12 Uhr* aufgewacht.	Verben der Zustandsveränderung: *einschlafen, aufstehen, werden u.a.*
	Wir sind *zu Hause* geblieben.	*sein, bleiben*

* Einige Verben der Ortsveränderung – *fahren, fliegen, reiten* – können auch eine Akkusativergänzung haben. Sie bilden dann das Perfekt mit *haben*: *Ich* habe *immer diese Automarke* gefahren.

ⓑ Partizip II

		Partizip II			
regelmäßige Verben		*ge*	mach	*t*	*hat gearbeitet, hat geholt, hat gesagt ...*
	ab	*ge*	sag	*t*	*hat aufgemacht, hat festgestellt ...*
			verkauf	*t**	*hat erzählt, hat besucht, hat zerstört ...*
			telefoniert	*t**	*hat studiert, ist passiert ...*
unregelmäßige Verben		*ge*	fahr	*en*	*hat getrunken, ist gegangen ...*
	an	*ge*	komm	*en*	*hat weggenommen, ist mitgefahren ...*
			zerriss	*en**	*hat verglichen, ist gelungen ...*
Mischverben		*ge*	kann	*t*	*hat gebracht, hat genannt, hat gewusst ...*

* Die Verben mit *be-, emp-, ent-, er-, ge-, miss-, ver-, zer-* (untrennbare Verben) sowie die Verben auf *-ieren* bilden das Perfekt ohne *ge-*.

sein und *haben* und die Modalverben (*wollen, müssen, können* ...) stehen meist im Präteritum, selten im Perfekt.

trennbare und untrennbare Verben 📖 s. Seite 116-118; unregelmäßige Verben 📖 s. Seite 204

3 Satzstruktur

	POS 2: *haben/sein*		Ende: Partizip II
Ich	habe	*den Koffer*	gepackt.
Ich	bin	*ins Kino*	gegangen.

1 Bilden Sie von folgenden Verben das Partizip II und tragen Sie es ein.

schreiben | ankommen | streiten | ~~rasieren~~ | ausmachen | anbieten | bekämpfen | denken | umziehen | abstellen | versuchen | einladen | misstrauen | entdecken | schneiden | besprechen | sich entscheiden | studieren | wegbringen | empfehlen

(...)ge-...-t	(...)ge-...-en	...-t	...-en
		rasiert	

2 Gespräch mit einem Nachtwächter – Ergänzen Sie haben bzw. sein in der richtigen Form.

Herr Fachner, (a) *ist* **denn heute Nacht viel passiert?**
Nein, Gott sei Dank nicht. Ich (b) .... meine Runden gemacht, ohne dass es etwas gegeben (c) ....
Wie vielen Menschen (d) .... **Sie denn schon begegnet?**
Nach ein Uhr (e) .... ich höchstens vier oder fünf gesehen. Die meisten Lokale in unserer kleinen Stadt (f) .... ja ab Mitternacht geschlossen.
Wir (g) .... **Sie gestern tagsüber kaum erreicht. Wo** (h) .... **Sie denn so gewesen?**
Zuerst (i) .... ich mich um meinen normalen Job als Postbote gekümmert, und dann (j) .... ich nach Hause gefahren, wo ich geschlafen (k) ....
Wie (l) .... **Sie überhaupt dazu gekommen, als Nachtwächter zu arbeiten?**

Nun, der Bürgermeister (m) .... mich gefragt, und da (n) .... ich einfach zugesagt. Wir (o) .... in Mainburg immer schon einen Nachtwächter gehabt, und der alte (p) .... gestorben.
Was (q) .... **denn Ihre Frau zu ihrem neuen Job gesagt?**
Zuerst (r) .... sie ein wenig dumm geschaut, weil sich das natürlich auf unser Familienleben ausgewirkt (s) .... , aber dann (t) .... sie sich wieder beruhigt.
(u) .... **Sie auf Ihrer Runde denn schon einmal richtig Angst gehabt?**
Ja, schon. Einmal, da (v) .... einem Bauern nachts sein bissiger Hund weggelaufen. Und der (w) .... mich dann durch die Straßen gejagt. Zum Glück (x) .... aber dann die Polizei gekommen.

3 Gesundheitsstress – Formulieren Sie Sätze im Perfekt.
a) Der Arzt (verbieten) meinem Vater das Rauchen.
   Der Arzt hat meinem Vater das Rauchen verboten.
b) In einem Monat (überstehen) er die schlimmste Krise.
c) Der Arzt (sagen) ihm auch, dass er mehr Sport treiben muss.
d) Heute (laufen) mein Vater erstmals eine halbe Stunde. Das (umbringen) ihn fast.
e) Danach (sich hinlegen) er gleich wieder und (einschlafen).
f) Erst um 12 Uhr (aufstehen) er und (gehen) ins Bad.
g) Zum Mittagessen (bekommen) er nur Gemüse und etwas gekochten Fisch.
h) Das (gefallen) ihm überhaupt nicht, und vor lauter Ärger (explodieren) er fast!

6.3 PRÄTERITUM

er ging

1   Funktion

Es war einmal ein König. Der liebte eine Köchin ...	Tempus für die Vergangenheit in der geschriebenen Sprache (Berichte, Erzählungen, Meldungen in den Medien)
Der Vorschlag der Regierung, die Öko-Steuer zu erhöhen, stieß bei der Opposition auf Kritik. Sie kritisierte vor allem den Zeitpunkt des Vorschlags und kündigte harte Verhandlungen an.	
„Du hattest doch gestern so starke Kopfschmerzen. Sind sie weg?" – „Ja, zum Glück. Die Schmerzen waren wirklich schlimm, ich konnte mich kaum noch auf den Beinen halten, und es gab im ganzen Haus keine Tablette."	bei *haben* und *sein* häufig statt des Perfekts, bei *es gibt* und den Modalverben (*wollen, müssen ...*) fast immer statt des Perfekts

2   Formen

	regelmäßige Verben		unregel-mäßige Verben	Hilfsverben		Misch-verben	Modal-verben
	fragen	*warten*	*kommen*	*sein*	*haben*	*denken*	*können*
ich	*fragte*	*wartete*	*kam*	*war*	*hatte*	*dachte*	*konnte*
du	*fragtest*	*wartetest*	*kamst*	*warst*	*hattest*	*dachtest*	*konntest*
er/sie/es	*fragte*	*wartete*	*kam*	*war*	*hatte*	*dachte*	*konnte*
wir	*fragten*	*warteten*	*kamen*	*waren*	*hatten*	*dachten*	*konnten*
ihr	*fragtet*	*wartetet*	*kamt*	*wart*	*hattet*	*dachtet*	*konntet*
sie/Sie	*fragten*	*warteten*	*kamen*	*waren*	*hatten*	*dachten*	*konnten*

ÜBUNGEN

1   Bilden Sie das Präteritum.

a) ich   *legte*   legen
b) du   ....   anfangen
c) er   ....   glauben
d) wir   ....   argumentieren
e) sie (Pl.) ....   rennen
f) ihr   ....   haben
g) ich   ....   liegen
h) wir   ....   denken
i) sie   ....   sitzen

j) es   ....   regnen
k) ich   ....   nehmen
l) ihr   ....   sein
m) wir   ....   dürfen
n) er   ....   antworten
o) du   ....   wollen
p) er   ....   hängen
q) sie   ....   zerstören
r) sie (Pl.) ....   bringen

2   König Johann im Glück – Formulieren Sie das folgende Märchen im Präteritum.

König Johann ist ein mächtiger König. In seinem Land leben 30 Millionen Menschen. Aber all seine Macht und sein Reichtum bringen ihm kein Glück. Er fühlt sich einsam, und die Leute an seinem Hof beginnen, sich Sorgen zu machen. Doch eines Tages rettet ihn seine Hofköchin

Fanni aus seiner Depression. Sie versucht, durch ständig neue Knödel-Rezepte die Laune des Königs zu verbessern. Jeden Abend bis spät in die Nacht studiert sie deswegen Kochbücher. Als man dem König eines Tages ihre neueste Kreation, einen Spinat-Pilz-Knödel mit 20 cm Durchmesser, bringt, weiß er, dass sein Leben wieder einen Sinn hat. Obwohl er nach dem Essen des riesigen Knödels kaum noch sitzen kann, lässt er die Hofköchin kommen. König Johann verliebt sich sofort in sie. „Meine Knödel-Königin" nennt er sie satt lächelnd. Bald darauf macht er ihr einen Heiratsantrag. Sie will zuerst nicht, da sie bereits verlobt ist, aber als man sie mit lebenslangem Reichtum lockt, stimmt sie zu.

König Johann war ein mächtiger Mann. In seinem Land ...

---

3 Unheimliche Begegnung – Formulieren Sie die mündliche Aussage eines Zeugen als schriftlichen Bericht. Ersetzen Sie dabei das Perfekt durch das Präteritum. Beachten Sie den Wechsel der Perspektive.

„Ich bin gerade aus dem Restaurant gekommen, da habe ich gesehen, wie ein Bagger auf den Parkplatz gefahren ist. Er hat dabei mehrere Autos beschädigt, auch mein Auto. Dann hat der Bagger endlich angehalten. Aus dem Fahrzeug ist ein junger Mann gestiegen. Als ich versucht habe, ihn festzuhalten, hat der Mann etwas von „persönlichen Problemen" erzählt. Er ist dann freiwillig stehen geblieben und hat mich gebeten, nichts davon seiner Freundin zu erzählen. Der Mann hat einen sehr verwirrten Eindruck auf mich gemacht. Ich habe dann über mein Handy die Polizei angerufen, die nach etwa 10 Minuten gekommen ist."

Der Zeuge kam gerade aus dem Restaurant, als er ...

---

4 Bett-Rekord – Ergänzen Sie die Verben im Präteritum.

berühren | drehen | drücken | gehen | haben | lassen | liegen | ~~sein~~ | wählen | wechseln

Belgier dreht sich 120 000 Mal im Bett um

Brüssel – Der Postangestellte Walter Franck hat sich 120 000 Mal im Bett umgedreht, um damit ins Guinnessbuch der Rekorde zu kommen. Die Bewegung (a) *war* einfach: Der Rekordkandidat (b) .... auf dem Rücken und (c) .... sich dann zur Seite, (d) .... mit der Nase die Matratze und (e) .... wieder in die ursprüngliche Position. Franck (f) .... für seine spektakuläre Aktion nicht sein eigenes Bett. Er (g) .... stattdessen eine Liege im Hinterzimmer seiner Stammkneipe aufstellen, denn dort (h) .... er das richtige Publikum für seine sportliche Höchstleistung. Alle seine Freunde (i) .... ihm die Daumen. Der Rekordversuch (j) .... an diesem Dienstag erfolgreich zu Ende.

6.4 PLUSQUAMPERFEKT

er war gegangen

_1_   Funktion

Nachdem Wolfgang die Wahrheit über Maria erfahren hatte, *weinte er. Er konnte es immer noch nicht glauben. Nie zuvor* war *er einer solchen Frau* begegnet. *Aber nachdem er so* behandelt worden war, *konnte er nicht länger mit ihr zusammen sein.* *Alles, was sie mir* erzählt hatte, *habe ich im Kopf behalten.*	Tempus der Vorzeitigkeit gegenüber dem Präteritum / Perfekt

_2_   Formen

Präteritum von *haben/sein* + Partizip II

ich	hatte		war	
du	hattest		warst	
er/sie/es	hatte	*gearbeitet*	war	*gefahren*
wir	hatten		waren	
ihr	hattet		wart	
sie/Sie	hatten		waren	

Welche Verben das Plusquamperfekt mit *haben* und welche mit *sein* bilden 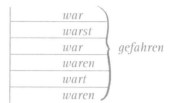 **s. Seite 84** (Perfekt), **s. Seite 122** (Passiv).

ÜBUNGEN

_1_   Gerade noch mal gut gegangen! – Unterstreichen Sie die Verben. In welchem Tempus stehen sie hier?
a) *Plusquamperfekt*

Vorhang explodiert in Waschmaschine
Köln – Damit (a) <u>hatte</u> die Hausfrau nicht gerechnet: Eine Nacht lang (b) hängte sie einen Duschvorhang zum Lüften vor ihre Wohnung, nachdem sie ihn mit Waschbenzin (c) gereinigt hatte. Trotzdem (d) gab es eine Explosion, als sie den Vorhang in der Maschine (e) wusch. Drei Wände (f) wurden verschoben, es (g) entstand ein Sachschaden von 20 000 Euro. „Ich (h) habe meinen Augen nicht getraut, als ich die Verwüstung (i) gesehen habe", (j) sagte die Frau. (k) Verletzt wurde niemand. Die Kriminalpolizei (l) glaubt, dass sich die explosiven Reste am Vorhang durch die Minusgrade während der Nacht nicht komplett (m) verflüchtigt hatten.

Polizei belohnt spontane Hilfe
Frankfurt – Er (n) hatte durch seine spontane Hilfe eine Frau vor einem Raubüberfall bewahrt. Dafür (o) wurde ein 52-jähriger slowenischer Busfahrer jetzt vom Polizeipräsidium mit 200 Euro belohnt. Der Mann (p) hatte Anfang November beim Heimweg von der Arbeit Geräusche und Hilferufe aus einer Einfahrt gehört. Dort (q) versuchte gerade ein Unbekannter, eine 30-jährige Frau auszurauben, die sich heftig (r) wehrte. Der Täter (s) stieß auf der Flucht mit dem Busfahrer zusammen. Dabei (t) erlitt der Slowene eine Knieverletzung. „Aber das (u) macht nichts. Hauptsache, man (v) hat den Täter gefasst!"

2

„Jurassic Parc" – Ergänzen Sie die Verben im angegebenen Tempus.

Dino-Park in Argentinien entdeckt

Buenos Aires – In Argentinien (a) (entdecken; Perf.) Wissenschaftler einen etwa 150 Millionen Jahre alten Dinosaurier-Friedhof mit versteinerten Knochen. „Von einem Dinosaurier (b) (sein; Präs.) fast das vollständige Skelett erhalten", (c) (berichten; Prät.) einer der dort tätigen Wissenschaftler. Die Nachrichtenagentur ANA (d) (schreiben; Prät.) von einem „Jurassic Parc" in Patagonien. Paläontologen (e) (hoffen; Plusq.) seit langem, eine Lücke in der Forschung schließen zu können. Argentinien (f) (sich erweisen; Präs.) immer mehr als einer der wichtigsten Fundorte der Paläontologie: Erst vor einem Jahr (g) (finden; Plusq. Passiv) die Überreste des längsten bekannten Dinosauriers. Der pflanzenfressende Riese (h) (kommen; Präs.) auf eine Länge von 48 bis 59 Metern. Bauarbeiter (i) (geben; Plusq.) entsprechende Hinweise. Im Jahr zuvor (j) (finden; Plusq.) Forscher in Patagonien bereits Überreste des vermutlich größten fleischfressenden Dinos. „An der neuen Fundstätte (k) (ausgraben; Perf. Passiv) auch Versteinerungen von Schildkröten, Flugechsen und sogar einem Säugetier", (l) (mitteilen; Prät.) der Wissenschaftler.

In Argentinien haben Wissenschaftler einen etwa 150 Millionen Jahre alten Dinosaurier-Friedhof mit versteinerten Knochen entdeckt.

3

So ein Pech! – Ergänzen Sie die Verben im Präteritum und Plusquamperfekt.

London – Den Rekord der kürzesten Ehe halten John und Margaret D. Ihr „Bund fürs Leben" (a) *dauerte* (dauern) nur 52 Minuten, nachdem sie bereits über ein Jahr (b) .... (zusammenleben). Bereits an der Hochzeitstafel (c) .... (geraten) die beiden in einen lautstarken Streit über das Ziel ihrer Flitterwochen. Nachdem der frischgebackene Ehemann die Hochzeitstorte auf die Braut (d) .... (werfen) und ohne ein Wort (e) .... (gehen), (f) .... (werden) die Ehe noch am selben Tag geschieden.

Würzburg – Nachdem er beruflich nur Fehlschläge (g) .... (erleben), (h) .... (sollen) es wenigstens einmal klappen: Dieter B. (i) .... (planen) einen Postraub. Doch auch diesmal mit bescheidenem Erfolg: Nachdem er der Post-Angestellten einen Zettel mit der Aufschrift „Dies ist ein Raubüberfall" (j) .... (hinlegen), (k) .... (erklären) ihm diese, dass sie das nichts angehe, weil sie dafür nicht zuständig sei. Entnervt (l) .... (aufgeben) Dieter B. seinen Plan wieder ....

4

Armer Anton – Formulieren Sie nachdem-Sätze im Plusquamperfekt und den Hauptsatz jeweils im Präteritum.
a) er I die Nacht zuvor I schlecht schlafen • sein I er I heute Morgen I sehr müde
   Nachdem er die Nacht zuvor schlecht geschlafen hatte, war er heute Morgen sehr müde.
b) er I einen Anruf seiner kranken Mutter I erhalten • nicht gehen können I er I ins Kino
c) sein Kollege I krank werden • übernehmen müssen I er I dessen Arbeit I auch noch
d) er I sein Auto I von der Reparatur I abholen • kaputtgehen I es I gleich wieder
e) er I die Verabredung mit seiner Freundin I vergessen • warten I sie I umsonst
f) deswegen I Streit mit ihr I geben + es • er I gehen I zu Freunden I Karten spielen

6.5 FUTUR

Es wird regnen.

1 Funktion

Futur I	*Sie wird die Prüfung bestehen.*	Zukünftiges
Futur II	*Morgen wird sie die Prüfung bestanden haben.*	in der Zukunft Abgeschlossenes

Häufig hat das Futur eine modale Funktion:

Peter wird jetzt denken, ich liebe ihn. *Morgen wird er es schon wieder vergessen haben.*	Sicherheit
Herr Meier ist heute nicht da. Er wird krank sein. *Joschi hat sich nicht gemeldet. Er wird das Problem alleine gelöst haben.*	Vermutung
Du wirst jetzt dein Zimmer aufräumen! *In einer Stunde wirst du dein Zimmer aufgeräumt haben!*	energische Aufforderung

Diese Funktion kann man durch Modalwörter verdeutlichen:

Peter wird jetzt sicher denken, ...	+ *bestimmt / sicherlich / mit Sicherheit*	Sicherheit
Er wird wohl krank sein.	+ *wohl / vermutlich / wahrscheinlich*	Vermutung

2 Satzstruktur

		POS 2: *werden*		Ende: Infinitiv
Futur I	*Er*	*wird*	*viel*	*erleben.*
		POS 2: *werden*		Ende: Infinitiv Perfekt
Futur II	*Er*	*wird*	*viel*	*erlebt haben.*

werden  **s. Seite 92**

3 Alternativen

Sie besteht die Prüfung morgen.	Präsens	Zukünftiges
Morgen hat sie die Prüfung schon bestanden.	Perfekt	in der Zukunft Abgeschlossenes

Peter denkt jetzt (bestimmt), dass ...	Präsens (+ *bestimmt / sicher ...*)	Sicherheit
Morgen hat er es (bestimmt) schon wieder vergessen.	Perfekt (+ *bestimmt / sicher ...*)	
Er ist wahrscheinlich krank.	Präsens + *wohl / vermutlich / wahrscheinlich ...*	Vermutung
Er hat das Problem wohl alleine gelöst.	Perfekt + *wohl / vermutlich / wahrscheinlich ...*	
Du räumst jetzt dein Zimmer auf!	Präsens	energische Aufforderung
In einer Stunde hast du dein Zimmer aufgeräumt!	Perfekt + Zeitangabe	
Räum jetzt dein Zimmer auf!	Imperativ	

1 | Zukunft (Z), Sicherheit (S), Vermutung (V) oder energische Aufforderung (A)?

Z	S	V	A	
✗				a) Peter wird nächsten Montag ins Krankenhaus gehen.
				b) Er wird dort wohl mindestens zwei Wochen liegen.
				c) Er wird dort bestimmt hinter jeder hübschen Krankenschwester her sein.
				d) „Nach der Operation wirst du mich sofort besuchen!", hat er gesagt.
				e) Wenn er wieder draußen ist, wird er zu seinen Eltern fahren.
				f) Die werden sich jetzt vermutlich ziemliche Sorgen um ihn machen.

2 | Fragen an den Börsenexperten – Beantworten Sie die Fragen und drücken Sie dabei Sicherheit (S) bzw. Vermutung (V) aus.

a) Besuchen Sie morgen den Börsen-Club? (S) (Ja, ...)

Ja, ich werde mit Sicherheit morgen den Börsen-Club besuchen.

b) Geben Sie dann auch ein paar Tipps für den „Neuen Markt"? (S) (Ja, ...)

c) Kommt es dieses Jahr wieder zu einer Krise? (V) (Nein, ...)

d) Investieren Sie in nächster Zeit auch in Aktienfonds? (V) (Ja, ...)

3 | Arme Kinder – Formulieren Sie die energischen Aufforderungen im Futur.

a) Mach jetzt sofort deine Hausaufgaben!

Du wirst jetzt sofort deine Hausaufgaben machen!

b) Putz dein Fahrrad!

c) Räum jetzt den Hobbyraum auf!

d) Geh sofort mit dem Hund spazieren!

e) Schaltet auf der Stelle den Fernseher aus!

4 | Das Auto der Zukunft – Formulieren Sie den Text im Futur.

Das Auto der Zukunft verursacht kaum noch Umweltprobleme. Es hat einen Wasserstoff- oder Elektroantrieb. Außerdem ist es leiser als die Autos von heute. Und es ist viel sicherer: Airbags schützen die Körper der Passagiere nicht nur von vorne und seitlich, sondern auch von oben und im Fußraum. Es gibt dann ein Radar, das die Bremse automatisch betätigt.

Das Auto der Zukunft wird kaum noch Umweltprobleme verursachen. Es ...

5 | Trennungsschmerz – Formulieren Sie die Vermutungen mit Futur I bzw. II.

Liebe Hanna!
Du hast wohl schon gedacht, ich habe Dich vergessen, weil ich mich so lange nicht gerührt habe. Ich nehme an, Du hast von meiner Trennung von Maria bereits gehört. Wahrscheinlich ist sie unglücklicher über unsere Trennung als ich. Aber so, wie ich sie einschätze, hat sie mich vermutlich in einem Monat schon vergessen. Demnächst erzähle ich Dir mehr. Es interessiert Dich ja vielleicht, wie das passiert ist.
Bis bald! Alex

Du wirst (wohl) schon gedacht haben, ich habe Dich vergessen, ...

6

6.6 *WERDEN*

ich werde berühmt – ich werde berühmt sein –
ich werde gefeiert

1 Funktion

Hallo, Franz, du siehst aber schlecht aus. Bist du krank?

Nein, aber ich werde es bald sein. Ständig werde ich von
meinem Chef schikaniert. Ich werde von Tag zu Tag nervöser.

Vollverb	+ Adjektiv	*Die Reichen* werden *immer* reicher.	Vorgang
	+ Nomen	*Mein Sohn studiert, er* wird *Arzt.*	(„Prozess")
Hilfsverb	+ Infinitiv	*Er* wird *sicher bald* kommen.	Futur
		Franz wird *erst morgen hier* sein.	
	+ Partizip II	*Mein Auto* wird *heute* repariert.	Passiv
	+ Infinitiv	*Ich* würde *gern weniger* arbeiten.	Konjunktiv II

Futur [📖] **s. Seite 90**, Passiv [📖] **s. Seite 122**, Konjunktiv II [📖] **s. Seite 130**

2 Formen

	Präsens	Präteritum	Perfekt		Plusquamperfekt	
ich	*werde*	*wurde*	*bin*		*war*	
du	*wirst*	*wurdest*	*bist*		*warst*	
er/sie/es	*wird*	*wurde*	*ist*	*geworden/*	*war*	*geworden/*
wir	*werden*	*wurden*	*sind*	*worden*	*waren*	*worden*
ihr	*werdet*	*wurdet*	*seid*		*wart*	
sie/Sie	*werden*	*wurden*	*sind*		*waren*	

Die Partizip-II-Formen von *werden* als Vollverb und *werden* als Hilfsverb sind unterschiedlich.
Vollverb: *Ich bin wieder gesund* geworden. (Perfekt Aktiv)
Hilfsverb: *Ich bin geheilt* worden. (Perfekt Passiv)

ÜBUNGEN

1 Vorgang (V), Futur (F), Passiv (P) oder Konjunktiv II (K)? – Bestimmen Sie die Funktion von werden.

	V	F	P	K
a) Es wird noch lange dauern, bis Michael fertig studiert hat.		X		
b) Ihr werdet am Flughafen abgeholt.				
c) Herr Becker wird erst übermorgen wieder da sein.				
d) Wir würden euch gerne zu Weihnachten einladen.				
e) Welche Mannschaft wurde beim letzten Mal Europameister?				
f) Martha ist in letzter Zeit so still geworden.				
g) Ich werde im Sommer nach Brasilien fahren.				
h) Von welcher Zeitschrift ist dieser Computer getestet worden?				

2 Männerrunde – Formulieren Sie den Zustand als Vorgang (werden).

a) Ist Eva immer noch so eifersüchtig?

Ja, *sie wird* immer eifersüchtig, sobald sie eine hübsche Frau in meiner Nähe sieht.

b) Diese Schauspielerin da, ist die berühmt?

Nein, noch nicht, aber vielleicht .... eines Tages berühmt.

c) Bist du Manuela wegen neulich immer noch böse?

Ja natürlich, wenn ich nur ihren Namen höre, ... böse.

d) Sag mal, was ist eigentlich mit Jens? Ich habe gehört, er ist jetzt Börsenmakler.

Nein, noch nicht, aber .... einer. Er macht gerade einen Kurs.

e) Schau mal, die neue Kellnerin, ist die nicht charmant?

Nicht besonders. .... erst charmant, wenn es um ihr Trinkgeld geht.

f) Apropos zahlen, der Laden hier ist ganz schön teuer.

Ja, ... viel teurer .... (Perfekt), seitdem der Besitzer gewechselt hat.

3 Expertengespräche – Ergänzen Sie worden oder geworden.

■ „Ich habe gehört, bei allen Druckern sind die Preise total reduziert (a) *worden*.“

■ „Stimmt, die sind jetzt richtig billig (b) .... Mein Drucker ist neulich repariert (c) .... , und das war fast so teuer wie ein Neukauf. Da bin ich ganz schön sauer (d) ....“

■ „Aber wenn die jetzt so billig sind, sind die dann nicht auch schlechter (e) .... ?“

■ „Nein, das ist dasselbe wie bei den CD-Spielern, Videorekordern und noch früher bei den Farbfernsehern. Da sind die Preise nach einiger Zeit auch rapide gesenkt (f) ....“

■ „Also, die Fernseher sind definitiv schlechter (g) .... Lauter technische Spielereien, die nach kurzer Zeit kaputtgehen! Mir ist jetzt so ein Ding angeboten (h) .... , da ist mir schon beim Lesen des Prospekts ganz schwindelig (i) .... !“

4 Fliegende Entdeckungen – Ergänzen Sie werden. Achten Sie auf das Tempus.

Ein neuer Komet

München – Ein neuer Komet ist entdeckt (a) *worden.* Bei klarem Wetter kann man „S4 Linear“ mit einem guten Fernglas entdecken. Anfang August (b) .... er am „Großen Wagen“ vorbeiziehen. Um Mitternacht kann er besonders gut beobachtet (c) .... Ob ein Komet zum strahlenden Star am Himmel (d) .... , hängt davon ab, wie oft ein Komet schon in Sonnennähe war. Kometen (e) .... nach ihren Entdeckern benannt. In diesem Fall handelt es sich um das Weltraum-Programm „Linear“, mit dessen Teleskopen der Komet im September vergangenen Jahres entdeckt (f) ....

Fliegen, die länger leben

Washington – In den USA ist eine Genveränderung gefunden (g) .... , die Fliegen doppelt so lange leben lässt. Das Gen (h) .... eines Tages vielleicht auch das menschliche Leben verlängern, da es – ohne diese Mutation – auch beim Menschen vorhanden ist. „Nachteile sind bislang nicht entdeckt (i) .... “, kommentierte ein Genetiker vom kalifornischen Institut für Technologie die Forschungsergebnisse. Fliegen, die mit dem Gen „Indy“ („I'm not dead yet“ – „Ich bin noch nicht tot“) behandelt (j) .... , seien am Ende ihres langen Lebens nicht inaktiver (k) .... als ganz normale Exemplare. Wer (l) .... nicht gerne doppelt so lange leben?

6.7 VERBERGÄNZUNGEN

Ich frage dich, du antwortest mir.

1 Funktion

Das Verb „dirigiert" den Satz. Vom Verb hängt es ab, wie viele Elemente in einem Satz obligatorisch sind und in welchem Kasus sie stehen. Man nennt solche Elemente Ergänzungen.

2 Formen

Subjekt Ergänzung NOM	Prädikat Verb	Objekt Ergänzung DAT	Objekt Ergänzung AKK	Objekt Ergänzung GEN
Der Hund	*schläft.*			
Es	*regnet.*			
Peter	*trifft*		*seine Freundin.*	
Sie	*besucht*		*eine Ausstellung.*	
Es	*gibt*		*keinen Nachtisch.*	
Er	*hat*		*einen neuen BMW.*	
Sie	*hilft*	*ihrer Mutter.*		
Tom	*gefällt*	*mir.*		
Das Kaufhaus	*liefert*	*uns*	*den Fernseher.*	
Ich	*schenke*	*ihrem Sohn*	*ein Fahrrad.*	
Man	*überführte*		*ihn*	*des Mordes.*

Die Dativ-Ergänzung gibt meist den Adressaten / das Ziel der Handlung an, die Akkusativ-Ergänzung den Gegenstand der Handlung. 📖 s. Seite 12-14

	Ergänzung NOM	Verb	Ergänzung NOM: Prädikatsnominativ
sein	*Fritz*	*ist*	*ein Schäferhund.*
werden	*Bernd*	*wird*	*ein großer Pianist.*
bleiben	*Er*	*bleibt*	*ein alter Geizhals.*
heißen	*Der Berg*	*heißt*	*Kleiner Watzmann.*

	Ergänzung NOM	Verb	Ergänzung temporal/lokal/modal
sein	*Sein Geburtstag*	*ist*	*am 1. August.*
bleiben	*Ihr*	*bleibt*	*zu Hause?*
werden	*Er*	*wird*	*berühmt.*

Liste der wichtigsten Verben und ihrer Ergänzungen 📖 s. Seite 213-217,
Verben mit Präpositionen 📖 s. Seite 223-226

1 Prädikatsnominativ (N), Akkusativ (A), Dativ (D) oder Genitiv (G)? – Identifizieren Sie den Kasus der Ergänzungen.

N	A	D	G	
	X			Ich sehe heute meinen Cousin zum ersten Mal.
				Warum folgt dir dieser Kerl eigentlich?
				Peter wird nie ein guter Tennisspieler.
				Du hast mir die Geschichte schon dreimal erzählt!
				Die Polizei verdächtigte meinen Nachbarn des Mordes.

2 Was passt zusammen? Nehmen Sie, wenn nötig, die Liste auf S. 193 zu Hilfe.

a) Thomas hat — mir heute nichts.
b) Es gelingt — mein Problem.
c) Leihst du — mir dein Auto?
d) Er kennt — großen Hunger.
e) Ich danke — dir für die Hilfe.

f) Er ist — ein fairer Spieler.
g) Du wirst — nett zu sein.
h) Man überführte — dir kein Wort.
i) Ich glaube — mich des Betrugs.
j) Er scheint — immer fauler.

3 Meine Freunde – Setzen Sie die Ergänzung im richtigen Kasus ein.

MICHELLE ist wie (a) ......*ich*...... (ich), denn auch (b) .... (sie) schmeckt alles, was (c) .... (wir Frauen) dick macht. Und: Sie sagt (d) ....*jeder*.... (jeder) deutlich (e) ......*ihre Meinung*........ (ihre Meinung).
SONJA ist und bleibt (f) .... (ein ewiger Problemfall). Denn (g) .... (diese Frau) misslingt alles, was sie anpackt. Trotzdem: Ich vertraue (h) .... (kein Mensch) so wie (i) .... (sie). Denn es gibt kaum (j) .... (ein Mensch), der (k) .... (andere) so gut zuhören kann.
(l) .... (Mein Freund) ERIK gehört seit zwei Jahren eine Internet-Firma. Seitdem hat er (m) .... (kein ruhiger Moment) mehr. Wegen seiner Arbeit hat er fast alle (n) .... (private Kontakte) verloren. Nur noch zu Weihnachten schreibt er (o) .... (seine alten Freunde) (p) .... (ein Gruß). Neulich bin ich (q) .... (er) zufällig auf einer Party begegnet, und er hat (r) .... (ich) erzählt, dass das Finanzamt versucht, (s) .... (er) (t) .... (der Steuerbetrug) zu überführen – wie er es im schönsten Juristen-Deutsch formuliert hat.

4 Gaunereien – Formulieren Sie Sätze.

a) ein Gaunerstück I beschäftigen I das Münchner Oberlandesgericht
   Ein Gaunerstück beschäftigt das Münchner Oberlandesgericht.
b) ein langjähriger Mitarbeiter der Spionageabwehr BND I verkaufen (Perf.) I der Dienst I von 1990 bis 1995 I dessen eigene geheime Informationen
c) als „Nachrichtenquelle" I auftreten (Prät.) I ein ehemaliger Kollege
d) der 49-Jährige I zurückbezahlen müssen I jetzt I der ergaunerte Agentenlohn
e) die Aufklärung I dauern (Prät.) I Monate • und I bedürfen (Prät.) I die Hilfe polnischer Kollegen
f) das Duo I anbieten (Plusq.) I seine Informationen I auch der polnische Geheimdienst
g) dieser I informieren (Prät.) I die Münchner Kollegen
h) so I gelingen (Prät.) I die deutschen Justizbehörden • die guten Geschäfte der beiden I ein Ende zu bereiten

6.8 VERBEN MIT PRÄPOSITIONEN

Max denkt gern an seinen Urlaub.

Viele Verben haben nicht (nur) eine Akkusativ-Ergänzung oder eine Dativ-Ergänzung, sondern (zusätzlich) eine Präpositional-Ergänzung. Es hängt von der Präposition ab, in welchem Kasus das Nomen steht.

ⓐ Verben mit Präpositionen + Akkusativ
auf, für, gegen, über, um

	auf	Akkusativ
Ich *antworte* **ihm**	*auf*	*seine letzte E-Mail.*
Die Kinder *freuen sich*	*auf*	*die großen Ferien.*

ⓑ Verben mit Präpositionen + Dativ
aus, bei, mit, nach, unter, von, vor, zu

	aus	Dativ
Dieses Haus *besteht*	*aus*	*Holz und Glas.*
Das Buch *wurde*	*aus*	*dem Englischen* *übersetzt.*

ⓒ Verben mit Präpositionen + Akkusativ/Dativ
an, in

	an	Akkusativ
Tom *denkt* **ständig**	*an*	*seinen nächsten Urlaub.*

	an	Dativ
Heinz *arbeitet* **seit Jahren**	*an*	*seiner Dissertation.*

ⓓ Verben mit *als* + Gleichsetzungskasus

Nominativ		als	Nominativ
Er	*arbeitet*	*als*	*Ingenieur beim Öko-Institut.*

	Akkusativ	als	Akkusativ
Man *bezeichnet*	**ihn**	*als*	*ausgezeichneten Spezialisten.*

ⓔ Manche Verben können mehrere Präpositionen (gleichzeitig) haben:

Er spricht mit seiner Kollegin immer nur über das Wetter.

Es ist erst November, aber die Kinder freuen sich schon auf Weihnachten.
Bernd freut sich über den Brief, den er von seiner Freundin bekommen hat.

Liste der wichtigsten Verben mit Präpositionen s. Seite 223-226

1 Studiengang „Interkulturelle Kommunikation" – Unterstreichen Sie die zu den Verben gehörenden Präpositionen und tragen Sie sie in die Liste ein.

In diesem Studium *geht es* hauptsächlich <u>um</u> die Kommunikation zwischen Menschen aus verschiedenen Kulturkreisen. Videoaufzeichnungen *helfen* bei der Analyse von Gesprächen und nonverbalen Signalen, und die Studenten *denken* gemeinsam über mögliche Strategien *nach*, um Kommunikationsschwierigkeiten zu vermeiden. So *gelten* die Finnen in Deutschland nur deshalb als Schweiger, weil wir sie nicht zu Wort kommen lassen. Südeuropäer *freuen sich* über körperliche Nähe und *empfinden* die Deutschen als sehr distanzierte Gesprächspartner. Und in Japan sollte man an Folgendes *denken*: Wer *sich* dort mit Geschäftspartnern zum Mittagessen *trifft*, sollte sich beim Essen nicht laut die Nase putzen, denn das *gilt* als grobe Unhöflichkeit.

um	*bei*	*über*	*als*	*an*	*mit*
es geht um					

2 Studenten sprechen über Deutschland – Ergänzen Sie die Präpositionen.

„(a) *An* das dauernde Händeschütteln kann ich mich einfach nicht gewöhnen", sagt Ai Kohatsu aus Japan. Und sie sehnt sich (b) da........................ , endlich einmal wieder wirklich frischen Fisch zu essen.

„Am Anfang habe ich mich (c) .... Stress, Stau und Verkehr geärgert", sagt Rafaela Rodriguez aus Ecuador. Aber inzwischen interessiert sie sich mehr (d) .... die neuen Leute, die sie kennengelernt hat.

„Deutsche gelten im technischen Bereich (e) .... Pragmatiker", sagt Jorge Gómez aus Spanien. Er wundert sich nur etwas (f) .... einige deutsche Gewohnheiten. „Hier gibt es Leute, die schon zum Mittagessen Bier trinken."

3 Einmal Urlaub machen – Ergänzen Sie – wo nötig – die Präpositionen und die Endungen.

Im letzten Frühjahr hatte Lisa sehr viel zu tun, sie musste in kurzer Zeit ein Buch (a) *aus* d*em* Russischen (b) .... Deutsche übersetzen. Als sie damit fertig war, war sie völlig erschöpft. Alle rieten ihr: Mach mal Urlaub und erhol dich (c) .... d................ Stress. Schließlich hatten sie Lisa (d) da................ überzeugt, dass sie wirklich eine Pause machen musste. Sie ging also in ein Reisebüro und informierte sich (e) .... mögliche Urlaubsziele. Zu Hause dachte sie (f) .... d................ verschiedenen Angebote nach und entschied sich (g) .... ein................ kleines Hotel in Süditalien – sie träumte schon (h) .... Sonne, Meer und Strand. Sie würde sich (i) .... frisch................ Fisch und Salat ernähren, abends würde sie Wein trinken, und vielleicht würde sie sich sogar (j) .... ein................ Italiener verlieben – wer weiß? Bei diesem Gedanken musste Lisa (k) .... sich selbst lachen, denn sie war glücklich verheiratet und hatte schon vier Enkelkinder.

6.9 REFLEXIVE VERBEN

Ich wasche mich. Ich wasche mir die Hände.

1 Funktion

Es gibt in der deutschen Sprache Verben, die immer reflexiv sind, und es gibt Verben, die reflexiv sein können:

reflexiv	*Gestern hat sich hier ein schwerer Unfall ereignet.*	ohne spezielle
	Ich habe mich um eine neue Stelle beworben.	Bedeutung
teil-reflexiv	*Ich habe gehört, die Müllers bauen sich ein Haus.*	„für sich selbst"
	Die beiden streiten sich ja schon wieder.	„miteinander"
	Er mag sie nicht, sie mag ihn nicht. – Sie mögen sich nicht.	„wechselseitig"*

* Manche Verben mit Präposition können eine wechselseitige Beziehung ausdrücken, ohne selbst reflexiv zu sein: *Die beiden Löwen kämpften miteinander.*

Liste der wichtigsten Verben mit Präpositionen s. Seite 223-226

2 Formen

Dativ und Akkusativ unterscheiden sich nur in der 1. und 2. Person Singular:

	Akkusativ	Dativ			Akkusativ = Dativ
ich	*mich*	*mir*		*wir*	*uns*
du	*dich*	*dir*		*ihr*	*euch*
er/sie/es		*sich*		*sie*	*sich*

Normalerweise steht das Reflexivpronomen im Akkusativ:
Ich wasche mich.

Wenn es bereits eine Akkusativ-Ergänzung oder einen *dass*-Satz/Infinitivsatz in dieser Funktion gibt, steht das Reflexivpronomen im Dativ:
Ich wasche mir die Hände.
Du bildest dir wohl ein, dass dein Arbeitsplatz sicher ist?

3 Satzstrukturen

Hauptsatz	*Jens kämmt sich die Haare selten.*	nach dem konjugierten Verb
	Er kämmt sie sich eigentlich nie.	nach dem Personalpronomen
Nebensatz	*Ich glaube, dass sich Max gut amüsiert.*	nach dem Konnektor*
Infinitiv mit *zu*	*Es ist sehr mühsam, sich auf diese Prüfung vorzubereiten.*	auf Position 1

* auch möglich:
Ich glaube, dass Max sich gut amüsiert hat. s. auch Seite 146 (Mittelfeld)

1 Aus Erfahrung wird man klug – Steht das Reflexivpronomen im Akkusativ (A) oder Dativ (D)? Kreuzen Sie an.

A	D	
✗		a) Vor jedem Sonnenbad sollte man sich gut eincremen.
		b) Ich habe mir im Urlaub leider einen ziemlichen Sonnenbrand geholt.
		c) Erst nach einer Woche hat sich meine Haut wieder erholt.
		d) Ich lege mich seitdem kaum noch in die Sonne.
		e) Und wenn doch, dann setze ich mir immer eine Mütze auf.

2 Partyromanze – Ergänzen Sie die Reflexivpronomen bzw. -einander.

Es war auf einer dieser Medien-Partys, als (a) *sich* Karin und Jack, der stadtbekannte Frauenheld und Angeber, zum ersten Mal begegneten. Sie unterhielten (b) .... über Filme und sprachen den ganzen Abend nur (c) mit....................... . „Ich sehe (d) .... am liebsten Experimentalfilme an", äußerte (e) .... Jack bedeutungsvoll, „vor allem die aus den späten 60ern." Er war zufrieden, als er ihren bewundernden Blick sah. „Und du, was siehst du (f) .... am liebsten an?" Vor dieser Frage hatte sie (g) .... schon gefürchtet. „Ich liebe auch Experimentalfilme", log sie, „ich beschäftige (h) .... besonders mit Filmen aus den frühen 70ern." – „Du machst (i) .... wohl über mich lustig?", dachte Jack, sagte aber: „Super! Wir könnten (j) .... ja mal im „Cineasmodrom" treffen, um (k) .... welche anzuschauen." Bei diesen Worten berührten (l) .... zufällig ihre Hände, und sie verliebten (m) .... – vor allem sie (n) .... in ihn. Arme Karin!

3 Trennungsberatung – Formulieren Sie Sätze mit den angegebenen Verben und den passenden Reflexivpronomen.
a) (streiten) Sie oft mit ihrem Partner?
    Streiten Sie sich oft mit ihrem Partner?
b) (überlegen) Sie manchmal, (trennen) von ihm?
c) Aber Sie (fürchten) vor dem Alleinsein?
d) Dann (kaufen + sollten) Sie auf jeden Fall unseren Ratgeber „ex". Sie finden dort 1000 Tipps, wie Sie (gewöhnen) an ein Leben ohne „sie" oder „ihn".
e) Am besten, Sie (besorgen) das Buch noch heute, um auf das Leben von morgen (vorbereiten).

4 Erziehung zur Selbstständigkeit – Formulieren Sie Sätze im Imperativ.
a) Meine Nase läuft. (sich die Nase putzen)
    Dann putz dir doch die Nase!
b) Meine Haare sind ganz unordentlich. (sich die Haare kämmen)
c) Der Pullover ist mir viel zu warm. (sich den Pullover ausziehen)
d) Meine Hände sind ganz dreckig. (sich die Hände waschen)
e) In der Zeitung wird ein ganz billiges Fahrrad angeboten. (sich das Fahrrad kaufen)
f) Unsere Tennisschläger sind noch im Keller. (sich die Tennisschläger raufholen)

5 Formulieren Sie die Sätze aus Übung 4 mit Personalpronomen.
a) *Dann putz sie dir doch.*

6.10 MODALVERBEN (1)

Ich kann schon, darf aber nicht.

1 Funktion

a) können

*Der kleine Max kann schon drei Wörter sagen.**	Fähigkeit
Man kann hier tolle Pullover kaufen.	Möglichkeit/Gelegenheit
Du kannst mein Auto nehmen / nicht nehmen.	Erlaubnis/Verbot
Könnten Sie mir bitte die Flasche reichen?	Bitte
Kann/Könnte ich Ihnen heute Abend die Stadt zeigen?	Vorschlag

* in der gesprochenen Sprache oft auch: *Der kleine Max kann schon drei Wörter.*

b) dürfen

Du darfst mein Auto nehmen / nicht nehmen.	Erlaubnis/Verbot
Darf/Dürfte ich Sie um einen Gefallen bitten?	Bitte
Darf/Dürfte ich eine Frage stellen?	
Darf/Dürfte ich Ihnen heute Abend die Stadt zeigen?	Vorschlag

Bei der Funktion „Erlaubnis/Verbot" betont *dürfen* stärker als *können* ein Hierarchieverhältnis: Ich bin die entscheidende Instanz, die erlaubt oder verbietet. Bei den Funktionen „Bitte" und „Vorschlag" wirkt *dürfen* formeller.

Formen s. Tabelle 📖 Seite 212

2 Alternativen

Er kann diese Arbeit allein tun.	*Er ist*	*fähig, in der Lage, geeignet,*	*diese Arbeit allein zu tun.*	Fähigkeit
Sie kann mit dem neuen Job sofort beginnen.	*Sie hat die*	*Gelegenheit, Möglichkeit, Chance,*	*mit dem neuen Job sofort zu beginnen.*	Möglichkeit/ Gelegenheit
Sie kann/darf hier parken.	*Sie hat das*	*Recht, die Erlaubnis, die Genehmigung,*	*hier zu parken.*	Erlaubnis
Man darf/kann in diesem Gebäude nicht rauchen.	*Es ist*	*verboten, untersagt, nicht erlaubt,*	*hier zu rauchen.*	Verbot
Kannst/Könntest du mir beim Kochen helfen?	*Wärst du so lieb, mir beim Kochen zu helfen? Hilfst du mir beim Kochen?*			Bitte
Kann/Darf ich Ihnen noch einen Kaffee anbieten?	*Möchten Sie vielleicht noch einen Kaffee?*			Vorschlag

1 **Kindheitserinnerungen – Ergänzen Sie dürfen im Präteritum.**

Als Kind (a) *durfte* ich jeden Nachmittag spielen. Du dagegen (b) .... nur am Wochenende mit anderen Kindern zusammen sein. Am schlimmsten war es bei Karin. Sie (c) .... weder fernsehen noch ins Kino gehen. Ihr dagegen, Alex und Vivi, (d) .... bei euren Eltern alles machen. – Stimmt. Wir (e) .... alles tun, was nicht gefährlich war. Unsere Eltern erlaubten uns alles, was sie in ihrer Kindheit nicht (f) ....

2 **Studentengespräche – Ergänzen Sie können oder dürfen. Manchmal sind auch zwei Lösungen möglich.**

a) Professor Huber *kann* erst nächste Woche mit seinen Veranstaltungen beginnen.
b) Du .... nur dann einen Platz in seinem Seminar bekommen, wenn du dich rechtzeitig angemeldet hast.
c) Außerdem .... man nur teilnehmen, wenn man einen Aufnahmetest besteht.
d) Am Ende des Semesters .... du entweder eine Seminararbeit oder eine Klausur schreiben.
e) Wer erfolgreich ist, ... später an einem Fortsetzungsseminar teilnehmen.
f) Wenn du willst, ... ich dir beim Ausfüllen des Fragebogens helfen.
g) Super! Vielleicht .... wir uns morgen Mittag in der Mensa treffen?
h) Prima Idee! Aber jetzt muss ich schnell in das Hauptseminar von meinem Germanistikprofessor. Bei dem .... man keine Minute zu spät kommen!

3 **Peterchen, das Wunderkind – Formulieren Sie Sätze mit können oder dürfen.**

a) Im Alter von sechs Monaten war er schon fähig, „Mama" zu sagen.
   Im Alter von sechs Monaten konnte er schon „Mama" sagen.
b) Nach weiteren *sechs* Monaten hatten wir die Gelegenheit, die ersten Gespräche mit ihm zu führen. Du hattest in diesem Alter nur eine Fähigkeit: Schreien.
c) Mit vier Jahren bekam er die Sondergenehmigung, die Schule zu besuchen.
d) Als Peterchen fünf war, war er bereits in der Lage, sich mit euch über Aktien zu unterhalten.
e) In der Schule hatten die Lehrer kaum eine Chance, ihm etwas beizubringen.
f) Und er war so höflich. Wenn Besuch kam, fragte er sofort: Möchten Sie vielleicht ein Stück Kuchen?
g) Es war allerdings verboten, ihn zu berühren: Er biss sofort zu.

4 **Eine Brieffreundschaft – Ergänzen Sie die Alternativen zu können und dürfen.**

Recht I in der Lage I Möglichkeit I erlauben I verbieten I fähig I untersagen I

Liebe Erika!
Leider konnte ich Dir nicht früher antworten – ich war zeitlich einfach nicht (a) *in der Lage* dazu. Stell Dir vor, unser Chef hat uns (b) .... , während der Arbeit privat zu telefonieren. Ich könnte mir vorstellen, er ist dazu (c) .... , das auch zu kontrollieren. Früher hat er uns (d) .... , wenigstens ein paar private Anrufe zu machen. Ich jedenfalls finde, jeder hat das (e) .... auf ein bisschen Privatleben auch im Büro. Wenigstens habe ich noch die (f) .... , Dir vom Büro aus zu schreiben. Das lasse ich mir nicht auch noch (g) .... !

6.11 MODALVERBEN (2)

Ich muss und soll, will aber nicht.

<u>1</u>   **Funktion**

ⓐ müssen

	Notwendigkeit durch ...
Der Reifen ist kaputt. Du musst einen neuen kaufen.	... äußere Umstände
Sie müssen die Gebühren bis Ende des Monats zahlen.	... Autoritäten
Ich muss mich wieder mehr um meinen Hund kümmern.	... innere Verpflichtung

ⓑ sollen

Herr Becker hat angerufen. Sie sollen zurückrufen. *Ihr sollt euer Zimmer endlich aufräumen.* *Unsere Tochter soll reich heiraten.*	Erwartung an eine andere Person/Aufforderung
Mit dem Husten sollten* Sie besser zum Arzt (gehen). *Ich sollte* mehr Sport treiben.*	Rat/Empfehlung

ⓒ wollen

Ich will im nächsten Urlaub nach Portugal fahren.	Plan/Absicht

* Konjunktiv II

Formen s. Tabelle 📖 **Seite 212**

<u>2</u>   **Alternativen**

Das Geld ist weg, wir müssen sparen.	*Es ist leider notwendig, dass wir sparen.* *Es bleibt uns nichts anderes übrig, als zu sparen.* *Wir sind gezwungen zu sparen.*	Notwendigkeit
Ich musste dem Verletzten helfen.	*Ich war verpflichtet, dem Verletzten zu helfen.*	
Er muss noch viel tun.	*Er hat noch viel zu tun.*	
Du musst nicht rennen.	*Du brauchst* nicht zu rennen.*	negativ einschränkend
Ich muss nur/bloß noch 10 Minuten arbeiten.	*Ich brauche* nur/bloß noch 10 Minuten zu arbeiten.*	
Sie sollen ihm das Geld bis morgen zurückgeben.	*Er erwartet / verlangt / fordert Sie auf, dass Sie ihm das Geld bis morgen zurückgeben.* *Geben Sie ihm das Geld bis morgen zurück!*	Erwartung/ Aufforderung
Du solltest öfter mal zuhören.	*Es ist empfehlenswert, öfter mal zuzuhören.* *Es wäre besser, wenn du öfter mal zuhören würdest.*	Empfehlung
Ich soll am Flughafen abgeholt werden.	*Es ist vorgesehen/geplant, dass ich am Flughafen abgeholt werde.*	unpersönlicher Plan
Er will das Haus kaufen.	*Er beabsichtigt / hat vor, das Haus zu kaufen.* *(schwächer:) Er möchte das Haus kaufen.*	Plan/Absicht

* brauchen + zu kann nur negativ oder einschränkend verwendet werden. 📖 **s. auch Seite 108**

1 Notwendigkeit (N), Erwartung (E), Rat (R) oder Plan (P)? – Kreuzen Sie an.

N	E	R	P	
		X		a) Ihr solltet es mal mit Homöopathie versuchen.
				b) Wir mussten eine Woche in diesem lauten Hotel bleiben.
				c) Man will hier bis Herbst einen Kindergarten bauen.
				d) Wir sollen unsere Schulden bis Jahresende zurückzahlen.
				e) Du solltest dir diesen Film unbedingt ansehen.
				f) Wir müssen die Rechnung erst bei Lieferung bezahlen.

2 Eheliche Erwartungen – Formen Sie um. Verwenden sie sollen bzw. Alternativen.
a) Stell dir vor: Mein Mann will, dass ich zu seinen schrecklichen Eltern mitkomme.
   Ich soll zu seinen schrecklichen Eltern mitkommen.
b) Ich soll extra für sie Kekse backen.
   Er erwartet von mir, dass ich extra für sie Kekse backe.
c) Er erwartet, dass ich mich den ganzen Abend mit seiner arroganten Mutter unterhalte.
d) Ich soll die fette Gans essen.
e) Er möchte, dass ich den hässlichen neuen Schrank schön finde.
f) Er verlangt, dass ich mit seinem alten Onkel tanze.
g) Ich soll über die dummen Witze seines Vaters lachen.
h) Ich soll mir die langweiligen Urlaubsfotos ansehen.
i) Und er will sogar, dass ich den geschmacklosen Familienschmuck trage!

3 Szenen einer Ehe – Ergänzen Sie müssen und sollen. Manchmal gibt es zwei Lösungen.
- ■ Wir (a) *müssen* uns beeilen, das Taxi wartet.
- ▨ Aber ich weiß doch noch gar nicht, was ich anziehen (b) .... Was meinst du? Vielleicht (c) .... ich doch besser das kurze grüne Kleid anziehen.
- ■ Du weißt genau, dass wir bei meinen Eltern immer pünktlich sein (d) ....
- ▨ (e) .... du eigentlich in diesem Ton mit mir reden?
- ■ Um acht Uhr (f) .... wir da sein. Jetzt ist es schon fünf vor acht.
- ▨ Hetz mich nicht, deine Mutter (g) .... sich freuen, dass ich überhaupt mitkomme!
- ■ Wir (h) .... jetzt los! Meine Mutter lässt dir übrigens ausrichten, dass du dich zum Essen auf eine Überraschung freuen (i) ....
- ▨ Oje, (j) .... das sein? Da hätten wir besser hier bei uns noch etwas gegessen.

4 Studenten vor der Prüfung – Bilden Sie Sätze mit sollen, müssen oder wollen.
a) Es ist besser, wenn ich mir während des Vortrags Notizen mache.
   Ich sollte mir während des Vortrags Notizen machen.
b) Man erwartet von mir, dass ich das Examen mit Bestnote mache.
c) Darum bin ich gezwungen, jeden Tag bis Mitternacht zu lernen.
d) Leider ist es notwendig, dass ich noch dreißig Bücher durchlese.
e) Mein Vater verlangt von mir, dass ich ab nächstem Jahr in seiner Firma arbeite.
f) Dann habe ich Tag für Tag zu tun, was der „alte Herr" sagt.
g) Er hat leider erst in 10 Jahren vor, sich aus der Firmenleitung zurückzuziehen.
h) Ich glaube, es wäre besser, wenn ich erst mal ein halbes Jahr verreise.

6

6.12 MODALVERBEN SUBJEKTIV (1)

Er soll der Dieb gewesen sein. Er will den Unfall gesehen haben.

__1__ Funktion

sollen:
Sebastian gibt nur wieder, was andere über Max behaupten. Er selbst ist nicht sicher, ob diese Information stimmt.

wollen:
Sebastian gibt wieder, was Max von sich selbst behauptet. Ob diese Behauptung stimmt, ist eine ganz andere Frage.

__2__ Formen

Gegenwart		Modalverb		Infinitiv
	Jan	*soll*	*zehn Fremdsprachen*	*beherrschen.*
	Jan	*will*	*zehn Fremdsprachen*	*beherrschen.*

Vergangenheit		Modalverb		Infinitiv Perfekt
	Katja	*soll*	*die Katze*	*gerettet haben.*
	Katja	*will*	*die beste Tänzerin*	*gewesen sein.*

Ob *sollen* und *wollen* subjektive oder objektive Bedeutung haben, hängt im Präsens vom Kontext ab:

Jan soll zehn Fremdsprachen beherrschen.	a) objektive Bedeutung*: Jans Eltern wollen das.
	b) subjektive Bedeutung: Man behauptet das über ihn.
Jan will zehn Fremdsprachen beherrschen.	a) objektive Bedeutung*: Das ist Jans Ziel.
	b) subjektive Bedeutung: Jan behauptet das über sich selbst.

* s. Seite 102

In der Vergangenheit sieht man den Bedeutungsunterschied bereits an der Form:
objektiv: *Max sollte zehn Fremdsprachen beherrschen.*
subjektiv: *Max soll zehn Fremdsprachen beherrscht haben.*

__3__ Alternativen

sollen	*Es heißt / Man sagt/behauptet/erzählt, dass er den Wagen gestohlen hat. Angeblich / Gerüchten zufolge hat er den Wagen gestohlen.*
wollen	*Er behauptet, / Er sagt von sich, / Er versichert, dass er die Frau nicht überfallen hat.*

1
III

Diese Müllers! – Wo behaupten andere etwas über die Müllers (1) und wo behaupten die Müllers selbst etwas über sich (2)?

	1	2
a) Die Müllers sollen sich ein Haus gekauft haben.	X	
b) Sie sollen das Haus bar bezahlt haben.		
c) Sie wollen im Lotto gewonnen haben.		
d) Herr Müller soll unsaubere Geschäfte machen.		
e) Er soll deswegen sogar schon im Gefängnis gewesen sein.		
f) Herr Müller will während dieser Zeit im Ausland gewesen sein.		

2
III

Der Angeber – Ergänzen Sie wollen oder sollen.
a) Hast du schon gehört? Der neue Kollege *soll* in Harvard studiert haben.
b) Er .... der Beste in seiner Klasse gewesen sein. Wenigstens behauptet er es.
c) Er .... das Studium in Rekordzeit beendet haben. So wird über ihn erzählt.
d) Man .... ihm anschließend ein Promotionsstipendium angeboten haben.
e) Er .... seine Diplomarbeit in nur drei Monaten geschrieben haben. Das erzählt er jedem.
f) Er .... seine Karriere schon ab dem zweiten Semester vorbereitet haben. So sagt man.
g) Schon jetzt .... er der Liebling vom Chef sein. Das habe ich in der Kantine gehört.
h) Er .... seinem Chef schon viele Verbesserungen vorgeschlagen haben. So ein Angeber!

3
III

Steuergerüchte – Formulieren Sie die Sätze mit wollen und sollen.
a) Es wird berichtet, dass die Mehrwertsteuer bald schon wieder erhöht wird.
Die Mehrwertsteuer soll bald schon wieder erhöht werden.
b) Das Nachrichtenmagazin „Fakten" behauptet, als erstes Presseorgan davon erfahren zu haben.
c) Es heißt, dass es innerhalb der Regierung noch Differenzen über den Zeitpunkt gibt.
d) Angeblich ist der Wirtschaftsminister gegen eine sofortige Erhöhung.
e) Der Finanzminister versichert, alle Alternativen geprüft zu haben.
f) Gerüchten zufolge beträgt die Erhöhung nur 1,5 Prozent.

4
III

Berufsrisiko! – Ersetzen Sie wollen und sollen durch Alternativen mit derselben Bedeutung.
Der weltberühmte Pilzforscher A. Helliwell soll an einem Pilz-Omelett gestorben sein (angeblich). Seit seinem sechsten Lebensjahr soll er sich für Pilze interessiert haben (Man berichtet, dass ...). In seiner Jugend soll ein Einzelgänger gewesen sein (Es heißt, dass ...). Schon mit 18 will er Deutschlands Pilzexperte Nr. 1 gewesen sein (Er behauptete, dass ...). Auf einem internationalen Pilzkongress soll er seine spätere Frau Charlotte kennengelernt haben (Gerüchten zufolge ...). Sie will große Teile ihres Vermögens für die Rettung gefährdeter Pilzarten ausgegeben haben (Sie versichert, dass ...).

Der weltberühmte Pilzforscher A. Helliwell ist angeblich an einem Pilzomelett gestorben. ...

6.13 MODALVERBEN SUBJEKTIV (2)

Das muss / dürfte / könnte Hans sein.

1 Funktion

Das muss doch Hans sein. Und das kann nur Eva sein.

Du müsstest eigentlich Peter sein. Und du dürftest seine Frau sein.

Der dort drüben könnte unser Mathelehrer sein.

Auf einem Klassentreffen nach 30 Jahren sehen die meisten ganz anders aus als früher. Deshalb ist häufig nur zu vermuten, wer welcher ehemalige Mitschüler oder Lehrer ist. **Vermutungen** kann man im Deutschen mit Modalverben ausdrücken. Welches man nimmt, hängt von der Sicherheit der Vermutung ab:

100 % absolut sicher	90 % fast sicher	75 % wahrscheinlich	50 % möglich
muss *kann nur / kann nicht*	*müsste* *müsste eigentlich*	*dürfte*	*könnte*

2 Formen

Gegenwart		Modalverb		Infinitiv
	Das	*dürfte*	*mein Sportlehrer*	*sein.*
	Er	*muss*	*eine Menge Geld*	*verdienen.*

Vergangenheit		Modalverb		Infinitiv Perfekt
	Das	*dürfte*	*mein Sportlehrer*	*gewesen sein.*
	Er	*muss*	*eine Menge Geld*	*verdient haben.*

Die „objektive" oder „subjektive" Bedeutung von *müssen* hängt im Präsens vom Kontext ab:
Er muss viel Geld verdienen.
objektiv: *Er hat eine große Familie zu ernähren. Er ist gezwungen, viel Geld zu verdienen.*
subjektiv: *Er ist ein sehr erfolgreicher Fernsehstar. Ich bin sicher, dass er viel Geld verdient.*

In der Vergangenheit sieht man den Bedeutungsunterschied bereits an der Form:
objektiv: *Er musste viel Geld verdienen. / Er hat viel Geld verdienen müssen.*
subjektiv: *Er muss viel Geld verdient haben.*

3 Alternativen

100 %	*Mit Sicherheit / Bestimmt / Zweifellos hat Max diesen Witz erzählt.* *Ich bin (mir) (ganz) sicher, dass Max diesen Witz erzählt hat.*
90 %	*Ich bin (mir) fast sicher, / Es ist so gut wie sicher, dass Max diesen Witz erzählt hat.*
75 %	*Wahrscheinlich/Vermutlich hat Max diesen Witz erzählt.* *Ich vermute, / Ich nehme an, dass Max diesen Witz erzählt hat.* *Diesen Witz wird wohl Max erzählt haben.* Seite 90
50 %	*Möglicherweise/Vielleicht hat Max diesen Witz erzählt.* *Es ist denkbar, / Ich halte es für möglich, dass Max diesen Witz erzählt hat.*

1 III Wie sicher ist sich Alexander: 100 %, 90 %, 75 % oder 50 %? Kreuzen Sie an.

	100%	90%	75%	50%
a) Franz muss krank sein.	X			
b) Er könnte sich überarbeitet haben.				
c) Der neue Chef dürfte so um die 50 sein.				
d) Das kann ihr nur Manfred erzählt haben.				
e) Er müsste jetzt schon verreist sein.				

2 III Auf Schlüsselsuche – Ergänzen Sie die Modalverben.

- Jemand (a) *muss* meine Autoschlüssel weggenommen haben. Da bin ich mir absolut sicher.
- Es gibt ja auch noch andere Möglichkeiten. Du (b) .... sie im Büro vergessen haben.
- Das (c) .... nicht sein. Ich weiß genau, dass ich sie auf den Tisch gelegt habe.
- Dann (d) .... sie nur wieder in einem deiner 1000 Mäntel stecken, wie das letzte Mal.
- Wer ruft denn da schon wieder an?
- Das (e) .... Norbert sein. Ich bin mir sicher.
- Er soll den Ersatzschlüssel mitbringen. Er (f) .... eigentlich noch einen haben.

3 III Hobbykriminologen – Formulieren Sie die Sätze mit Modalverben.

„Der Gärtner war zweifel-
los der Mörder."

„Kein anderer hatte
die Möglichkeit, dieses
Verbrechen zu begehen."

„Das Motiv war
vermutlich Geldgier."

„Vielleicht hat aber auch
Eifersucht eine Rolle
gespielt."

„Man nimmt an, dass
auch der Chauffeur
beteiligt war."

„Es ist so gut wie sicher,
dass der Fall bald
abgeschlossen ist."

Der Gärtner muss der Mörder gewesen sein.

4 III Jugendliche am Matterhorn verunglückt – Ersetzen Sie die Modalverben durch Alternativen.

Leichtsinn und mangelhafte Vorbereitung dürften der Grund gewesen sein, warum vier Jugendliche am Matterhorn tödlich verunglückt sind (vermutlich). Diese müssen nach Ansicht der Rettungsmannschaft bei Nebel vom richtigen Weg abgekommen sein (überzeugt sein). Zu diesem Zeitpunkt dürfte es bereits dunkel gewesen sein (wahrscheinlich). Dabei könnten einige der Jugendlichen in Panik geraten sein (möglicherweise). Es kann sich bei ihnen nur um völlige Anfänger gehandelt haben (mit Sicherheit). Die Schweizer Behörden: Sie müssen aus Sparsamkeitsgründen auf einen Bergführer verzichtet haben (bestimmt).

Leichtsinn und mangelhafte Vorbereitung waren vermutlich der Grund, warum vier Jugendliche am Matterhorn tödlich verunglückt sind.

6.14 *BRAUCHEN + ZU – HABEN + ZU – SEIN + ZU*

Herr Doktor, Sie brauchen nicht zu kommen, da ist nichts mehr zu machen.

Gut, denn ich habe eine Menge anderer Patienten zu behandeln!

1 Funktion

ⓐ Alltagssprache

brauchen + zu	*Du brauchst deine Haare heute nicht mehr zu waschen.* *Du brauchst den Hund nur einmal pro Tag zu füttern, die Schlange bloß einmal pro Woche.*	= müssen	in negativen oder einge-schränkten Aussagen*: objektive Notwendigkeit
haben + zu	*Ich habe noch etwas zu erledigen.*	= müssen	in positiven Aussagen: persönliche Verpflichtung
	Sie haben hier nichts zu suchen. *Er hat hier nur wenig zu sagen.*	= dürfen	in negativen oder einge-schränkten Aussagen**: Verbot, an eine Person gerichtet
sein + zu	*Der Wein ist noch zu trinken.* *In diesem Fall ist nichts mehr zu machen.*	= können	unpersönliche Möglichkeit***

*ersetzt *müssen* nie in uneingeschränkten positiven Aussagen, wie z. B.: *Du musst kommen.*
** oft feste Wendungen ***Passiv-Ersatzform 📖 s. Seite 128

ⓑ offizielle Sprache

haben + zu	*Sie haben zu tun, was ich sage.*	= müssen	in positiven Aussagen: Vorschrift, an eine Person gerichtet
	Sie haben vor Gericht nur zu sprechen, wenn man Sie fragt. *Sie haben hier keine Fragen zu stellen.*	= dürfen	in negativen oder einge-schränkten Aussagen: Verbot, an eine Person gerichtet
sein + zu	*Sturmschäden sind umgehend der Versicherung zu melden.*	= müssen	in positiven Aussagen: generelle Vorschrift*
	Bei der Prüfung sind nur zugelas-sene Hilfsmittel zu verwenden.	= dürfen	in negativen oder einge-schränkten Aussagen: generelles Verbot*

*Passiv-Ersatzform 📖 s. Seite 128

2 Formen und Satzstruktur

Das brauchst du nicht zu tun. *Ich hatte viel aufzuräumen.*	Hauptsatz: Infinitiv mit zu am Satzende
Es ist klar, dass viel zu erledigen ist.	Nebensatz: Infinitiv mit zu an vorletzter Position

Infinitiv + *zu* 📖 s. Seite 164

1 Schüleralltag – Kann man statt müssen auch brauchen + zu verwenden?
Kreuzen Sie an.

	ja	nein
a) Chris muss nur an zwei Wochentagen ganz früh aufstehen.	X	
b) Und er muss zum Glück nur fünf Minuten für seinen Schulweg einplanen.		
c) Wenn er den Direktor sieht, muss er ihn grüßen.		
d) Heutzutage müssen die Schüler nicht aufstehen, wenn der Lehrer kommt.		
e) Zum Glück muss er heute keinen Test schreiben.		
f) Am Nachmittag muss er bloß ein paar Vokabeln lernen.		
g) Am Abend muss er spätestens um halb neun im Bett liegen.		

2 Mutter ist die Beste – Ersetzen Sie müssen durch brauchen + zu und umgekehrt.
a) Der Wagen ist schon gewaschen. Ihr müsst ihn nicht mehr waschen.
   Ihr braucht ihn nicht mehr zu waschen.
b) Die Schuhe sind schon geputzt. Du brauchst sie nicht mehr zu putzen.
   Du musst sie nicht mehr putzen.
c) Die Blumen sind schon eingepflanzt. Paul muss sie nur noch gießen.
d) Die Einkaufstüten stehen in der Küche. Ihr müsst sie nur noch auspacken.
e) Der Hund ist schon abgeholt. Eva braucht ihn bloß noch zu füttern.
f) Wir brauchen nicht essen zu gehen. Ich habe bereits gekocht.
g) Du musst den Kindern keine Geschichte vorlesen. Ich mache das schon.

3 Pflichten und Verbote – Antworten Sie mit haben + zu.
a) Musst du noch viel tun? – Ja, ich *habe noch viel zu tun.*
b) Muss Peter noch seine Hausaufgaben machen? – Ja, er …
c) Darf die Katze im Bett schlafen? – Nein, sie …
d) Muss Gerd noch den Rasen mähen? – Ja, er …
e) Darf Petra während der Woche in die Disco gehen? – Nein, sie …

4 Bitte widersprechen Sie – Verwenden Sie sein + zu.
a) Diesen Saft kann man nicht mehr trinken. ¬ Doch, er *ist noch zu trinken.*
b) Diese Wurst kann nicht mehr gegessen werden. – Doch, sie …
c) Dieses Haus kann man nicht mehr renovieren. – Doch, es …
d) Diese Hose kann man noch flicken. – Nein, sie …
e) Dieses Auto kann noch repariert werden. – Nein, es …

5 Paradies mit Pflichten – Verwenden Sie müssen oder dürfen.

a) Im Badeparadies „Aquaplantsch" ist in allen Räumen auf Rücksichtnahme und Sicherheit zu achten.
   Im Badeparadies „Aquaplantsch" muss in allen Räumen auf Rücksichtnahme und Sicherheit geachtet werden.
b) Jeder Badegast hat die Haus- und Badeordnung zu beachten.
c) Aus hygienischen Gründen sind Badeschuhe ausschließlich im Trockenbereich zu tragen.
d) In den Badebereichen haben auch Kleinkinder Badekleidung zu tragen.
e) Bei Verlust der Eintrittskarte ist der geltende Tagespreis zu zahlen.
f) Die Badegäste haben alle Einrichtungen des Badeparadieses sorgfältig zu behandeln.
g) Für Papier und sonstige Abfälle sind die Abfallbehälter zu benutzen.

6.15 *HELFEN – HÖREN – SEHEN – LASSEN • BLEIBEN – GEHEN – LERNEN*

Du hast mich rufen hören und bist trotzdem sitzen geblieben!

1 Funktion

Sie hilft dir kochen.	Unterstützung einer Aktivität
Hört ihr ihn Gitarre spielen? *Ich sehe einen Wagen kommen.*	Wahrnehmung einer Aktivität
Ich lasse mir die Haare schneiden. *Ich lasse Hans mit meinem Auto fahren.* *Wir lassen unser Gepäck im Bus liegen.*	veranlassen, dass jemand etwas für einen tut erlauben/zulassen, dass etwas geschieht etwas zurücklassen
Ich bleibe sitzen.	unveränderter Zustand, keine Aktivität
Ich gehe schwimmen. *Meine Schwester lernt Tennis spielen.*	„auf dem Weg" zu einer Aktivität

2 Formen und Satzstruktur

Zusammen mit einem Vollverb verhalten sich *helfen*, *hören*, *sehen* und *lassen* in Haupt- und Nebensatz in allen Zeiten wie ein Modalverb:

Wir hörten ihn schon von weitem um Hilfe rufen. *Ich half meiner Schwester die Koffer tragen.*	Präteritum	Hauptsatz
Ich habe mir die Haare schneiden lassen.	Perfekt	
Ich glaube nicht, dass sie den Wagen kommen sah.	Präteritum	Nebensatz
Bist du sicher, dass wir unser Gepäck im Bus haben liegen lassen?	Perfekt	

📖 s. Seite 212 Konjugation der Modalverben

Bei *bleiben*, *gehen* und *lernen* gilt dies nur für das Präsens und Präteritum. Im Perfekt und Plusquamperfekt verwendet man die gewöhnliche Satzstellung mit Hilfsverb und Partizip Perfekt:

Hans bleibt immer sitzen, wenn es an der Tür klingelt.	Präsens	Hauptsatz
Hans ist sitzen geblieben, als es an der Tür klingelte.	Perfekt	
Als sie Tennis spielen lernte, verliebte sie sich in ihren Tennislehrer.	Präteritum	Nebensatz
Ich hoffe nicht, dass Andrea mit Tom schwimmen gegangen ist.	Perfekt	

Helfen und *lernen* können auch einen Infinitiv + *zu* nach sich ziehen – vor allem dann, wenn der Infinitiv durch längere Zusätze erweitert wird:
Ich half meiner Schwester, die schweren Koffer zum Auto zu tragen.
Max hat immer noch nicht gelernt, in kritischen Situationen seinen Mund zu halten.

1 **Peter, der Faulpelz – Bilden Sie Sätze mit** sich lassen **im Präsens.**

a) das Frühstück machen
b) ins Büro fahren
c) den Kaffee kochen
d) das Mittagessen holen
e) seine Mails schreiben
f) das Meeting für nächste Woche organisieren
g) das Geschenk für seine Tochter kaufen
h) sogar seine Brille putzen

a) *Das Frühstück macht er nicht selbst, sondern er lässt es sich machen.*

2 **Hundeliebe – Bilden Sie Sätze mit** lassen **im Perfekt.**
Weißt du noch? Unsere Oma hat ihrem Hund „Bingo" einfach alles erlaubt. Er durfte ...

a) ... von ihrem Teller fressen.
b) ... aus ihrer Tasse trinken.
c) ... auf dem hellen Sofa liegen.
d) ... in ihrem Lieblingssessel sitzen.
e) ... auch nachts im Garten bellen.
f) ... die Katzen der Nachbarn jagen.
g) ... die teuren Schuhe kaputt beißen.
h) ... sogar in ihrem Bett schlafen.

a) *Sie hat ihn von ihrem Teller fressen lassen.*

3 **Sommernacht – Bilden Sie Fragesätze mit** hören **und** sehen.

a) Die Sonne geht unter.
b) Die Vögel singen.
c) Die Katzen schreien.
d) Die Liebespaare umarmen sich.
e) Die Fledermäuse fliegen.
f) Das Meer rauscht.
g) Der Mond scheint durch die Wolken.
h) Die Leute im Nachbargarten singen.

a) *Siehst du die Sonne untergehen?*

4 **Paul und Paula im Zoo – Bilden Sie Sätze mit** hören **und** sehen.

a) die Tiger / brüllen
b) die Eisbären / fressen
c) die Affen / tanzen
d) die Papageien / schreien
e) die Taranteln / krabbeln
f) die Elefanten / trompeten

a) *Sie haben die Tiger brüllen hören.*

5 **Arbeitsteilung – Bilden Sie Fragen und Antworten. Verwenden Sie** schon / auch nicht **nur in den Antworten.**

a) gehen / mit den Kindern / schon / wandern
b) lernen / schon / tanzen
c) bleiben / im Café / auch nicht / sitzen
d) gehen / mit dem Hund / spazieren / schon
e) lernen / Klavier / schon / spielen
f) bleiben / im Bett / auch nicht / liegen

a) *Warum gehst du nicht mit den Kindern wandern? – Meine Frau ist schon mit ihnen wandern gegangen.*

6.16 *KENNEN – WISSEN – KÖNNEN • MÖGEN – GEFALLEN ...*

Kennst du den Mann?
Gefällt dir das Haus?

Kannst du gut Japanisch?

ⓐ *kennen – wissen – können*

Na ja, „gut" ist übertrieben.
Aber ich kenne mittlerweile
viele Schriftzeichen und weiß,
wie die wichtigsten Regeln
funktionieren.

kennen (kannte/ hat gekannt)	Ich *kenne* Frau Sakurai gut. Ich *kenne* die japanische Küche.	+ AKK	Information durch eigene Erfahrung (Personen/Sachen)
wissen (weiß/wusste/ hat gewusst)	Ich *weiß*, dass die japanische Küche sehr fettarm ist.	+ Nebensatz	Information durch Kenntnisse (Tatsachen)
	Ich *weiß** den Weg / die Antwort / eine Lösung / einen guten Arzt.	+ AKK	
	Sie *weiß* alles über uns. Was *wissen* Sie über dieses Projekt?	+ über (+ AKK)	detaillierte Information
	Wussten Sie von diesem Projekt?	+ von (+ DAT)	vage Information
können (konnte/ hat ... können)	Ich *kann* fließend Japanisch.** Ich *kann* japanisch kochen. Sie *können* mich abends anrufen.	+ Infinitiv	Fähigkeit/ Möglichkeit

* Hier ist auch *kennen* möglich.   **Das Verb *sprechen* fällt oft weg.

ⓑ *mögen – gefallen – schmecken – lieben – gern(e) haben – gern(e) machen / tun*

mögen (mochte/ hat gemocht)	*Magst* du Hunde? – Nein, ich *mag* Hunde überhaupt nicht.	+ AKK	Zustimmung/ Sympathie
möchte* (= Kon- junktiv II)	Ich *möchte* ein Eis.		höfliche Umschrei- bung von *ich will*
gefallen (gefällt/gefiel/ hat gefallen)	Es *gefällt* mir, wie er seine Kinder erzieht. Dieses Kleid *gefällt* mir sehr.	+ DAT	etwas/jemanden gut/ schön finden (nicht für Essen und Trinken)
schmecken	Mir *schmeckt* diese Suppe.		ein Essen oder Ge- tränk gut finden
lieben	Er *liebte* seine Frau. Aber er *liebte* auch seine Freiheit.	+ AKK	etwas/jemanden außer- gewöhnlich mögen
gern(e)/lieber/ am liebsten haben	Ich *habe* sie sehr *gern*, *lieber* übrigens als ihre Schwester.		= *mögen*
gern(e)/lieber/ am liebsten machen/tun	Was machst du in deiner Freizeit *am liebsten*? Treibst du *gern* Sport oder bist du *lieber* einfach nur faul?		eine Aktivität mögen

* nur im Präsens (im Präteritum: *ich wollte*)

1 Urlaubsbekanntschaften – Wurden in den folgenden Sätzen kennen, wissen und
können richtig verwendet? Korrigieren Sie, wo nötig.

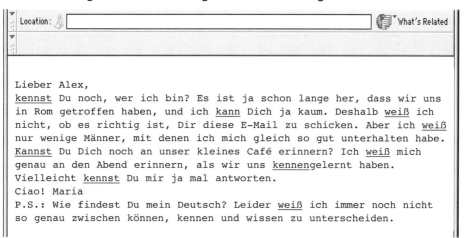

Korrektur

Lieber Alex,

<u>kennst</u> Du noch, wer ich bin? Es ist ja schon lange her, dass wir uns
in Rom getroffen haben, und ich <u>kann</u> Dich ja kaum. Deshalb <u>weiß</u> ich
nicht, ob es richtig ist, Dir diese E-Mail zu schicken. Aber ich <u>weiß</u>
nur wenige Männer, mit denen ich mich gleich so gut unterhalten habe.
<u>Kannst</u> Du Dich noch an unser kleines Café erinnern? Ich <u>weiß</u> mich
genau an den Abend erinnern, als wir uns <u>kennen</u>gelernt haben.
Vielleicht <u>kennst</u> Du mir ja mal antworten.
Ciao! Maria
P.S.: Wie findest Du mein Deutsch? Leider <u>weiß</u> ich immer noch nicht
so genau zwischen können, kennen und wissen zu unterscheiden.

weißt

2 Wer weiß Bescheid? – Ergänzen Sie kennen, wissen oder können.

a) *Wissen* Sie, wie man nach der Arbeit am besten abschalten .... ? Ich
.... jemanden, der alles, was ihm im Kopf herumgeht, auf einen Zettel
schreibt und diesen dann feierlich verbrennt. .... Sie auch einen Trick?

b) Birgit .... (Prät.) nichts von Peters Plan, ein neues Auto zu kaufen. Wenn sie
.... hätte, was er vorhat, hätte sie laut protestiert. Als der Wagen dann plötzlich vor der Haustür stand, ... sie nichts mehr daran ändern.

c) Was .... Sie über Goethe? .... Sie ein Theaterstück von ihm?
Haben Sie .... , dass er Beamter war? Ich habe mal jemanden .... ,
der den halben „Faust" auswendig .... (Prät.).

3 Nachbarschaftshilfe – Ergänzen Sie die Verben.

gefallen (3x) I gern haben (2x) I lieben (2x) I mögen (2x) I schmecken I möchte

■ Wie (a) *gefällt* dir eigentlich dein neuer Nachbar?
■ Ein süßer Typ. Ich (b) .... ihn sehr. Ich war sogar schon zum Essen bei ihm.
■ Das ging aber schnell. Und – hat es dir (c) .... ?
■ Was? Ach so, das Essen. Ja, aber was mir besonders (d) .... hat, war seine
sensible Art. Ich (e) .... es .... , wenn Männer zuhören können.
■ Oje, dann hast du wieder mal den ganzen Abend geredet. Nicht jeder Mann
(f) .... das.
■ Nein ich glaube, er (g) .... mich ganz .... Er hat mir übrigens
erzählt, dass er geschieden ist. Seine Frau hat nach acht Jahren plötzlich gemerkt, dass
sie ihn nicht mehr (h) .... Sie hat jetzt einen anderen. Und weißt du, was?
Er (i) .... es, durch Antiquitätenläden zu ziehen. Besonders (j) ....
ihm alte japanische Möbel. Er (k) .... mit mir am Samstag auf die
Antiquitätenmesse gehen. Ist das nicht süß?

6.17 *LEGEN/LIEGEN* • *SETZEN/SITZEN*

Ich lege das Buch auf den Tisch. Das Buch liegt auf dem Tisch.

1 Funktion

„Noch vor 5 Minuten stand das Rad neben der Haustür. Ich habe es selbst dorthin gestellt."

Handlung	Resultat
Sie setzt die Katze auf den Boden.	*Die Katze sitzt auf dem Boden.*
Paul stellt die Flasche in den Schrank.	*Die Flasche steht im Schrank.*
Er legt die Zeitung auf den Tisch.	*Die Zeitung liegt auf dem Tisch.*
Ich hänge das Regal an die Wand.	*Das Regal hängt an der Wand.*
Er steckt den Schlüssel ins Schloss.	*Der Schlüssel steckt im Schloss.*

2 Formen

regelmäßige Verben mit Akkusativ			unregelmäßige Verben, kein Akkusativ		
	Präteritum	Perfekt		Präteritum	Perfekt
setzen	*setzte*	*hat gesetzt*	*sitzen*	*saß*	*hat gesessen*
stellen	*stellte*	*hat gestellt*	*stehen*	*stand*	*hat gestanden*
legen	*legte*	*hat gelegt*	*liegen*	*lag*	*hat gelegen*
hängen	*hängte*	*hat gehängt*	*hängen*	*hing*	*hat gehangen*
Wohin? – Präposition + Akkusativ			*Wo?* – Präposition + Dativ		

Das Verb *stecken* ist mit und ohne Akkusativ regelmäßig:
Eva steckte sich eine Blume ins Haar. – In Evas Haar steckte eine Blume.

ÜBUNGEN

1 Wer macht was bzw. wer ist wo? – Verbinden Sie beide Teile.

Alex liegt	auf die Gartenbank.
Karin stellt den Blumenstrauß	in großen Schwierigkeiten.
Max hängt	an der Bushaltestelle.
Veronika steckt	auf der Wiese.
Christina legt sich	auf dem Barhocker.
Jürgen setzt sich	in die Jackentasche.
Felix hängt wie eine Spinne	den Mantel in den Schrank.
Georg sitzt	ins Bett.
Karl-Heinz steckt den Brief	an der Felswand.
Erich steht	auf den Tisch.

2
Formulieren Sie die Sätze aus Übung 1 im Präteritum und Perfekt.
Alex lag auf der Wiese.
Alex hat auf der Wiese gelegen.

3
Familienalltag – Ergänzen Sie die Verben und die Artikel.

‹ liegen (2x) I legen I stecken (2x) I sitzen (2x) I setzen (3x) I hängen (2x) I stehen I stellen

a) ■ Sag mal, wo *liegt* eigentlich meine Brille? Ich habe sie eben erst auf .... Schreibtisch ....
   ▨ Dann wird sie da wohl immer noch .... – Aber nein, ich sehe gerade, du hast dir .... Brille wieder mal auf........................... , ohne es zu merken.
   ■ In welcher Jacke .... denn der verdammte Ausweis schon wieder?
   ▨ Du hast ihn doch gerade selbst in .... Hosentasche ....

b) ■ Ich glaub', ich muss mich einen Moment .... Der Weg ist so steil.
   ▨ Das kommt davon, wenn man wie du den ganzen Tag im Büro ....
   ■ Das stimmt nicht. In der Mittagspause .... ich mich oft auf .... Bank im Park nebenan.
   ▨ Na, dann .... du ja schon wieder!

c) ■ Warum hast du denn den Vogelkäfig so hoch an .... Decke .... ?
   ▨ Der alte Platz, wo er bisher .... (Prät.), hat mir nicht mehr gefallen.
   ■ Ich glaube, dem Vogel ist es am liebsten, sein Käfig .... auf einem Tisch.
   ▨ Fein, dann .... ihn doch zu dir auf .... Schreibtisch.

4
Unordnung – Formulieren Sie Fragen und Antworten mit liegen, stehen, hängen, stecken, sitzen.
Wo ist denn die Milch? – Die steht im Regal.

5
Formulieren Sie Fragen und Antworten wie in Übung 4, aber mit legen, stellen, hängen, stecken **und** setzen.
Wohin hat er die Milch getan? – Die hat er ins Regal gestellt.

6.18 TRENNBARE VERBEN

abholen – Ich hole dich ab.

1 Funktion

kommen	Durch verschiedene Vorsilben ...
*an**kommen** – am Bahnhof*	... werden neue Verben gebildet.
*aus**kommen** – mit seinem Geld*	... ändert sich die Bedeutung.
*auf**kommen** – ein Wind kommt auf*	
*hin**kommen** – an ein Ziel*	

2 Formen
trennbare Vorsilben, die Vorsilbe wird betont

Vorsilbe	Beispiel	Vorsilbe	Beispiel
ab	*ab**holen***	*los*	*los**lassen***
an	*an**fangen***	*mit*	*mit**teilen***
auf	*auf**hören***	*nach*	*nach**sprechen***
aus	*aus**gehen***	*über**	*über**laufen***
bei	*bei**bringen***	*unter**	*unter**gehen***
*durch**	*durch**setzen***	*um**	*um**schalten***
ein	*ein**ziehen***	*vor*	*vor**haben***
entgegen	*entgegen**setzen***	*weg*	*weg**werfen***
fest	*fest**halten***	*weiter*	*weiter**fahren***
fort	*fort**gehen***	*wider**	*wider**spiegeln***
gegenüber	*gegenüber**stellen***	*zu*	*zu**lassen***
gleich	*gleich**setzen***	*zurück*	*zurück**lassen***
her	*her**kommen***	*zusammen*	*zusammen**setzen***
hin	*hin**fahren***	*u.a.*	

* auch als untrennbare Vorsilbe, 📖 **s. Seite 118**

3 Satzstrukturen

		Hauptsatz	
	Verb Teil 1		Verb Teil 2
Ich	*stehe*	*um 6 Uhr*	*auf.*
Ich	*stand*	*um 6 Uhr*	*auf.*
Ich	*bin*	*um 6 Uhr*	*aufgestanden.*

Hauptsatz	Nebensatz / Infinitivsatz			Hauptsatz
	Konnektor		Verb	
Ich bin todmüde,	*wenn*	*ich um 6 Uhr*	*aufstehe.*	
	Wenn	*ich um 6 Uhr*	*aufstehe,*	*bin ich todmüde.*
Ich habe vor,		*um 6 Uhr*	*aufzustehen.*	

1 Hausarbeit – Streichen Sie die Verben, deren Vorsilbe nicht trennbar ist.

a) das Putzmittel besorgen
b) den Abfall rausbringen
c) das Geschirr abräumen
d) den kaputten Socken wegwerfen
e) den Schmutz zusammenkehren
f) die Altkleider aussortieren
g) die Küche aufräumen
h) die Pflanzen versorgen
i) die Regale abstauben
j) die Schubladen ausräumen
k) die verbrauchten Batterien entsorgen

2 Was kann man alles machen? – Formulieren Sie höfliche Bitten. Mehrere Lösungen sind möglich.

ab- I an- I auf- I aus- I los- I mit- I weg- I zu-

a) bei unserem Spiel
b) das Seil / die Schnur
c) das Fenster
d) das Licht im Keller
e) das Preisschild von der neuen Hose
f) den Fleck am Ärmel
g) den Videorekorder
h) die Dose

a) *Bitte mach bei unserem Spiel mit.*

3 So eine Nervensäge! – Formulieren Sie Kurzdialoge.

diese Zeitschrift mal ausleihen I diese neue CD mal anhören I dein Handy mitnehmen I damit meine Mutter mal kurz anrufen I deinen Computer einschalten I deine neuen Rollerblades mal ausprobieren

ER: *Hast du was dagegen, wenn ich mir die Zeitschrift mal ausleihe?*
SIE: *Nein, leih sie dir ruhig aus.*

4 Mutter und Tochter – Formulieren Sie Kurzdialoge.

einen warmen Pulli anziehen I Milch einkaufen I mit den Hausaufgaben weitermachen (fertig machen) I mit dem Telefonieren aufhören (anfangen) I den Mülleimer raustragen

Mutter: *Zieh bitte einen warmen Pulli an.*
Tochter: *Aber ich habe doch schon einen angezogen.*

5 Bedeutungswandel – Welche Vorsilbe passt?

einsehen – absehen – aufsehen – zusehen	a) Er sah stundenlang nicht von seinem Buch *auf*.
	b) Er sieht nicht ...., dass er einen Fehler gemacht hat.
	c) Sie kann nicht ....sehen, wann sie fertig wird.
anbringen – beibringen – vorbringen – wegbringen	d) Bring doch bitte die leeren Flaschen ....
	e) Ich würde gerne eine Bitte ....bringen.
	f) Unsere Lehrerin bringt uns täglich etwas Neues ....
abschreiben – aufschreiben – ausschreiben – umschreiben	g) Ich bin seit einiger Zeit sehr vergesslich. Ich muss mir einfach alles ....schreiben.
	h) Peter versuchte, in der Prüfung bei seinem Nachbarn ....zuschreiben.
	i) Wir werden diese Stelle sofort neu ....schreiben.

6.19 UNTRENNBARE VERBEN

schreiben – beschreiben

1   Funktion

Bedeutungs- änderung	*Ich schreibe dir eine Karte.* *Ich beschreibe dir den Weg.* *Dieser Vorschlag gefällt mir.* *Aber meinem Freund missfällt er.*	Durch verschiedene Vorsilben ... ... werden neue Verben gebildet ... ändert sich die Bedeutung
Struktur- änderung	*Ich staune.* *Ich staune über dein Werk.* *Ich bestaune dein Werk.*	Mit Vorsilbe brauchen einige Verben eine Akkusativ-Ergänzung.

2   Formen

Vorsilbe unbetont und nicht vom Verb trennbar	Beispiel	Vorsilbe trennbar und untrennbar	Beispiel untrennbar	Beispiel trennbar
be- *emp-* *ent-* *er-* *ge-* *miss-* *ver-* *zer-*	*behandeln* *empfinden* *entschließen* *erklären* *gefallen* *missfallen* *verbessern* *zerreißen*	*durch* *über* *unter* *um* *wieder* *wider*	*durchqueren* *übertreiben* *untersuchen* *umfahren* (= um die Stadt herumfahren) *wiederholen* (= noch einmal sagen) *widersprechen*	*durchsetzen* *überlaufen* *untergehen* *umfahren* (= den Baum umstoßen) *wiederholen* (= zurückholen) *widerspiegeln*

Bei manchen Verben existiert die Version ohne Vorsilbe nicht:
gewinnen – ~~winnen~~, verlieren – ~~lieren~~ ...

3   Satzstrukturen

	Verb Teil 1		Verb Teil 2	
Siegfried	*besiegt*	*den Drachen.*		untrennbar
Siegfried	*hat*	*den Drachen*	*besiegt.*	
Der Schatz	*ging*	*im Rhein*	*unter.*	trennbar
Der Schatz	*ist*	*im Rhein*	*untergegangen.*	

ÜBUNGEN

1   Trennbar oder nicht? Formulieren Sie Sätze.

a) wir I garantieren I zu bearbeiten I den Antrag I zügig
   Wir garantieren, den Antrag zügig zu bearbeiten.
b) wir I durchführen I die Reformen I zügig
c) wir I uns freuen I dass Sie gestern I unser Angebot annehmen
d) wir I erweitern I unser Angebot I baldmöglichst
e) wir I erhöhen I die Preise I im nächsten Jahr

Sorgen einer Gastgeberin – Welches Verb passt in den Satz?

beantworten/antworten I begrüßen/grüßen I bekämpfen/kämpfen I bemerken/merken I
benutzen/nutzen I beraten/raten I berichten/richten I beschließen/schließen I besitzen/sitzen I
bestehen/stehen I besuchen/suchen

Hallo Anna,
endlich komme ich dazu, Deinen Brief zu (a) *beantworten*. Bei mir gibt es einiges zu
(b) ....
Am vergangenen Sonntag haben mich Max, Vanessa und Michelle mit noch drei Freunden
(c) .... So eine Überraschung! Nachdem ich alle (d) ....
hatte, (e) .... ich, dass ich nur zwei Gläser habe. Du kennst doch meine
Studentenbude. Sollten wir wirklich aus der Flasche trinken oder gemeinsam die beiden Gläser
(f) .... ? Max (g) .... mir, einfach zu improvisieren. Ich
(h) .... , diesen Rat anzunehmen. Denn ich (i) .... bereits mit einem
neuen Problem. Meine Einrichtung (j) .... – wie du ja weißt – nur aus Tisch,
Bett und Stuhl. Mindestens zwei von uns mussten also auf dem Boden (k) ....
Aber wir hatten dann doch viel Spaß.
Gerade klingelt es an der Tür. Demnächst mehr.
Gruß und Kuss, Deine Eva

Analyse – Unterstreichen Sie die Verben mit Vorsilben und sortieren Sie sie.

Siegfried, Königssohn aus den Niederlanden, <u>bricht</u> von seiner Heimatstadt
Xanten am Niederrhein <u>auf</u>, um sich in fernen Ländern einen Namen zu
machen. Auf der Reise gewinnt er den Schatz der Nibelungen, er erkämpft
sich eine Tarnkappe, die ihn unsichtbar machen kann, und er
ersticht einen Drachen und badet in seinem Blut.
Schließlich kommt Siegfried nach Worms, wo König
Gunther regiert. Um Gunthers Schwester Kriemhild zur
Frau zu bekommen, verspricht Siegfried dem König,
ihm zu helfen, die schöne, aber übermenschlich starke Brunhild von
Island zur Frau zu gewinnen. Gunther muss seine zukünftige Braut im Wettkampf besiegen.
Dazu wird von mehreren Männern ein riesiger Speer herbei-
geschleppt. Riesengroß ist auch der Stein, den er wegsto-
ßen muss. Gunther verliert den Mut. Er fürchtet, dass er sich
gegen Brunhild nicht durchsetzen wird. Siegfried unterstützt
Gunther. Er zieht seine Tarnkappe an und wird dadurch für
die Zuschauer des Wettkampfes unsichtbar.

untrennbar	trennbar
	aufbrechen

Formulieren Sie den Text im Perfekt und die Sätze mit sein, haben, werden und Modalverben im Präteritum.

Siegfried, Königssohn aus den Niederlanden, ist von seiner Heimatstadt Xanten am
Niederrhein aufgebrochen, um sich in fernen Ländern einen Namen zu machen. Auf der Reise
hat der junge Held ...

6.20 BEDEUTUNG NICHT TRENNBARER VORSILBEN

fallen, missfallen, zerfallen

1 Funktion

Durch verschiedene Vorsilben, die nicht trennbar sind, können Verben, Nomen und Adjektive ihre Bedeutung ändern.

Hör bitte auf, daran zu reißen, sonst zerreißt du sie noch komplett.

Schau doch mal, du hast ein Loch in der Hose.

Das Fest hat ihm sehr missfallen.	= nicht gut finden, nicht mögen
Das alte Schloss ist schon ganz verfallen.	= kaputt, beschädigt
Die Steine sind teilweise zu Staub zerfallen.	= aufgelöst, komplett kaputt

2 Bedeutungen

Vorsilbe	Beispiel	Bedeutung
ver-	*Er hat sich sehr verändert.* *Rohöl zu Benzin verarbeiten* *Blumen verblühen*	Prozess, Resultat einer Handlung: veränderter Zustand
	die Suppe versalzen *sich versprechen* *sich verfahren*	etwas passiert so, dass das Resultat unerwünscht ist
	einen Brief verstecken	das Resultat ist, dass etwas verschwindet
er-	*das Weltall erforschen*	etwas anfangen und tun, bis ein Ergebnis vorliegt / etwas erreicht ist
	im Meer ertrinken	das Ergebnis ist tödlich
zer-	*ein Blatt zerreißen* *das Eis zerfließt*	etwas teilen, kaputt machen etwas löst sich auf
ent-	*das Meerwasser entsalzen* *Mir ist sein Name entfallen.* *Der Tiger ist aus dem Zoo entlaufen.*	etwas wegnehmen etwas verschwindet
miss-	*Der Versuch missglückt.* *Sie haben mich missverstanden.*	*miss-* ändert die Bedeutung ins Negative
be-	*eine Decke bemalen* *einen Kollegen zum neuen Job beglückwünschen* *Franz hat den Berg in nur drei Stunden bestiegen.*	auf etwas malen, drucken etc. jemanden mit etwas „versehen" etwas "ganz" / "komplett" machen

ÜBUNGEN

1 **Bilden Sie neue Verben mit er- und setzen Sie die richtige Form ein.**

a) Plötzlich *erklingt* aus der Tasche mit dem Handy ein schrecklicher Ton. (klingen)

b) Für den Kaffee müssen Sie die Milch noch .... (warm machen)

c) Einstein wollte das Weltall .... (forschen).
d) Diese Pflanzen .... bei uns im Winter. (frieren)
e) Dieses schöne Gebäude wurde von einem italienischen Architekten .... (bauen)
f) Ich möchte den Zug um 7 Uhr noch .... (reichen)
g) Kannst du mir bitte den Weg .... ? (klären)
h) Anna hat sich beim Skifahren .... (kalt, die Kälte)
i) Die Tulpen waren gestern noch ganz zu. Heute morgen sind sie in der
   Vase .... (blühen).

2
II Er- oder ver-? Wie heißt das Verb?
a) Peter versucht, seine Sorgen zu *ver*bergen.
b) Eva hat ein paar Fehler gemacht. Die möchte sie ....bessern.
c) Ich möchte dich ....mutigen, bei diesem Projekt mitzumachen.
d) Es könnte sein, dass ich mich ein wenig ....späte.
e) Die Titanic ist im Nordatlantik ....sunken.
f) Der Forscher hat etwas ganz Praktisches ....funden.
g) Es wäre schön, wenn wir diese Pläne noch in diesem Jahr ....wirklichen.
h) Dieses Unternehmen ....zeugt Strom aus Windenergie.
i) Du musst das Mehl mit dem Zucker ....rühren.

3
II Welches Verb passt? Ergänzen Sie es in der richtigen Form.

zerdrücken | ~~zergehen~~ | zerkauen | zerlaufen | zerreißen | zertreten | zerlegen |
zerkratzen | zerschneiden

a) Diese Schokolade sollten Sie sich auf der Zunge *zergehen* lassen.
b) Er hat aus Versehen die Blumen auf der Wiese ....
c) Wegen der Wärme war die Schokolade auf dem Kuchen ....
d) Sie hat sich auf meine Mütze gesetzt, jetzt ist die total ....
e) Die Tabletten muss man vor dem Schlucken ....
f) Für den Umzug mussten wir die Möbel ....
g) Maria hat aus Versehen den Tisch mit einem Messer ....
h) Bei der Gartenarbeit habe ich die Hose ....
i) Du darfst die Bänder an dem Paket ruhig ....

4
III Welche Vorsilbe passt?
a) Die Bedeutung dieses Wortes habe ich vergessen. Sie ist mir leider *ent*fallen.
b) Ich habe mein Zimmer für zwei Monate an einen Freund ....mietet.
c) Die Premiere dieses Films war leider ein totaler ....erfolg.
d) Die Sportlerin war .... täuscht, denn sie wurde in dem Rennen nur Vierte.
e) Diesen Text finde ich schwer .... ständlich.
f) Die Bauern rechnen mit einer .... ernte, denn es gab im Frühjahr zu wenig Regen.
g) Sein Pass ist abgelaufen. Er muss ihn .... längern lassen.
h) Ich brauche ein neues Fahrrad. Das alte kann ich vielleicht noch ....kaufen.
i) Du hast mir die Frage nicht ....antwortet.
j) Ich habe meinen Ausweis leider ....loren.
k) Er hat seinen Balkon schön ....pflanzt.

6

6.21 **PASSIV**

wird ... informiert

1 Funktion

Der Vorstandsvorsitzende informiert die Aktionäre.
Aktiv: Wer handelt?

Die Aktionäre werden informiert.
Passiv: Was passiert?

Das Passiv wird häufig bei Beschreibungen von Arbeitsvorgängen, Produktionsverfahren, Regeln, Vorschriften und allgemeinen Aussagen benutzt.

2 Formen

ⓐ Konjugation

Präsens	ich	werde	informiert	
Präteritum	ich	wurde	informiert	
Perfekt	ich	bin	informiert	worden
Plusquamperfekt	ich	war	informiert	worden
Futur I	ich	werde	informiert	werden

ⓑ Umformung Aktiv ⟶ Passiv
Die Akkusativ-Ergänzung des Aktivsatzes wird eine Nominativ-Ergänzung:

		Akkusativ-Ergänzung	
Die Firmenleitung	*ersetzt*	*den alten Zentralcomputer.*	
Der alte Zentralcomputer	*wird*		*ersetzt.*
Nominativ-Ergänzung	werden		Partizip II

Gibt es im Passivsatz keinen Nominativ, steht *es* oder ein anderer Satzteil auf Position 1. Bei Sätzen ohne Subjekt steht das Verb in der 3. Person Singular:

Position 1	werden			Partizip II
Es	*wurde*	*lange*	*über die Projekte*	*verhandelt.*
Über die Projekte	*wurde*	*lange*		*verhandelt.*
Lange	*wurde*		*über die Projekte*	*verhandelt.*

Das logische Subjekt/Agens wird im Passivsatz normalerweise nicht genannt. Wenn man es besonders betonen will, kann man es mit einer Präposition einfügen.

Subjekt			
Der Pressesprecher	*informiert*	*die Öffentlichkeit.*	
Die Öffentlichkeit	*wurde*		*informiert.*
Die Öffentlichkeit	*wurde*	*vom Pressesprecher**	*informiert.*
Die Öffentlichkeit	*wurde*	*durch den Pressesprecher**	*informiert.*
	werden	logisches Subjekt / Agens	Partizip II

von + Dativ: Personen, Institutionen; *durch* + Akkusativ: Instrument

1 Ein sehr persönlicher Arbeitsplatz – Formulieren Sie Sätze im Passiv Präteritum.

a) alle Mitarbeiter I informieren
   Alle Mitarbeiter wurden informiert.
b) die alte Kantine I renovieren
c) die Wände I weiß streichen
d) neue Lampen I installieren
e) endlich I eine Klimaanlage I einbauen
f) die Renovierung I übrigens von den Mitarbeitern höchstpersönlich I durchführen

2 Formulieren Sie die Sätze von Übung 1 im Passiv Perfekt.

a) *Alle Mitarbeiter sind informiert worden.*

3 E-Mail aus dem Büro – Formulieren Sie den Text im Passiv.

```
Liebe Diana,
nur ganz kurz zu meinem neuen Job. Horror pur! Hier beginnt man um
7.30 Uhr mit der Arbeit, man spricht nicht über Privates und im Team
arbeitet man auch nicht. Stattdessen denken alle ständig an die
Konkurrenz. Natürlich raucht man nicht, man lacht nur selten und
feiert nie! Hilfe!
Bis bald!
Deine Tanja
```

Liebe Diana,
nur ganz kurz zu meinem neuen Job. Horror pur! Hier wird um 7.30 Uhr mit der Arbeit begonnen, ...

4 Chatten und shoppen – Formulieren Sie den Text im Passiv und nennen Sie das Agens mit von oder durch.

a) Das Internet ermöglicht ganz neue Kommunikationsformen.
   Durch das Internet werden ganz neue Kommunikationsformen ermöglicht.
b) Man plaudert und flirtet in „Chatrooms".
c) Hier sprechen dich wildfremde Leute an.
d) Ein persönliches Passwort schützt die Daten, wenn man per Internet einkauft und bezahlt.
e) Wenn man die Kreditkarten-Daten ungesichert eingibt, missbraucht vielleicht ein unberechtigter „Einkäufer" das eigene Konto.

5 Das @-Zeichen – Formulieren Sie das Passiv ins Aktiv um und das Aktiv ins Passiv.

Das @-Zeichen ist für E-Mail-Adressen ausgewählt worden, weil man dieses Zeichen in keiner Sprache dieser Welt benutzt. Man braucht das Zeichen als Trennung zwischen dem Adressaten-Namen und dem Provider-Namen. Für das @-Zeichen werden meistens die Tasten „Alt Gr" und „Q" gedrückt.
Man hat das @-Zeichen für E-Mail Adressen ausgewählt, weil ...

6.22 PASSIV MIT MODALVERBEN

muss informiert werden

ⓐ Konjugation

		Modalverb		Infinitiv Präsens Passiv	
Präsens	Die Öffentlichkeit	*kann* *muss* *will* *darf* *soll*	*heute*	*informiert werden.*	
Präteritum	Die Öffentlichkeit	*konnte* *musste* *wollte* *durfte* *sollte*	*heute*	*informiert werden.*	

		haben		Infinitiv Präsens Passiv	Modalverb
Perfekt*	Die Öffentlichkeit	*hat*	*heute*	*informiert werden*	*können.* *müssen.* *wollen.* *dürfen.* *sollen.*

* nur selten gebraucht

ⓑ Umformung Aktiv *wollen* ➞ Passiv *sollen:*

Aktiv	*Der Journalist will den Skandal aufdecken.*
Passiv	*Der Skandal soll aufgedeckt werden.*

Modalverben 📖 **s. Seite 100-107, 212**

ÜBUNGEN

1 **Haben Sie das schon gehört? – Formulieren Sie Aktivsätze mit dem Modalverb**
wollen.
a) Alle Altbauwohnungen sollen renoviert werden.
b) Das veraltete Heizungssystem soll modernisiert werden.
c) In jeder Wohnung sollen moderne Fenster eingebaut werden.
d) Die alten Bäder sollen erneuert werden.
e) Der Hinterhof soll begrünt werden.
f) Neue Bäume sollen gepflanzt werden.
g) Im ganzen Haus sollen die Mieten erhöht werden.

Die Hausbesitzer ...
a) *... wollen alle Altbauwohnungen renovieren.*

2 Große Pläne – Formulieren Sie Passivsätze mit sollen.

Die Stadtregierung ...

a) ... will ein modernes Einkaufszentrum bauen.
   Ein modernes Einkaufszentrum soll gebaut werden.
b) ... will einen großen Kinderspielplatz anlegen.
c) ... will Frühlingsblumen pflanzen.
d) ... will im Zentrum eine Fußgängerzone einrichten.
e) ... will mehr Straßen zu Spielstraßen machen.
f) ... will einen neuen Tunnel bauen.
g) ... will mehr Straßenlampen aufstellen.

3 Stress im Büro – Formulieren Sie Passivsätze im Präteritum mit können.

a) Das Programm war abgestürzt, und keiner konnte den Computer neu starten.
   Das Programm war abgestürzt, und der Computer konnte nicht neu gestartet werden.
b) Niemand wusste, wie man das neue Faxgerät richtig bedient.
c) Keiner hatte Zeit, den Termin mit dem Unternehmensberater vorzubereiten.
d) Der Kopierer war auch kaputt, deshalb konnte man die Unterlagen nicht kopieren.
e) Die Leitung war dauernd besetzt, deshalb konnte keiner den Reparaturservice benachrichtigen.
f) Die Besprechung mit dem Abteilungsleiter konnte man auch nicht planen.
g) Und dann gab es noch das Problem mit der Portomaschine, weshalb man die Post nicht rechtzeitig verschicken konnte.

4 Kriminelle Pläne – Formulieren Sie Passivsätze mit dem Modalverb müssen.

a) Die Bank Tag und Nacht beobachten!
   Die Bank muss Tag und Nacht beobachtet werden.
b) Einen genauen Plan machen!
c) Ein Fluchtauto organisieren!
d) Die Nummernschilder unbedingt austauschen!
e) Ein Bankkonto für Schwarzgeld eröffnen!
f) Pässe und Flugtickets besorgen!
g) Den Boss laufend informieren!

5 Der Kaufhauserpresser Dagobert – Formulieren Sie Passivsätze.

a) Der Kaufhausbesitzer sollte das Geld in einer Plastiktüte auf einer Baustelle deponieren.
   Das Geld sollte in einer Plastiktüte auf einer Baustelle deponiert werden.
b) Erfahrene Beamte sollten den Ort beobachten.
c) Sie konnten die Geldübergabe aber nicht verhindern.
d) Denn der Sprechfunk im Polizeiwagen war kaputt (kein Passiv möglich), und man konnte ihn nicht mehr rechtzeitig reparieren.
e) Laut Polizeisprecher muss man den Erpresser nun anhand alter Fotos identifizieren.
f) Die Zeugen konnten den Mann allerdings nicht erkennen.
g) Die Polizci will den Kaufhauserpresser Dagobert aber ganz sicher beim nächsten Mal fassen.

6.23 **ZUSTANDSPASSIV**

Die Tür ist geöffnet.

1 Funktion

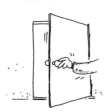

Etwas passiert.
Die Tür wird geöffnet.

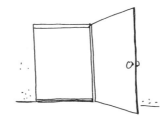

Etwas ist passiert.
Die Tür wurde geöffnet.
Die Tür ist geöffnet worden.

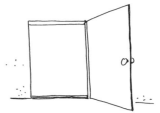

Es gibt einen neuen Zustand.
Die Tür ist geöffnet.

2 Formen

		konj. Verb		Partizip II	
Präsens	*Das Geschäft*	*ist*	*jetzt*	*geöffnet.*	
Präteritum	*Das Geschäft*	*war*	*gestern*	*geöffnet.*	
Futur	*Das Geschäft*	*wird*	*auch morgen*	*geöffnet*	*sein.*

ÜBUNGEN

1 Der Weg einer E-Mail – Unterstreichen Sie alle Passivformen.

Das Mail-Programm <u>wird</u> vom Sender – also von Ihnen – <u>gestartet</u>. Man muss aber nicht online gehen, um die Mail zu schreiben. Ist der elektronische Brief geschrieben, werden die fertigen Nachrichten gespeichert. Erst durch die Verbindung zum Internet und einen Klick auf „senden" kann der elektronische Brief losgeschickt werden.
Vom Postausgang Ihres Providers werden die Mails dann zum Posteingang des Mail-Empfängers gesendet. Der Empfänger wird über neue E-Mails nur dann benachrichtigt, wenn eine Verbindung zum Internet besteht. Viele Programme sind so eingerichtet, dass der Posteingang in bestimmten Intervallen überprüft wird. Neue E-Mails können dann automatisch abgerufen werden.

2 Tragen Sie die Passivformen aus Übung 1 in das Schema ein und ordnen Sie zu.

	Passiv	Passiv + Modalverb	Zustands-passiv
wird gestartet	×		

3
II

Alles schon erledigt – Formulieren Sie Sätze im Zustandspassiv mit schon/bereits.

a) Würdest du mir bitte mal den Akku auspacken?	*Der Akku ist schon ausgepackt.*
b) Und können wir jetzt den Computer anschließen?	
c) Ach, und jetzt schalte doch mal den Strom ein!	
d) Leg doch mal die DVD ein und starte sie.	
e) Sag mal, kannst du eigentlich auch die Software installieren?	
f) So, und jetzt können wir den Internet-Zugang herstellen.	
g) Und jetzt gebe ich mal mein Passwort ein.	

4
II

Wie geht es zu Hause? – Formulieren Sie Antworten im Zustandspassiv.

a) Hast du den Kuchen für Tante Heidi schon gebacken?	*Ja, der Kuchen ist gebacken.*
b) Und die Blumen habt ihr auch gegossen?	*Natürlich, …*
c) Hat eigentlich jemand die Wäsche aufgehängt?	*Selbstverständlich, …*
d) Und wenn du Zeit hast, könntest du vielleicht die Steckdose in meinem Zimmer reparieren.	*Stell dir vor, …*
e) Wenn noch jemand das Faxgerät einschalten könnte, das wäre prima!	*Schon erledigt, …*
f) Und die Rechnungen hast du sicher auch schon bezahlt.	*Tut mir leid, …* (+ noch nicht)

5
II

Ein netter Mann! – Formulieren Sie Sätze im Zustandspassiv Präteritum.

Hallo, Jana, … ja, wirklich schade, dass du gestern Abend nicht da warst. Ja, es war ein wunderschönes Fest, und heute Morgen dachte ich, jetzt muss ich erst mal alles aufräumen. Aber du kennst ja Peter! Alles war schon fertig:

a) Gläser abräumen *Die Gläser waren schon abgeräumt.*
b) Geschirr abwaschen ....
c) Aschenbecher (Pl.) ausleeren ....
d) Zimmer lüften ....
e) Frühstückstisch decken ....
f) Kaffee kochen ....
g) Orangensaft einschenken ....

6

6.24 PASSIV-ERSATZFORMEN

Die Reparatur ist machbar.

1 Funktion

Ersatzformen	Passiv
Die Reparatur ist machbar.	*Die Reparatur kann gemacht werden.*
Die Reparatur lässt sich machen.	
Die Reparatur ist zu machen.	
Das ist eine noch zu lösende Aufgabe.	*Das ist eine Aufgabe, die noch gelöst werden muss.*

Die Ersatzformen werden oft anstelle des Passivs verwendet, um eine Häufung von Passiv-konstruktionen zu vermeiden. Die Ersatzformen haben zwar eine passive Bedeutung, aber das Verb steht im Aktiv.

sein + zu 📖 s. auch Seite 108

2 Formen

Ersatzformen		Passiv mit Modalverb
ist bezahlbar	*sein + Adjektiv auf*	*kann bezahlt werden*
ist unverkäuflich	*-bar oder -lich*	*kann nicht verkauft werden*
lässt sich machen	*sich lassen + Infinitiv*	*kann gemacht werden*
ist abzuholen	*sein + zu + Infinitiv*	*kann/muss/soll abgeholt werden*
ist nicht zu verkaufen		*kann/muss/soll/darf nicht verkauft werden*
der zu lernende Stoff	*zu + Partizip I +*	*der Stoff, der gelernt werden kann/muss/soll*
ein durchzuführendes Experiment	Adjektivdeklination (Gerundiv)	*ein Experiment, das durchgeführt werden muss/soll/kann*

Adjektive auf *-bar* oder *-lich,* Bedeutungsunterschied:

*lös*lich	*Salz ist in Wasser löslich.*	in Flüssigkeit
*lös*bar	*Die Aufgabe ist lösbar.*	durch Nachdenken
*leser*lich	*Er hat eine leserliche Schrift.*	Man kann die Handschrift gut lesen.
*les*bar	*Der Roman ist gut lesbar.*	Der Roman ist in verständlicher Sprache geschrieben.

ÜBUNGEN

1 **Was ist das? – Bilden Sie Adjektive mit –bar.**
III
a) Wasser, das getrunken werden kann, ist *trinkbares Wasser.*
b) Früchte, die gegessen werden können, sind ....
c) Stoff, der sich leicht waschen lässt, ist ....
d) Preise, die nicht zu bezahlen sind, sind ....
e) Eine Idee, die gebraucht werden kann, ist eine ....
f) Eine Farbe, die nicht zu definieren ist, ist eine ....

2 **Was ist das? – Bilden Sie Adjektive mit –lich.**
III
a) Eine Schrift, die nicht gelesen werden kann, ist eine *unleserliche Schrift.*
b) Material, das leicht zu zerbrechen ist, ist ....

c) Ein Produkt, das sich nicht verkaufen lässt, ist ein ....

d) Ein Text, der gut verstanden werden kann, ist ein ....

e) Ein Fehler, der nicht zu verzeihen ist, ist ein ....

f) Leichtsinn, der nicht verantwortet werden kann, ist ....

3 ## Laufen ist gesund – Formulieren Sie Sätze mit sein + zu + Infinitiv.

a) Ein Profi erklärt, worauf beim Laufen geachtet werden muss.
Ein Profi erklärt, worauf beim Laufen zu achten ist.

b) Die Schuhe sollen zur Stabilisierung des Fußes fest geschnürt werden.

c) Die Muskulatur sollte vor jedem Lauf aufgewärmt werden.

d) Bei Verletzungen muss der Fuß mindestens sechs Wochen lang ruhig gestellt werden.

e) Der Fuß muss bei Schmerzen entlastet werden.

4 ## Wissenschaftliches Arbeiten – Formulieren Sie die Sätze mit dem Gerundiv.

a) Ein Text, der noch korrigiert werden muss, ist ein *noch zu korrigierender Text.*

b) Ein Ergebnis, das noch veröffentlicht werden muss, ist ein ...

c) Ein Thema, das noch weiter zu bearbeiten ist, ist ein ...

d) Ein Formular, das ausgefüllt werden muss, ist ein ...

e) Eine Prüfung, die abgelegt werden muss, ist eine ...

f) Ein Prüfungstermin, der nicht zu verschieben ist, ist ein ...

g) Ein Vorschlag, der ernst genommen werden muss, ist ein ...

5 ## Unterstreichen Sie die Modalverben und den Infinitiv Passiv.

Tipps und Tricks für den Joballtag nach dem Urlaub

Hören Sie zuerst den Anrufbeantworter ab, denn dort warten die wichtigsten Nachrichten. Danach sollten die E-Mails gelesen werden, denn sie können direkt beantwortet und dann gelöscht werden. Die Post kann in drei Stapel sortiert werden: Stapel eins für Sachen, die sofort erledigt werden müssen. Stapel zwei für Projekte, die auch später bearbeitet werden können. Stapel drei für Informationen, die Sie irgendwann einmal studieren können. Alles andere sollte gleich weggeworfen werden. Und so kann auch die Urlaubslaune in den Alltag gerettet werden: Gehen Sie die ersten Tage ruhig und entspannt an.

6 ## Formulieren Sie den Text neu. Ersetzen Sie das Passiv durch sein + zu + Infinitiv, bei dem Modalverb können benutzen Sie sich lassen + Infinitiv.

Hören Sie zuerst den Anrufbeantworter ab, denn dort warten die wichtigsten Nachrichten. Danach sind die E-Mails zu lesen, ...

7 ## Computer & Co – Formulieren Sie Sätze mit sich lassen + Infinitiv.

a) Alle Texte sind einfach zu bearbeiten.
Alle Texte lassen sich einfach bearbeiten.

b) Ein neues Grafikprogramm kann mühelos installiert werden.

c) Die Soundkarte des Computers kann ersetzt werden.

d) Allerdings sind einige Anfangsprobleme unvermeidlich.

e) Die meisten Schwierigkeiten sind aber schnell zu überwinden.

6.25 KONJUNKTIV II (1): GEGENWART

würde – wäre – hätte

1 Funktion

> *Ich wäre gern reich und schön.*
> *Ich hätte gern einen Sportwagen.*
> *Ich wäre gern auf Hawaii.*
> *Ich würde gern einen*
> *Filmstar heiraten.*

2 Formen

a ohne Hilfsverb *würde*

Die Form des Konjunktivs II wird vom Präteritum abgeleitet:

	Präteritum	Konjunktiv II
a – ä	*kam*	*käme*
o – ö*	*konnte*	*könnte*
u – ü	*wusste*	*wüsste*

* Ausnahmen sind *wollte* und *sollte*.

Bei den regelmäßigen Verben ist der Konjunktiv II mit dem Indikativ Präteritum identisch.
Deshalb verwendet man ihn nur bei den Hilfs- und Modalverben sowie einigen unregelmäßigen Verben: *käme, fände, wüsste, schliefe, bliebe* u.a.

	Hilfsverben		Modalverben		unregelmäßige Verben	regelmäßige Verben
	sein	*haben*	*müssen*	*sollen*	*gehen*	*zählen*
ich	*wäre*	*hätte*	*müsste*	*sollte*	*ginge*	*zählte*
du	*wär(e)st*	*hättest*	*müsstest*	*solltest*	*gingest*	*zähltest*
er/sie/es	*wäre*	*hätte*	*müsste*	*sollte*	*ginge*	*zählte*
wir	*wären*	*hätten*	*müssten*	*sollten*	*gingen*	*zählten*
ihr	*wär(e)t*	*hättet*	*müsstet*	*solltet*	*ginget*	*zähltet*
sie/Sie	*wären*	*hätten*	*müssten*	*sollten*	*gingen*	*zählten*

b mit Hilfsverb *würde*

Bei den meisten Verben wird der Konjunktiv II in der Gegenwart mit *würde* + Infinitiv gebildet:

ich	*würde*		*wir*	*würden*	
du	*würdest*	} *gehen*	*ihr*	*würdet*	} *gehen*
er/sie/es	*würde*		*sie/Sie*	*würden*	

Passiv		*würde*		Partizip II	
	Das Haus	*würde*	*schneller*	*gebaut,*	*wenn mehr Bauarbeiter da wären.*

Würden Sie bitte das Fenster öffnen? – Konjunktiv II in der Aufforderung s. Seite 152

1 **Bilden Sie zuerst das Präteritum und dann den Konjunktiv II.**

a) kommen   ich   *kam*   ich   *käme*

b) wissen   er   er

c) haben   sie (Pl.)   sie (Pl.)

d) sein   wir   wir

e) bleiben   ich   ich

f) können   ihr   ihr

g) finden   du   du

h) repariert werden   er   er

i) sollen   er   er

j) halten   ich   ich

k) sein   ihr   ihr

l) wollen   sie (Pl.)   sie (Pl.)

m) dürfen   er   er

n) gefangen werden   sie (Pl.)   sie (Pl.)

2 **Arme Monika – Ergänzen Sie im Konjunktiv.**

a) Sie ist erst 12. (17 sein)
   Aber sie wäre gern schon 17.

b) Sie hat ein Zimmer zusammen mit ihrer Schwester. (allein)

c) Sie sieht durchschnittlich aus. (bildhübsch sein)

d) Sie darf noch kein Make-up tragen. (sich schminken)

e) Sie hat nur ein altes Fahrrad. (Mofa)

f) Sie fährt mit ihren Eltern in den Urlaub. (Freundinnen)

g) Sie sitzt in der Schule neben Max. (Hans-Peter)

6

3 **Zeitprobleme – Formulieren Sie Sätze – Modalverben im Konjunktiv II, sonst** würde **+ Infinitv.**

a) Es ist schon halb vier. (Taxi / längst da sein müssen)
   Das Taxi müsste längst da sein.

b) Es ist schon Viertel nach zwölf. (wir / jetzt Mittagspause machen können)

c) Es wird schon dunkel. (Peter / gerne nach Hause gehen)

d) Es ist schon zehn Uhr nachts. (ich / gerne wissen / wo Peter bleibt)

e) Es ist schon fast Mitternacht. (du / schon seit zwei Stunden schlafen müssen)

f) Es ist erst sechs Uhr früh. (ich / gern noch im Bett bleiben)

g) Es sind jetzt leider keine Ferien. (sonst / ihr / ausschlafen dürfen)

4 **Besserwisser – Formulieren Sie Ratschläge im Konjunktiv II mit** würde **+ Infinitiv.**

a) Hans isst viel zu wenig.
   An seiner Stelle würde ich mehr / nicht so wenig essen.

b) Ellen schläft zu wenig.

c) Karl-Heinz trinkt zu viel.

d) Die beiden Kollegen fehlen in der Arbeit oft aus gesundheitlichen Gründen.

e) Meine Eltern kümmern sich nur ganz selten um den alten Onkel.

f) Meine Tochter schickt ihre Kinder viel zu spät ins Bett.

6.26 KONJUNKTIV II (2): VERGANGENHEIT

hätte getan – wäre gefahren

1 Funktion

Fast wäre *ein Unfall* passiert. *Ich* hätte *diese Arbeit längst* erledigen sollen.	irreale Aussagen in der Vergangenheit

2 Formen

a Den drei Vergangenheitsformen im Indikativ steht im Konjunktiv II nur eine Vergangenheitsform gegenüber:

Indikativ	Konjunktiv II	Indikativ	Konjunktiv II
ich arbeitete *ich habe gearbeitet* *ich hatte gearbeitet*	*ich hätte gearbeitet*	*ich fuhr* *ich bin gefahren* *ich war gefahren*	*ich wäre gefahren*

b Der Konjunktiv II der Vergangenheit wird mit *haben/sein* und Partizip II gebildet:

	Konjunktiv II von *haben*	+ Partizip II	Konjunktiv II von *sein*	+ Partizip II
ich	*hätte*		*wäre*	
du	*hättest*		*wär(e)st*	
er/sie/es	*hätte*	*geschrieben*	*wäre*	*geblieben*
wir	*hätten*		*wären*	
ihr	*hättet*		*wär(e)t*	
sie/Sie	*hätten*		*wären*	

		Konjunktiv II von *sein*		Partizip II	*worden*
Passiv	*Ich*	*wäre*	*gerne*	*informiert*	*worden.*

c Modalverben bilden den Konjunktiv II der Vergangenheit mit *haben* und doppeltem Infinitiv:

	Konjunktiv II von *haben*	Infinitiv Vollverb	Infinitiv Modalverb
ich	*hätte*		*müssen*
du	*hättest*		*können*
er/sie/es	*hätte*	*gehen*	*dürfen*
wir	*hätten*		*sollen*
ihr	*hättet*		*wollen*
sie/Sie	*hätten*		

1 Bilden Sie den Konjunktiv II der Vergangenheit.

a) ich sang
    ich hätte gesungen
b) sie lief
c) wir dachten
d) wir haben gedacht
e) es wurde gebaut

f) du warst
g) du bist gewesen
h) ihr durftet fernsehen
i) wir wurden verletzt
j) er wuchs
k) sie boten an

l) es ist passiert
m) sie waren gestiegen
n) sie hatte
o) sie hat gehabt
p) sie hatte gehabt
q) ich musste lesen

2 Urlaubsstress – Formulieren Sie Sätze mit fast im Konjunktiv II der Vergangenheit.

a) War das Reisebüro nicht schon geschlossen?
    Nein, aber fast wäre es schon geschlossen gewesen.
b) Habt ihr das Flugzeug verpasst?
c) Habt ihr bei dem Unwetter überhaupt landen können?
d) Musstet ihr wieder stundenlang auf das Flugzeug warten?
e) Bist du am Strand bestohlen worden?
f) Ist deine Frau im Urwald wieder von Moskitos gestochen worden?

3 Schlechte Stimmung – Formulieren Sie Sätze im Konjunktiv II der Vergangenheit.

a) Sie I diese Arbeit I unbedingt bis heute I erledigen müssen
    Sie hätten diese Arbeit unbedingt bis heute erledigen müssen!
b) der neue Kollege I diesen Fall I schon am Mittwoch I bearbeiten sollen
c) meine Assistentin I Ihnen I alle nötigen Informationen I geben können
d) Sie I vor unseren Geschäftspartnern I nicht darüber I reden dürfen
e) Ihre Mitarbeiter I mehr auf die Details I achten müssen
f) man I jemand anderen I für diesen Job I nehmen sollen

4 Die Lieblingstante – Ergänzen Sie den Konjunktiv II der Vergangenheit.

Liebe Tante Clarissa,
als ich neulich in Berlin war, (a) hätte ich Dich gern besucht (besuchen), weil Du ja meine
Lieblingstante bist, aber leider hatte ich Deine Adresse nicht dabei. Weißt Du noch, wie Du mir geholfen
hast, als ich damals die Spielschulden hatte? Was (b) .... ich damals ohne Dich ....
(tun)! Ich (c) .... mich damals gern bei Dir persönlich .... (bedanken), aber Du
weißt ja, wie viel Stress ich immer habe. Ich (d) .... jedenfalls gern .... (wissen),
wie es Dir geht. Vielleicht gibt es ja jetzt wieder eine Möglichkeit, mehr Kontakt miteinander zu haben,
denn ich habe wieder ein kleines Problem. Stell Dir vor, fast (e) .... ich neulich ins Gefängnis
.... (kommen), weil die Banken völlig illusorische Vorstellungen über die finanziellen
Möglichkeiten eines jungen Geschäftsmannes haben. Vielleicht (f) .... es besser ....
(sein), ich (g) .... ins Ausland .... (gehen), aber mit welchem Geld? Dabei
(h) .... mir nur 25.000 Euro .... (fehlen), um diese Hyänen zufriedenzustellen!
Vielleicht (i) .... Du Lust (haben; Gegenwart), Deinem Lieblingsneffen einen kleinen Kredit
zu geben?
Ich melde mich bald persönlich!
Dein Alex

6.27 KONJUNKTIV II (3): BEDINGUNGEN

Was wäre, wenn ...

1 Funktion

Realer Plan: Indikativ   Irrealer Plan, Wunschtraum: Konjunktiv II

2 Satzstrukturen

Weil die Sachverhalte nicht der Realität entsprechen, müssen aus negativen Sätzen positive werden und umgekehrt:

Realität	Wunsch
Ich bin noch nicht *18. Deshalb darf ich noch* nicht *Motorrad fahren.*	*Wenn ich schon 18 wäre, dürfte ich Motorrad fahren.*
Ich bin arbeitslos. Deswegen habe ich Schulden.	*Wenn ich* nicht *arbeitslos wäre, dann hätte ich* keine *Schulden.*

ⓐ Gegenwart

Wenn	*ich den Job*	*bekommen würde,*	*(dann) hätte ich mehr Geld.*
Würde	*ich den Job*	*bekommen,*	*(dann) hätte ich mehr Geld.*
Wenn	*ich den Job*	*bekommen könnte,*	*(dann) könnte ich mir mehr leisten.*

ⓑ Vergangenheit

Wenn	*ich den Job*	*bekommen hätte,*	*(dann) hätte ich mehr Geld gehabt.*
Hätte	*ich den Job*	*bekommen,*	*(dann) hätte ich mehr Geld gehabt.*
Hätte	*ich den Job*	*bekommen können,*	*(dann) hätte ich mir mehr leisten können.*

3 Alternativen

Konjunktiv II	Adverb
Wenn mich mein Chef nicht in ein längeres Gespräch verwickelt hätte, wäre ich pünktlich gewesen.	*Mein Chef hat mich in ein längeres Gespräch verwickelt. Sonst wäre ich pünktlich gewesen.* Oder: *Deshalb war ich nicht pünktlich.*

1 Schön wär's! – Verbinden Sie beide Satzhälften zu irrealen Bedingungssätzen.

a) Es wäre schön, ... wenn wir zuerst essen gingen?

b) Sie hätten die Wohnung bekommen, ... wenn er einen Stadtplan hätte.

c) Es wäre mir lieber, ... wenn Sie sich früher gemeldet hätten.

d) Wäre es Ihnen angenehmer, ... wenn es nicht so viel geregnet hätte.

e) Der Urlaub wäre besser gewesen, ... wenn du bald wiederkommen würdest.

f) Er würde den Weg auch dann nicht finden, ... wenn Sie morgen kommen könnten.

2 Menschen und Tiere – Formulieren Sie irreale Bedingungssätze mit wenn.

a) Ein sechsjähriges Mädchen in New York hat einen jungen Alligator gefunden. Deshalb ist er nicht verhungert.
Wenn das sechsjährige Mädchen den jungen Alligator nicht gefunden hätte, (dann) wäre er verhungert.

b) Ein Dieb hat in eine fremde Handtasche gegriffen. Dabei wurde er von einer Tarantel gebissen.

c) Kakerlaken haben einen „sechsten Sinn". Deshalb können sie so frühzeitig jeden Menschen erkennen.

d) Die Finnin Karoliina S. ist eines Morgens neben einer Kobra aufgewacht. Seitdem muss sie zu einem Psychotherapeuten gehen.

e) Der Gewehrschrank stand offen. Ein Jagdhund hat mit dem Gewehr gespielt und dabei sein Herrchen erschossen.

3 Szenen einer Ehe – Formulieren Sie Bedingungssätze mit wenn im Konjunktiv II.

■ du I nicht so faul I sein, • haben I wir I jetzt auch ein Haus
Wenn du nicht so faul wärst, hätten wir jetzt auch ein Haus.

▨ du I weniger Geld I ausgegeben haben, • dann I wir I mehr I haben sparen können

■ was heißt hier, • ich I weniger I ausgegeben haben (?)

▨ das heißt zum Beispiel, • du I weniger oft I zu diesem italienischen Masseur I gegangen sein

■ ich I einen Körper I wie du I haben, • ich I mich schämen

▨ ich I so oft I meinen Körper I denken an I wie du, • dann I wir I uns nicht einmal I ein Puppenhaus I leisten können

4 Meine Freunde – Formulieren Sie Bedingungssätze mit wenn im Konjunktiv II.

a) Anna liebt ihren Mann immer noch. Sonst hätte sie ihn längst fortgejagt.
Wenn Anna ihren Mann nicht immer noch lieben würde, hätte sie ihn längst fortgejagt.

b) Ernst hat überhaupt keinen Geschmack. Sonst hätte er diesen Sakko nicht gekauft.

c) Maria ist sehr gutmütig. Sonst wäre sie längst explodiert.

d) Fritz hat kein Geld. Sonst hätte er sich längst ein neues Auto gekauft.

e) Ulrich ist momentan sehr beschäftigt. Sonst würde er sich sicher bei mir melden.

6.28 KONJUNKTIV II (4): WÜNSCHE, IRREALE FOLGEN

Wäre ich doch bloß ...
zu ... , als dass

1 Funktion

a Wünsche

> *Wenn der Typ doch endlich verschwinden würde!*

b irreale Folgen

Das Buch ist zu langweilig, als dass man wach bleiben könnte.

2 Satzstrukturen

a Wünsche

wenn					Partizip II	konjugiertes Verb
Wenn	er	doch	etwas geduldiger			wäre!
Wenn	ich	(doch) nur	etwas mehr Glück	gehabt		hätte!

konjugiertes Verb					Partizip II
Wären	die Kinder	bloß	etwas leiser!		
Hätte	ich ihm	(doch) bloß	nicht das Auto	gegeben!	

b irreale Folgen

Hauptsatz			Nebensatz		
			Konnektor		Verb
Der Wein ist	zu	sauer,	als dass	man ihn noch	trinken könnte.
Die Formel war	zu	komplex,	als dass	ich sie in 5 Minuten	hätte* erklären können.

* Bei Modalverben steht *hätte* vor den beiden Infinitiven.

3 Alternativen

	zu + *um... zu* + Infinitiv
Das Problem ist zu komplex, als dass man es beim Mittagessen besprechen könnte.	*Das Problem ist zu komplex, um es beim Mittagessen zu besprechen.**
	Das Problem ist so komplex, dass man es beim Mittagessen nicht besprechen kann.
	so... dass (Indikativ)

* Das Modalverb entfällt hier.

ÜBUNGEN

1 **Wünsche, nichts als Wünsche – Ergänzen Sie wenn, doch und das Verb im Konjunktiv II.**

a) *Wenn* ich *doch* meine Freundin öfter *sehen würde* ! (sehen)

b) .... er .... einen besseren Job .... ! (bekommen)

c) .... das Fernsehprogramm nicht immer so langweilig .... ! (sein)

d) .... der Wagen etwas schneller .... !
(fahren)
e) .... wir .... etwas mehr Glück im Lotto .... ! (haben)
f) .... das Wetter nicht so schlecht .... ! (sein)

2 | II | Elternsorgen – Formulieren Sie Wunschsätze mit wenn. Verwenden Sie abwechselnd bloß und nur.

a) Unser Alex ist leider ziemlich schlecht in der Schule.
Wenn unser Alex bloß nicht so schlecht in der Schule wäre!
b) Er hat im Moment lauter andere Dinge im Kopf.
c) Seine Freunde haben so einen schlechten Einfluss auf ihn.
d) Außerdem läuft er jeden Tag mit dieser Petra herum.
e) Seitdem macht er nicht einmal das Notwendigste. (+ *wenigstens* statt *nicht einmal*)
f) Bei jedem Gespräch über das Thema reagiert er total kindisch.
g) Er sieht die halbe Nacht fern.
h) Vermutlich schafft er dieses Schuljahr nicht.
i) Er versucht es nicht einmal.
j) Er ist eben nicht so fleißig wie sein Vater in dem Alter.

3 | II | 30 Jahre später – Formulieren Sie die Sätze aus Übung 2 in der Vergangenheit und ohne wenn. Verwenden Sie abwechselnd doch bloß und doch nur.

a) *Wäre ich doch bloß nicht so schlecht in der Schule gewesen!*

4 | III | Menschen und ihre Schwächen – Formulieren Sie Sätze mit den Alternativen von zu … als dass.

a) Peter ist zu ungeschickt, als dass er die Lampe montieren könnte.
Peter ist zu ungeschickt, um die Lampe zu montieren.
Peter ist so ungeschickt, dass er die Lampe nicht montieren kann.
b) Charlotte ist zu vergesslich, als dass sie dieses Projekt durchführen könnte.
c) Herr Meier war zu unzuverlässig, als dass er diesen Job hätte übernehmen können.
d) Eva ist zu kaputt, als dass sie noch in die Disco gehen könnte.
e) Sibylle war zu verärgert über Karl, als dass sie mit ihm noch länger hätte zusammenleben wollen.
f) Frau Schneider ist zu geizig, als dass sie sich einen neuen Wintermantel kaufen würde.

5 | III | Urlaubserinnerungen – Formulieren Sie Sätze mit zu … als dass.

a) Das Essen war sehr fett. Ich konnte es gar nicht vertragen.
Das Essen war zu fett, als dass ich es hätte vertragen können.
b) Die Discos waren schrecklich laut. Ich konnte überhaupt nicht schlafen.
c) Das Meer dort ist sehr warm. Es erfrischt einen gar nicht.
d) Die Zimmer waren ausgesprochen klein. Man konnte sich gar nicht setzen.
e) Die Leute dort sind total unfreundlich. Ich möchte sie nicht wiedersehen.
f) Die Hitze war sehr groß. Ich habe mich nicht erholt.
g) Aber der Barkeeper war süß. Ich konnte ihm nicht widerstehen.

6.29 KONJUNKTIV II (5): VERGLEICHE

als ob – als

1 Funktion

„Du siehst aus, als ob du gerade ein Gespenst gesehen hättest."

2 Satzstrukturen

a Hauptsatz, Hauptsatz

Hauptsatz	Hauptsatz				
	Konnektor	konj. Verb		Infinitiv / P II	
Du rennst,	*als*	*würde*	*dich die Polizei*	*verfolgen*[1].	
Er isst / aß,	*als*	*hätte*	*er eine Woche nichts*	*bekommen*[2].	

b Hauptsatz, Nebensatz

Hauptsatz	Nebensatz			
	Konnektor		Infinitiv / P II	konj. Verb
Du rennst,	*als ob**	*dich die Polizei*	*verfolgen*	*würde*[1].
Er isst / aß,	*als ob**	*er eine Woche nichts*	*bekommen*	*hätte*[2].

[1] Gegenwart; [2] Vergangenheit
* statt *als ob* umgangssprachlich auch *als wenn*

c Verwendung
Irreale Vergleichssätze stehen oft nach Verben des persönlichen Befindens und der Wahrnehmung:

Ich fühle mich, *Es geht mir schlecht,* *Mir ist zumute,*	*als ob ich einen Stein verschluckt hätte.* *als hätte ich einen Stein verschluckt.*
Es scheint (mir), *Ich habe den Eindruck,* *Er sieht aus,*	*als ob er wieder gesund wäre.* *als wäre er wieder gesund.*
Die Musik klingt, *Die Musik hört sich an,* *Die Musik wirkt auf mich,*	*als ob jemand einer Katze auf den Schwanz getreten wäre.* *als wäre jemand einer Katze auf den Schwanz getreten.*

3 Alternativen

als ob + Verb	*wie* + Nomen
Er benahm sich, als ob er verrückt wäre.	*Er benahm sich wie ein Verrückter.*

1 Menschen und Tiere im Stress – Formulieren Sie Sätze mit als ob.

a) Das Mädchen rief so laut, (ich / schwerhörig / sein)
   Das Mädchen rief so laut, als ob ich schwerhörig wäre.
b) Die Katze schrie, (sie / große Schmerzen / haben)
c) Karl war wütend. Er sah aus, (er / gleich / explodieren)
d) Der Autofahrer beschimpfte mich so, (ich / seinen Wagen / kaputt gemacht haben)
e) Der Hund bellte, (ich / ein Einbrecher / sein)
f) Eva weinte so, (sie / nie wieder / aufhören)

2 Formulieren Sie dieselben Sätze mit als.

a) *Das Mädchen rief so laut, als wäre ich schwerhörig.*

3 Komische Leute! – Formulieren Sie irreale Vergleichssätze.

a) Herr Petersen hat erst seit kurzem den Führerschein. (als ob)
   Aber er fährt so schnell, *als ob er schon lange / seit langem*
   den Führerschein hätte.
b) Er hat nicht den sichersten Wagen der Welt. (als ob)
   Aber er fährt so riskant, ...
c) Außerdem sieht er nicht gerade hervorragend. (als)
   Aber er tut so, ...

d) Frau Martens hat kein unangenehmes Erlebnis gehabt. (als)
   Aber sie macht den Eindruck, ...
e) Sie ist in Wirklichkeit nicht einsam. (als ob)
   Aber sie macht den Eindruck, ...
f) Sie ist ziemlich reich. (als)
   Aber sie sieht aus, ...

g) Egon und Eva-Maria sind keine engen Freunde mehr. (als ob)
   Aber Egon benimmt sich so, ...
h) Er hat ihren Brief bekommen. (als ob)
   Aber Egon tut so, ...
i) Er weiß, es hat keinen Sinn mehr, sich mit ihr zu treffen. (als)
   Aber er tut so, ...

4 Schöne Firma! – Formulieren Sie Sätze mit als anstelle von wie.

a) Der neue Chef behandelt mich wie einen totalen Anfänger.
   Der neue Chef behandelt mich, als wäre ich ein totaler Anfänger.
b) Jeden Morgen beschimpft er mich wie einen kleinen Schuljungen.
c) Seine Sekretärin benimmt sich wie die Königin von England.
d) Meine Kollegen reden über mich wie über einen Idioten.
e) Selbst der Hund des Pförtners behandelt mich wie Luft.
f) Die Dame am Empfang sieht mich wie einen Fremden an.
g) Die neue Praktikantin spricht mit mir wie meine Vorgesetzte.

6.30 INDIREKTE REDE

Der Politiker meinte, die Steuern seien zu hoch.

_1_ Funktion
Wiedergabe von Aussagen anderer Personen

_2_ Formen

gesprochene Sprache	*Der Minister meinte, er hat keine Möglichkeit, die Steuern zu senken.*	meistens Indikativ
geschriebene Sprache	*Der Minister meinte, er habe keine Möglichkeit, die Steuern zu senken.*	Konjunktiv I nur in der 3. Person Singular
	Max sagt, du seist zu Hause.	sein: Konjunktiv I in allen Formen
	Eva meint, ich solle zum Arzt gehen.	Modalverben: Konjunktiv I in der 1. und 3. Person Singular
	Die Oppositionsparteien betonten, sie hätten ein besseres Steuerkonzept.	sonst: Konjunktiv II

ⓐ Gegenwart

	„normale" Verben			haben	sein	Modalverben
ich	*käme*	*würde*		*hätte*	*sei*	*könne*
du	*käm(e)st*	*würdest*		*hättest*	*sei(e)st*	*könntest*
er/sie/es	*komme*	*würde*	kommen	*habe*	*sei*	*könne*
wir	*kämen*	*würden*		*hätten*	*seien*	*könnten*
ihr	*käm(e)t*	*würdet*		*hättet*	*sei(e)t*	*könntet*
sie/Sie	*kämen*	*würden*		*hätten*	*seien*	*könnten*

Die blau gedruckten Formen sind Konjunktiv I, die anderen Konjunktiv II.

ⓑ Vergangenheit
Nur ein Tempus. Es repräsentiert die drei Vergangenheitstempora der direkten Rede:

er	*habe*	geholfen
sie	*hätten*	

er	*sei*	gelaufen
sie	*seien*	

ⓒ Perspektivenwechsel

Der Minister (gestern in Köln):	„Ich	bin	heute	hierhergekommen, ..."
Der Minister sagte,	er	sei	gestern	nach Köln gekommen, ...

ⓓ Fragesätze 📖 **s. auch Seite 154:**

	„Warum haben Sie das Buch veröffentlicht?"		*Joseph L.: „ ..."*
Auf die Frage,	*warum er das Buch veröffentlicht habe,*		*antwortete Joseph L., ...*

_3_ Satzstrukturen

Hauptsatz	*Er ist der Meinung, man müsse dieses Gesetz noch ändern.*
Nebensatz mit *dass*	*Er ist der Meinung, dass man dieses Gesetz noch ändern müsse.*

1

Markieren Sie in den Zeitungsartikeln die indirekte Rede.

Nach Operation Glatze statt Wuschelkopf
Aveiro – Ein Schönheitszentrum im nordportugiesischen Aveiro muss einen Patienten entschädigen, der nach einer Haarwurzelbehandlung eine Glatze bekommen hat. Ziel der Behandlung sei die Einsetzung künstlichen Haars gewesen, berichtete das portugiesische Magazin *Espresso*. Statt wallendes Haar zu tragen, sei der Mann nun aber völlig kahl. Ein Gericht in Aveiro habe die Schönheitsklinik dazu verurteilt, dem Kläger die 3300 Euro zurückzuzahlen. Außerdem müsse sie ihn für sein „seelisches Leiden" mit weiteren 3000 Euro entschädigen. Man hätte den Mann vorher über die möglichen Folgen informieren müssen, begründete das Gericht sein Urteil.

Die Braut sagt „Nein"
Prag – Schock vor dem Traualtar: Mit einem entschiedenen „Nein" antwortete eine junge Braut in Tschechien auf die alles entscheidende Frage des Pfarrers. Die Zeremonie sei daraufhin abgebrochen worden, das Bankett habe jedoch stattgefunden, berichteten Zeitungen in der tschechischen Hauptstadt. „Es herrschte eine Stimmung wie auf einer Beerdigung", kommentierte der Bräutigam. Für das überraschende Scheitern wählte er einen originellen Vergleich: Es sei, als ob man Billard spiele, und die Kugel rolle wider Erwarten nicht ins Loch. Nach ihren Gründen habe er seine Ex-Braut nicht gefragt: „Das übersteigt sowieso mein Verständnis", meinte er.

2

Eine Buchvorstellung – Ergänzen Sie die Verben im Konjunktiv I bzw. Konjunktiv II.
In seiner Rede zur Präsentation des jüngsten Gedichtbands von Skandal-Autor Joseph L. sagte der bekannte Literaturkritiker Alfred Maria W., es (a) *gebe* (geben) kaum einen Autor der Gegenwart, den er so spannend (b) .... (finden) wie Joseph L. Selbst beim wiederholten Lesen von „Anton" (c) .... (haben) er den Eindruck, dass Literatur auch heutzutage noch provozieren (d) .... (kann). Was damit genau gemeint (e) .... (sein), (f) .... (wollen) er zum jetzigen Zeitpunkt noch nicht verraten. Viele Leute (g) .... (haben) Angst vor der Lektüre eines solchen „literarischen Pamphlets", fuhr der Kritiker fort. Aber diese Leute (h) .... (müssen) sich fragen, ob sie in Wirklichkeit nicht Angst vor sich selbst (i) .... (haben). Auf die Frage, ob er und das Publikum in den Genuss einer Lesung (j) .... (kommen), antwortete der anwesende Erfolgsautor gewohnt provokant, er (k) .... (wissen) es nicht.

3

Rede und (k)eine Antwort – Verwandeln Sie die direkte in die indirekte Rede.
a) Der Reporter stellte dem Parteivorsitzenden die Frage: „Wie beurteilen Sie die Chancen Ihrer Partei bei der kommenden Wahl?" Der Vorsitzende antwortete: „Ich bin, wie immer, optimistisch."
   Der Reporter stellte dem Parteivorsitzenden die Frage, wie er die Chancen seiner Partei beurteile. Der Vorsitzende antwortete, er sei, wie immer, optimistisch.
b) Der Richter fragte den Zeugen: „Können Sie sich noch genau an den Unfall erinnern?" Der Zeuge erwiderte: „Ich habe noch jedes Detail in Erinnerung."
c) Der Journalist wollte von der Schauspielerin wissen: „Wie alt sind Sie?" Die Schauspielerin antwortete: „Das geht Sie gar nichts an."
d) In der Krisensitzung betonte der Vorstandsvorsitzende: „Wir müssen wegen der schlechten Auftragslage harte Maßnahmen ergreifen." Sein Assistent fügte hinzu: „Die Großaktionäre werden schon ungeduldig."

6.31 NOMEN-VERB-VERBINDUNGEN

Kritik üben

1 Funktion

Mit Nomen-Verb-Verbindungen wird der Sprache ein „offizieller Charakter" verliehen.

Schriftsprache	Die Firmenleitung hat *einen wichtigen Beschluss gefasst*. Die Polizei hat zahlreiche *Maßnahmen getroffen*. Man *übte Kritik* an seinen Methoden.	Geschäftswelt, Bürokratie, Politik, Justiz, Medien
gesprochene Sprache	Ich möchte *eine Frage stellen*. Diesen Nachteil musst du *in Kauf nehmen*.	gelegentliche Verwendung

Liste mit Nomen-Verb-Verbindungen **s. Seite 218**

2 Formen

Präposition	Artikel	Nomen	Funktionsverb	„einfaches" Verb
	–	Kritik	üben	kritisieren
	den	Vorzug	geben	vorziehen
	eine	Entscheidung	treffen	(sich) entscheiden
in		Erwägung	ziehen	erwägen
im		Sterben	liegen	sterben

Manchmal kann man kein „einfaches" Verb bilden:
Das Gesetz *tritt* am 1.1. nächsten Jahres *in Kraft*. – gültig werden

Bedeutungsgruppen von Verben in Nomen-Verb-Verbindungen:

aktivisch	Er *zieht* diese Theorie *in Zweifel*. Man *stellt* mir ein Auto *zur Verfügung*.	bringen, führen, geben, machen, stellen, ziehen u.a.
passivisch	Mir *steht* ein Auto *zur Verfügung*.	finden, kommen, stehen u.a.

ÜBUNGEN

1 II Kampfhundverbot – Markieren Sie die Nomen-Verb-Verbindungen.

Kampfhundverbot: Ja oder nein?

Meinungen zum Thema

Klaus O., Journalist: „Immer mehr Menschen vertreten die Ansicht, man sollte Abschied neh-men von der Vorstellung, dass man ein Tier haben kann, das andere Menschen in Gefahr bringt. Die Politik sollte endlich die passenden Maßnahmen ergreifen."

Sigmund M., Psychologe: „Ich bin zu der Auffassung gelangt, dass ein Verbot auf überzeugte Kampfhundbesitzer keinen großen Eindruck machen würde. Darüber muss man sich im Klaren sein. Eher sollte man ‚Wiederholungstäter' unter psychologische Beobachtung stellen."

Jan R., Kampfhundbesitzer: „Also ich finde ein Verbot total übertrieben. Nach den Unfällen müssen wir Kampfhundbesitzer sicherlich ein paar Einschränkungen in Kauf nehmen. Und man muss natürlich auch die Frage stellen, wer überhaupt qualifiziert ist, solche Tiere zu besitzen."

2 **Nachrichten aus aller Welt – Ersetzen Sie die unterstrichenen Verben durch die angebenen Nomen-Verb-Verbindungen.**

a) **Brasilien** – Tausende brasilianische Landarbeiter <u>streiken</u>, um gegen die Politik ihrer Regierung zu protestieren. (in Streik treten)

b) **Seoul** – Vertreter der ASEAN-Staaten <u>haben beschlossen</u>, die Zusammenarbeit ihrer Länder zu vertiefen. (den Beschluss fassen)

c) **Washington** – Noch ist völlig unklar, ob <u>sich</u> die EU und die USA in allen strittigen Punkten <u>einigen</u> werden. (einen Kompromiss erzielen)

d) **London** – Die Umweltminister der EU diskutieren derzeit über die Frage, ab wann die verschärften Umweltvorschriften <u>gelten</u> sollen. (in Kraft treten)

e) **Moskau** – Die russische Regierung <u>bereitet</u> die Bergung eines abgestürzten Flugzeugs im Kaukasus <u>vor</u>. (Vorbereitungen treffen zu) Experten <u>bezweifeln</u> den Erfolg dieses Plans. (in Zweifel ziehen)

Tausende brasilianischer Landarbeiter sind in Streik getreten, um ...

3 **Klaus B., Hausbesitzer und Wichtigtuer – Übersetzen Sie seinen Brief in „normales" Deutsch.**

sich äußern | bestrafen | (die Interessen) berücksichtigen | erlauben | fotografieren | hören | mitteilen | ~~ansprechen~~ | sich unterhalten | verdächtigen | vorwerfen

Sehr geehrte Frau Sperling,
ich muss ein Thema <u>zur Sprache bringen</u>, das mir sehr unangenehm ist. Mir ist <u>zu Ohren gekommen</u>, dass Sie ihre Wohnung seit einiger Zeit untervermieten. Ich muss Sie davon <u>in Kenntnis setzen</u>, dass ich Ihnen dazu nie <u>die Erlaubnis gegeben habe</u>, und möchte Sie bitten, zu diesem Punkt unverzüglich <u>Stellung</u> zu <u>nehmen</u>. Außerdem <u>stehen</u> Sie <u>im Verdacht</u>, dass Sie auf ihrem Balkon Marihuana anpflanzen. So etwas <u>steht unter Strafe</u>! Ein Nachbar hat <u>ein Foto</u> von ihrer letzten Ernte <u>gemacht</u>. Außerdem wird gegen Sie <u>der Vorwurf erhoben</u>, dass Sie nach 22 Uhr noch laute Musik hören und keinerlei <u>Rücksicht</u> auf die übrigen Hausbewohner <u>nehmen</u>. Wir sollten über alle Punkte so schnell wie möglich <u>ein</u> ernsthaftes <u>Gespräch führen</u>.

Hochachtungsvoll
Klaus B.

Sehr geehrte Frau Sperling,
ich muss ein Thema ansprechen, ...

7.1 HAUPTSATZ

Das Ticket habe ich schon besorgt.

1 Funktion

Die Satzglieder des Hauptsatzes – außer dem Verb – können an verschiedenen Stellen positioniert werden. Das ermöglicht eine Variation des Satzbaus. Texte werden durch diese Variation abwechslungsreich und lesen sich flüssig.

2 Satzstruktur

Position 1	Position 2 konj. Verb	Mittelfeld				Ende
Wir Subjekt (NOM)	*nehmen*	*den Flug.* AKK-Ergänzung				
Das Ticket AKK-Ergänzung	*habe*	*ich* Subjekt (NOM)	*mir*		*schon*	*besorgt.* Partizip II
Weil ich wenig Zeit habe, Nebensatz	*fliege*	*ich* Subjekt (NOM)		*schon*	*heute Abend*	*ab.* Vorsilbe
Bis zum Abflug Angabe	*müssen*	*wir* Subjekt (NOM)		*noch*	*einiges*	*erledigen.* Infinitiv

Position 2 Satzende	Nur das Verb hat im Hauptsatz eine feste Position: die Position 2. Dort steht der zweite Teil des Verbs und bildet mit dem ersten Teil eine Klammer.
Position 1	Andere Satzteile (Ergänzungen im Akkusativ oder Dativ, eine Angabe oder ein Nebensatz) können das Subjekt von Position 1 verdrängen. Steht das Subjekt nicht auf Position 1, dann rückt es auf Position 3.
Position 3, 4 usw.	Mittelfeld ▭ **s. Seite 134**

Position 0	Position 1	Position 2	Position 3, 4 ...
Und	*wir*	*fragen*	*uns, was als Nächstes kommt.*
Aber	*sicher*	*wisst*	*ihr eine Antwort.*
Denn	*ihr*	*habt*	*euch alles gut überlegt.*
Oder	*ihr*	*habt*	*etwas darüber gelesen.*

Position 0	Die Konnektoren *aber, denn, und, oder, sondern* stehen vor dem eigentlichen Satzanfang auf Position 0; ▭ **s. Seite 158**

---

1 Zugunglück – Analysieren Sie die Positionen 0, 1 und 2 in diesem Text.

Lange haben wir in der Redaktion über diesen Kommentar diskutiert. Denn Journalisten sind ja glücklicherweise nicht ganz abgestumpft. Und so fragen wir uns in so einer Situation natürlich auch, ob man bei einer solchen Tragödie überhaupt etwas sagen soll. Aber es kann doch nützlich sein, sich ein paar Zahlen klarzumachen. Es dauert im Durchschnitt ziemlich genau vier Tage, bis der Verkehr auf unseren Straßen genauso viele Tote gefordert hat, wie in dem Zug gestorben sind. Denn Tag für Tag lassen 25 Menschen im Straßenverkehr ihr Leben. In unserem Land muss nur eine Stunde vergehen, und sechzig Menschen werden verletzt.

Position 0	Position 1	Position 2
–	*Lange*	*haben*
Denn	*Journalisten*	*sind*

2 Mobilität – Korrigieren Sie die Fehler in der Satzstruktur.

a) Täglich Menschen sterben im Straßenverkehr.
   Täglich sterben Menschen im Straßenverkehr.
b) Die Statistik sagt: In jeder Stunde es gibt in Deutschland sechzig Verletzte.
c) Das der Preis für unsere Mobilität ist.
d) Bei einem Zug hundertprozentige Sicherheit ist nicht möglich.
e) In einem Auto mit Airbags wir haben auch keine totale Sicherheit.
f) Neue Technik nicht automatisch ein besseres Leben garantiert.
g) Denn bringt der Fortschritt auch viele Gefahren.
h) Aber denken wir meistens nicht an diese Folgen.
i) Und wollen wir auch nichts davon hören.

3 S-Bahn-Probleme – Setzen Sie die unterstrichenen Satzglieder auf Position 1.

a) Ich wollte <u>gestern</u> einen Ausflug machen.
   Gestern wollte ich einen Ausflug machen.
b) Ich wollte mit der S-Bahn fahren, <u>weil mein Fahrrad kaputt ist</u>.
c) Ich stand <u>gegen zwei Uhr nachmittags</u> am Bahnsteig.
d) Ich wartete <u>über vierzig Minuten</u> auf die S-Bahn.
e) Ich wurde <u>nach einer halben Stunde</u> langsam sauer.
f) Ich war fast eingeschlafen, <u>als die S-Bahn endlich kam</u>.
g) Ich finde <u>eine so lange Wartezeit</u> unzumutbar.

4 Der vergessene Mantel – Verbessern Sie diesen Brief, indem Sie andere Satzteile auf Position 1 stellen oder zwei oder mehrere Sätze verbinden.

An das
Fundbüro der Deutschen Bahn

Sehr geehrte Damen und Herren,
ich habe gestern im Zug meinen Mantel vergessen. Ich habe ihn in dem
ICE um 17.33 Uhr von München nach Frankfurt liegen lassen. Ich möchte
Sie fragen, ob jemand den Mantel bei Ihnen abgegeben hat. Der Mantel
ist grün. Er ist aus Wolle. Ein roter Schal steckte in der Tasche des
Mantels. Bitte schicken Sie mir den Mantel, wenn das möglich ist. Bitte
lassen Sie mir eine Nachricht zukommen, wenn ich den Mantel selber
abholen soll. Ich übernehme selbstverständlich die Kosten für das Porto.
Herzlichen Dank im Voraus.

Mit freundlichen Grüßen
Ihre Elisabeth Goodman

Sehr geehrte Damen und Herren,
gestern habe ich im Zug meinen Mantel vergessen.

7.2 **MITTELFELD DES SATZES**

... heute wegen des schönen Wetters unbedingt ins Freibad ...

1 Subjekt und Objekt im Mittelfeld

POS 1	POS 2		Mittelfeld		Ende
1 *Henry*	*leiht*	*seinem Freund*	*manchmal*	*sein Lieblingsauto.*	
2 *Manchmal*	*leiht*	*Henry*	*seinem Freund*	*sein Lieblingsauto.*	
3 *Henry*	*leiht*	*ihm*	*manchmal*	*sein Lieblingsauto.*	
4 *Er*	*leiht*	*es*	*ihm*	*manchmal.*	
5 *Gestern*	*hat*	*er*	*es*	*ihm*	*geliehen.*
6 *Ihm*	*würde*	*er*	*auch sein schönstes Buch*		*leihen.*
7 *Seinen Teddy*	*wird*	*Henry*	*ihm*	*aber nie*	*leihen.*
8 *Er*	*hat*	*ihm*	*einen*		*geschenkt.*

Mittelfeld	Alle Satzteile außer dem Verb (Position 2 und Ende) sind im Hauptsatz in ihrer Position variabel. Sie können entweder auf Position 1 oder im Mittelfeld stehen.
Subjekt	steht entweder auf Position 1 (Beispiel 1, 3, 4, 8) oder direkt nach dem Verb (Beispiel 2).
Pronomen	• stehen vor Nomen (kurz vor lang) (Beispiel 3). • stehen direkt nach dem Verb (Beispiel 3, 4, 5, 6, 8) bzw. nach dem Subjekt, falls dieses auf Position 3 steht (Beispiel 5, 7). Stellung der Reflexivpronomen 📖 **s. Seite 98**
Akkusativ- und Dativ-Ergänzung	• Dativ (dunkelgrün) steht vor Akkusativ (hellgrün) (Beispiel 1, 2, 3, 8). • Ist der Akkusativ ein Personalpronomen, steht er vor dem Dativ (Beispiel 4, 5). • Bei anderen Pronomen (z.B. *einen*) bleibt die Reihenfolge Dativ vor Akkusativ (Beispiel 8).

2 Angaben

Objekte und Angaben	• Angaben können auf Position 1 stehen (Beispiel 2, 5). • Für die Stellung der Angaben im Mittelfeld lassen sich kaum feste Regeln geben. Temporale Angaben (z.B. *manchmal, nie*) stehen häufig nach der Dativ-Ergänzung. (Beispiel 1, 3, 4, 7).
mehrere Angaben	Auch hier lassen sich keine exakten Regeln angeben. Normalerweise gilt: temporal vor kausal/konzessiv/konditional vor modal vor lokal.

	wann? temporal	warum? welche Bedingung? kausal / konzessiv / konditional	wie? modal	wo? wohin? lokal	
Karin will	*heute*	*wegen des schönen Wetters*	*unbedingt*	*ins Freibad*	*gehen.*
Else steht	*in der Woche gegen 7 Uhr*				*auf.*

1 **Im Computerkurs – Formulieren Sie Sätze.**

a) Die Kursleiterin gibt das neue Arbeitsbuch – den Teilnehmern.
   Die Kursleiterin gibt den Teilnehmern das neue Arbeitsbuch.
b) Ihr Kollege macht Fotokopien von den Unterlagen – uns.
c) Sie beantwortet alle meine Fragen – mir.
d) Herr Meier bringt die vermisste Diskette – uns.
e) Die Trainerin erklärt die Möglichkeiten des Programms – meiner Kollegin.
f) Wir schenken einen Blumenstrauß – der Kursleiterin.

2 **Ergänzen Sie die Sätze aus Übung 1 im Mittelfeld durch folgende Angaben.**

a) nächste Woche
   Die Kursleiterin gibt den Teilnehmern nächste Woche das neue Arbeitsbuch.
b) bis morgen   c) sofort   d) gleich   e) noch einmal   f) am Kursende

3 **Ersetzen Sie das Nomen im Akkusativ durch ein Personalpronomen.**

a) *Die Kursleiterin gibt es den Teilnehmern nächste Woche.*

4 **Fragen und Antworten – Ergänzen Sie die Pronomen.**

a) Könntest du mir mal kurz deinen Kugelschreiber leihen? – Wenn du möchtest,
   schenke ich *ihn dir*.
b) Gibst du mir bitte mal das Lineal? – Ich habe .... doch bereits hingelegt.
c) Würden Sie mir ein Mineralwasser bringen? – Ich habe .... schon dort
   hingestellt.
d) Würden Sie mir bitte meine Frage beantworten? – Ich habe .... doch
   bereits beantwortet.
e) Könntest du mir den Weg zur Universität beschreiben? – Ich habe ....
   hier auf diesem Blatt aufgezeichnet.
f) Herr Murr, wo bitte ist das Protokoll von der letzten Sitzung? – Ich habe ....
   .... bereits hingelegt.

5 **Frauen wie Elsa – Erweitern Sie die Sätze. Stellen Sie eine
der Angaben an den Satzanfang. Es gibt mehrere Lösungen.**

a) Elsa steht auf. – in der Woche / gegen 7 Uhr
   *In der Woche steht Elsa gegen 7 Uhr auf. • Gegen 7 Uhr steht Elsa in der
   Woche auf.*
b) Sie verlässt das Haus. – bei gutem Wetter / um Viertel nach acht
c) Sie fährt mit dem Fahrrad. – bei gutem Wetter / normalerweise
d) Ihre Einkäufe erledigt Elsa. – in einem Einkaufszentrum / nach der Arbeit
e) Sie treibt Sport. – in einem Fitnesscenter für Frauen / zweimal pro Woche
f) Sie macht mit zwei Freundinnen Wassergymnastik. – in einem Kurbad /
   am Wochenende
g) Sie sieht sich gerne die neuesten Filme an. – samstagabends / in einem der großen Kinos
   in der Stadt
h) Elsa leistet sich ein Abendessen im Restaurant. – mindestens einmal pro Monat / trotz
   knapper Kasse

7.3 NEGATION

nichts – niemand

1 Negation eines Satzes

Die Musiker enttäuschten nicht. *Die Musiker enttäuschten das Publikum nicht.* *Die Musiker enttäuschten das Publikum gestern* *im Konzert nicht.*	*nicht* steht möglichst weit am Ende
Wir haben uns nicht gefreut. *Er hört einfach nicht auf.* *Er braucht nicht zu arbeiten.*	vor dem zweiten Teil des Verbs
Er spielt nicht Klavier.	vor Akkusativ-Ergänzungen, die eng zum Verb gehören
Er erinnert sich nicht an seine Schulzeit.	vor Präpositional-Ergänzungen
Wir gehen nicht in die Schule.	vor Lokal-Ergänzungen
Wir freuen uns nicht besonders.	vor qualitativen Ergänzungen

2 Negation eines Satzteils

Nicht die Musiker enttäuschten, sondern die Sänger. *Die Musiker haben uns nicht enttäuscht, sondern* *begeistert.* *Ich habe nicht das heutige Konzert gemeint, sondern* *das von gestern Abend.*	*nicht* steht vor dem Satzteil, der negiert wird

3 Negation von Artikeln, Pronomen, Adverbien

positiv	negativ	
das/ein *ein(e)s*	*kein* *kein(e)s*	*Ich habe kein neues Auto.* *Haben wir noch Brot? Nein, wir haben keins mehr.*
alles, etwas	*nichts**	*Mit Brille sehe ich alles, ohne kann ich nichts erkennen.* *Hast du etwas? Nein, ich habe nichts.*
jemand	*niemand,** *keiner*	*Niemand versteht mich.* *Keiner liebt mich.*
immer	*nie, niemals*	*Ich werde nie/niemals verstehen, warum du das getan hast.*
überall *irgendwo*	*nirgendwo,* *nirgends*	*Ich habe überall nach meiner Brille gesucht – ich habe sie* *nirgends/nirgendwo gefunden.*
schon	*noch nicht/nie*	*Hast du schon mal Golf gespielt? Nein, noch nie.*

* s. Seite 58 (Indefinitpronomen)

ÜBUNGEN

1 Wohnungen – Warum ist Wohnung 2 ein besseres Angebot?

	Wohnung 2	Wohnung 1
die Tiefgarage	ja	nein
die Zentralheizung	ja	nein

	Wohnung 2	Wohnung 1
das Bad	ja	nein
das separate WC	ja	nein
die Einbauküche	ja	nein
die Abstellkammer	ja	nein
der Balkon	ja	nein

Sie hat eine Tiefgarage, Wohnung 1 hat keine.

2 Zur Person – Negation mit nicht, kein, keine.

a) **Formulieren Sie Fragen und negative Antworten.**

	Hannah	Matthias
verheiratet	+	–
Kinder	–	–
berufstätig	+	–
Geld gespart	–	–
schon mal in Polen	–	+
Fremdsprachen	+	–
Freunde in Deutschland	–	+
eine E-Mail-Adresse	+	–

Ist Matthias verheiratet? – Nein, er ist nicht verheiratet.
Hat Hannah Kinder? – Nein, sie hat keine Kinder.

b) **Vergleichen Sie die beiden Personen.**
Hannah ist verheiratet, aber Matthias noch nicht.
Matthias hat keine Kinder, Hannah hat auch noch keine.

3 Moderne Zeiten – Verneinen Sie diese Fragen höflich. Verwenden Sie nicht, nichts oder kein.

a) Wissen Sie, was ein Gameboy ist?
   Nein, das weiß ich leider nicht.
b) Hast du schon mal etwas von „Pokemon" gehört?
c) Hast du vielleicht eine leere Diskette für mich?
d) Kennen Sie ein Computerprogramm gegen Viren?
e) Kennst du den Zugangscode zu diesem Computer?
f) Braucht man für diese Kreditkarte eine Geheimzahl?
g) Muss man diese Uhr per Hand aufziehen?
h) Verstehen Sie etwas von Aktien?
i) Hast du irgendwo meine Uhr gesehen?

4 Kauflust – Ergänzen Sie die Negationswörter.

Ich konnte noch (a) *nie* an einem Modeladen vorbeigehen, ohne mir etwas zu kaufen.
Dabei spielt es (b) .... Rolle, ob ich viel oder wenig Geld in der Tasche habe.
Es fällt mir in diesem Moment auch (c) .... ein, dass ich bereits hundert
ähnliche Sachen im Schrank hängen habe. Ich habe schon alles versucht, um mir diese Sucht
abzugewöhnen, aber bisher hat mir (d) .... geholfen. Ich finde einfach
(e) .... richtiges Mittel dagegen.

7.4 IMPERATIV (1): FORMEN

Mach bitte deine Hausaufgaben!

1 Funktion

Frau Huber verreist für drei Wochen. Sie
erklärt Ihrer Nachbarin, was sie tun soll:

> *Bitte gießen Sie einmal pro Woche die Pflanzen!*
> *Den Goldfischen geben Sie bitte täglich Futter!*
> *Leeren Sie bitte regelmäßig unseren Briefkasten!*

*Leeren **Sie** bitte regelmäßig den Briefkasten!*	Bitte
Stoppt die Gewalt!	Appell
Lasst uns doch zusammen ins Kino gehen.	Vorschlag/Angebot
Sei bitte vorsichtig!	Rat/Empfehlung
Mach jetzt deine Hausaufgaben!	Anordnung
Lass das! Tu das bitte nicht! Schnallen Sie sich immer an!	Ermahnung/Warnung
Verwenden Sie für dieses Rezept fettarme Milch.	Anleitung

2 Formen

Sie-Form	*Essen Sie weniger Zucker!*	Wie in der 3. Person Plural, aber zuerst das Verb, dann das Pronomen.
	Seien Sie unbesorgt!	Ausnahme: *sein*
Du-Form		Wie die 2. Person Singular, aber ohne Endung und ohne Personalpronomen:
	Iss weniger Zucker!	~~du~~ iss~~t~~ – iss
	Sprich etwas lauter!	~~du~~ sprich~~st~~ – sprich
	Sei ruhig, bitte!	Ausnahme: *sein*
		Verben, die auf *-d*, *-t*, *-ig*, *-m* und *–n* enden, behalten das *-e**:
	Antworte mir bitte!	~~du~~ antworte~~st~~ – antworte
	Öffne bitte das Fenster!	~~du~~ öffne~~st~~ – öffne
		Unregelmäßige Verben immer ohne Umlaut:
	Lauf nach Hause!	~~du~~ läuf~~st~~ – lauf
	Fahr nach Köln!	~~du~~ fähr~~st~~ – fahr
Ihr-Form	*Gebt mir eine Chance!* *Seid vorsichtig!*	Wie die 2. Person Plural, es fehlt nur das Pronomen.

* In älteren Texten gibt es die Endung *-e* auch bei anderen Verben, z.B. *Reiche mir bitte das Salz.*

Geh endlich nach Hause!	Das Ausrufezeichen gibt Aufforderungs- bzw. Befehlssätzen Nachdruck.
Gehen Sie doch einfach nach Hause.	Punkt, wenn ohne Nachdruck gesprochen wird.

1 Stressfreie Reise – Unterstreichen Sie alle Imperative.

> Überprüfen Sie vor einer Reise Ihren Pass und lassen Sie ihn eventuell rechtzeitig verlängern. Wenn Sie in Hauptreisezeiten fliegen wollen: Beeilen Sie sich mit der Buchung ihres Fluges oder Hotels. Ziehen Sie bei einem längeren Flug bequeme Kleidung an. Schließen Sie Ihre Wertsachen im Hotelsafe ein. Rufen Sie Ihre Lieben zu Hause an, wenn Sie am Ziel angekommen sind.

2 Tischmanieren für Deutschlandbesucher – Geben Sie Ratschläge in der Sie-Form.

< falten I fassen I halten I schließen I stellen I verdecken I verlassen I verwenden

a) die Ellbogen nicht auf den Tisch
   Stellen Sie die Ellbogen nicht auf den Tisch.
b) die Serviette nicht nach Gebrauch
c) die Gabel in der linken und das Messer in der rechten Hand
d) die Lippen beim Kauen
e) die kleine Gabel für den Kuchen
f) das Weinglas am Stiel
g) die rechte mit der linken Hand, wenn Sie einen Zahnstocher benutzen
h) nicht den Tisch, bevor alle fertig gegessen haben

3 Gesundheits-Tipps – Ergänzen Sie die Verben in der Ihr- und in der Du-Form.

< essen I kontrollieren I putzen I sein I spülen I trinken I verwenden

MIT ZUCKER SPARSAM UMGEHEN
a) *Trinkt / Trink* öfter mal ungesüßten Tee oder Mineralwasser statt Cola oder Limonade!
b) .... vorsichtig bei klebrigen Süßwaren, insbesondere Bonbons!
c) .... öfter mal Obst statt Schokolade oder Bonbons!
d) .... möglichst nach jeder Mahlzeit die Zähne!
e) .... den Mund mit Wasser aus, wenn Zähneputzen nicht möglich ist!
f) .... Süßigkeiten nicht als Belohnung!
g) .... regelmäßig das Körpergewicht!

4 Ratschläge – Formulieren Sie Sätze in der Du-Form.
a) Obst / frisch / essen / täglich
   Iss täglich frisches Obst!
b) Flüssigkeit / Liter / mindestens / täglich / trinken / zwei
c) Sport / treiben / pro / Woche / zweimal
d) acht Stunden / schlafen / täglich
e) achten / beim Einkaufen / auf / gesunde Lebensmittel
f) auf Alkohol / möglichst / verzichten

7.5 IMPERATIV (2): ALTERNATIVEN

Gibst du mir mal die Zeitschrift?

Durch den Zusatz des Wortes *bitte* oder die Verwendung des Konjunktivs *(Es wäre schön, wenn du ... könntest.)* wird aus einem Befehl eine freundliche oder höfliche Aufforderung. In erster Linie kommt es aber auf die Betonung an.

Aufforderung

Imperativ	*Räum dein Zimmer auf!*
Konditionalsatz Konjunktiv II	*Es wäre schön, wenn du endlich dein Zimmer aufräumen könntest.*
Frage + Modalverb Konjunktiv II	*Könntest du endlich dein Zimmer aufräumen?*

Bitte

Imperativ	*Reichen Sie mir bitte das Salz.*
Frage + Konjunktiv II + *bitte* + Modalpartikeln	*Könnten Sie mir bitte mal das Salz reichen?* *Würdest du mir mal die Limonade bringen?* *Gibst du mir bitte mal die Zeitschrift?* *Hätten Sie mal bitte Feuer?*
Kurzform	*Das Salz bitte. / Bitte das Salz.*
Aussagesatz	*Ich möchte bitte mal das Salz.* *Ich brauche mal bitte einen Stift.*
Konditionalsatz	*Wenn Sie mir vielleicht noch das Salz reichen könnten.*

Rat und Empfehlung

Imperativ	*Nimm besser Honig statt Zucker!*	
Frage	*Warum nehmen Sie nicht Honig statt Zucker?*	vorsichtig
sollen	*Sie sollten Honig statt Zucker nehmen.*	energisch
Konjunktiv II	*Du solltest Honig statt Zucker nehmen.*	
würde	*Ich würde eher Honig statt Zucker nehmen.*	persönlich
man	*Man nimmt besser Honig statt Zucker.*	unpersönlich

Anleitung

Imperativ	*Geben Sie die Backmischung, Fett, Eier und Wasser in eine Schüssel.*
Infinitiv	*Die Backmischung, Fett, Eier und Wasser in eine Schüssel geben.*

ÜBUNGEN

1 So nerven Sie Ihre Lieben schon am frühen Morgen – Formulieren Sie zuerst Bitten und dann weniger höfliche Aufforderungen.

a) aufstehen

Würdest du bitte aufstehen? Könntest du bitte mal aufstehen?
Steh endlich auf!

b) sich rasieren   d) sich duschen   f) sich frisieren   h) sich beeilen
c) sich waschen   e) sich anziehen   g) sich kämmen   i) Regenschirm mitnehmen

2 Wie bediene ich eine Waschmaschine? – Formulieren Sie persönlicher in der Sie-Form.

(a) Zuerst sortiert man die Wäsche. (b) Dann legt man die Wäsche in die Maschine hinein.
(c) Dann schließt man die Tür. (d) Dann kontrolliert man, ob der Stecker in der Steckdose
steckt. (e) Anschließend dreht man den Wasserhahn auf. (f) Als Nächstes lässt man das
Waschmittel einlaufen. (g) Dann wählt man das gewünschte Programm. (h) Schließlich stellt
man die Temperatur ein und drückt den Start-Knopf.

(a) *Sortieren Sie zuerst die Wäsche.*

3 Backstudio – Formulieren Sie die Anleitung in der Du-Form.

1. Teig bereiten	2. Belag herstellen
(a) Backmischung, weiches Fett, Eier und Wasser in eine Rührschüssel geben.	(c) Die Äpfel schälen. (d) Drei Äpfel entkernen, in Würfel schneiden und unter den Teig heben. (e) Den Teig in eine Backform füllen. (f) Den vierten Apfel in Scheiben schneiden und auf den Teig legen. (g) Die Form in den Backofen schieben und den Kuchen backen.
(b) Drei Minuten rühren.	

(a) *Gib die Backmischung, weiches Fett, Eier und Wasser in eine Rührschüssel.*

4 Ratschläge zum guten Benehmen – Formulieren Sie Sätze.

a) der Gastgeberin Blumen mitbringen
    Sie sollten der Gastgeberin Blumen mitbringen.
    Man bringt der Gastgeberin Blumen mit.
b) das Papier vor dem Klingeln von dem Blumenstrauß entfernen
c) das Papier in die eigene Tasche stecken
d) die Gastgeber mit Händedruck begrüßen
e) saubere, möglichst gebügelte Sachen und geputzte Schuhe tragen
f) seine Schuhe anbehalten
g) bei offiziellen Einladungen einen Anzug und eine Krawatte tragen

5 Vater und Sohn als Heimwerker – Formulieren Sie höfliche Bitten in der Form, die jeweils angegeben ist.

a) mir den Hammer geben (Imperativ + *doch mal bitte*)
    Gib mir doch mal bitte den Hammer.
b) mir den Werkzeugkasten bringen (Frage + Modalverb Konjunktiv II + *mal*)
c) die Schrauben Nummer 5 suchen (Frage + *mal bitte*)
d) auch die passenden Dübel dazu suchen (Frage + Modalverb Konjunktiv II)
e) in den Keller laufen (Imperativ + *doch mal*)
f) die Bohrmaschine holen (Imperativ + *bitte*)
g) nachsehen, ob zweiter Werkzeugkasten dort sein (Frage + Modalverb Konjunktiv II + *bitte*)

7.6 **FRAGESATZ**

Wann geht der nächste Zug nach Hamburg?

1 Funktion

| *Ist der Zug nach Hamburg schon weg?* | sich informieren |
| *Können Sie mir bitte helfen?* | bitten |

2 Formen

ⓐ direkte Fragen

	Frage			Antwort
		Verb		
Entscheidungsfrage = ohne Fragewort		*Hast*	*du ein Lieblingstier?*	Ja. / Nein.
		Hast	*du kein Lieblingstier?*	Doch. / Nein.
Ergänzungsfrage = mit Fragewort	*Welches Tier*	*magst*	*du am liebsten?*	Den Delfin.

ⓑ indirekte Fragen

	Einleitungssatz	Nebensatz		
		Konnektor		Verb
Entscheidungsfrage = ohne Fragewort	*Kannst du mir sagen,*	*ob*	*du ein Lieblingstier*	*hast?*
Ergänzungsfrage = mit Fragewort	*Sag mir bitte,*	*welches*	*Tier du am liebsten*	*magst.*
Interpunktion	*Wohin gehst du?* *Sag mir bitte, wohin du gehst.*		Fragezeichen nach direkten, Punkt nach indirekten Fragen	

ÜBUNGEN

1 **Im Zoo – Ordnen Sie passende Antworten zu. Es sind mehrere Lösungen möglich.**

‹ die Faultiere I die Menschenaffen I doch I ja I nein

a) Hast du noch keine Eintrittskarte? *Doch.*
b) Bist du auch schon so müde wie ich?
c) Hast du keine Lust mehr, noch zu den Elefanten zu gehen?
d) Hättest du Lust, die Ziegen zu füttern?
e) Vielleicht sollten wir uns mal hinsetzen und ein Eis essen.
f) Warst du schon mal im Streichelzoo, wo man die Tiere anfassen darf?
g) Welche Tiere findest du besonders langweilig?
h) Welche Tiere schaust du dir am liebsten an?

2 **Sicherheitsmaßnahmen – Formulieren Sie Fragen.**
a) Doch, ich habe die Fenster fest geschlossen.
   Haben Sie denn die Fenster nicht fest geschlossen?

b) Doch, ich habe auch die Kellertür abgeschlossen.
c) Doch, ich habe den Schlüssel zweimal herumgedreht.
d) Doch, ich habe das Licht abends brennen lassen.
e) Doch, ich habe die Alarmanlage eingeschaltet.
f) Doch, ich habe den Briefkasten vom Nachbarn leeren lassen.

3 Abendprogramm – Formulieren Sie indirekte Fragesätze mit ob oder wann.

a)	im Kino	das bestellte Buch schon da
b)	bei der Theaterkasse	Kurs schon angefangen
c)	im Restaurant	noch ein Tisch frei
d)	im Fitness-Studio	noch Karten für diesen neuen Thriller / der Film anfangen
e)	in der Bibliothek	geöffnet
f)	in der Volkshochschule	Vorstellung zu Ende

a) *Ruf doch bitte im Kino an und frag, ob es noch Karten für diesen neuen Thriller gibt und wann der Film anfängt.*

4 Um Auskunft bitten – Formulieren Sie indirekte Fragesätze.
a) Der Bus fährt alle zehn Minuten. (Wie oft?)
   Können Sie mir sagen, wie oft der Bus fährt?
b) Der Taxistand ist da drüben. (Wo?)
c) Die Straße ist wegen Bauarbeiten gesperrt. (Warum?/Weshalb?)
d) Es ist gleich sieben. (Wie?)
e) Die Banken schließen heute um 16 Uhr. (Wann?)
f) Der Fernsehturm ist 150 Meter hoch. (Wie?)
g) In diesem Haus befindet sich das Fremdenverkehrsamt. (Was?)
h) Hier wohnt niemand. Es ist ein Bürogebäude. (Wer?)

5 Kinobesuch – Formulieren Sie indirekte Fragesätze.
a) Was gibt es heute Abend im Kino? Kannst du mir sagen, ...
   Kannst du mir sagen, was es heute Abend im Kino gibt?
b) Von wem ist denn dieser Film? Weißt du, ...
c) Und wer spielt mit? Und weißt du auch, ...
d) Was kosten die Karten da eigentlich? Sag mal, ...
e) In welchem Kino läuft der Film? Noch wichtiger ist, ...
f) Wann fängt die Vorstellung an? Weißt du noch, ...
g) Wer geht noch mit? Darf ich fragen, ...

6 Ehestreit – Ergänzen Sie den Dialog.
a) Du hättest wirklich etwas früher nach Hause kommen können.

Wieso? Du interessierst dich doch sonst nicht dafür, *wann ich nach Hause komme*. (nach Hause kommen)

b) Und dann dieser Anzug!

Du achtest doch sonst nicht darauf, ... (aussehen)

c) Diese Krawatte ist das Letzte.

Ich ziehe doch nur an, ... (im Schrank finden)

d) Hast du übrigens den Föhn gesehen? Du musst ihn irgendwie verlegt haben.

Wieso ich? Du weißt doch selber nicht, ... (die Sachen liegen).

e) Du sitzt genau vor dem Fernseher.

Ich entscheide selber, ... (sitzen).

f) Warum gehst du nicht einfach ins Bett?

Ich entscheide ebenfalls selber, ... (schlafen gehen).

7.7 FRAGEWÖRTER

wer – was – worüber

wer	*Wer hat gewonnen?*	Person	Nominativ
was	*Was sagst du dazu?*	Sache	
wen	*Wen rufst du an?*	Person	Akkusativ
wem	*Wem schenkst du diese Blumen?*		Dativ
wessen	*Wessen Telefonnummer ist das?*		Genitiv
wo	*Wo bist du geboren?*	Ort	
wohin	*Wohin fährst du in Urlaub?*		
woher	*Woher stammt deine Familie?*		
wann	*Wann musst du gehen?*	Zeitpunkt	
wie lange	*Wie lange seid ihr schon da?*	Dauer	*wie* + Adverb
wie oft	*Wie oft besucht ihr den Kurs?*	Häufigkeit	
warum	*Warum willst du schon gehen?*	Grund	
wieso	*Wieso gehst du schon wieder zur Bank?*		
weshalb	*Weshalb gehst du schon wieder zur Bank?*		
wie	*Wie gefällt dir der Roman?*	Qualität	*wie* + Verb
	Wie hoch ist der Eiffelturm?		*wie* + Adjektiv
wie viel	*Wie viel Geld hast du noch?*	Menge	Nomen im Singular
wie viele	*Wie viele Freunde willst du einladen?*	Anzahl	Nomen im Plural
welcher, -e, -es	*Welches von diesen hier gefällt dir am besten?*	Auswahl	
was für ein	*Was für ein Auto willst du?*	Qualität	

Fragewort bei Verben mit Präposition

Person	*über* + Akkusativ	*Über wen habt ihr euch denn gerade so intensiv unterhalten?*
	mit + Dativ	*Mit wem hast du dich denn da unterhalten?*
Sache	*worüber*	*Worüber habt ihr denn gerade so gelacht?*
	womit	*Womit bist du gerade beschäftigt?*

wo(r) + Präposition: *r* wird eingefügt, wenn die Präposition mit Vokal beginnt, 📖 **s. Seite 60**.

ÜBUNGEN

1 **Viele Fragen – Formulieren Sie Fragen zu den unterstrichenen Wörtern.**

a) Die CD gehört <u>Peter</u>.
  Wem gehört die CD?
b) Es ist <u>etwas</u> passiert.
c) Ich bin <u>über etwas</u> besorgt.
d) Ich habe mir Geld <u>von Helga</u> geliehen.
e) Ich spüre <u>etwas Kaltes</u> auf der Hand.
f) Ich suche <u>Angela</u>.
g) Ich habe <u>meinen Geldbeutel</u> verloren.
h) Wir haben am Wochenende <u>meine Eltern</u> besucht.
i) Das ist <u>Egons</u> Mantel.

2 Steckbrief – Formulieren Sie direkte Fragen.

a) Alter: 15 Jahre - *Wie alt bist du?*
b) Augenfarbe: grünbraun
c) Größe: 1,67 cm
d) Gewicht: 50 kg
e) Schule: Gymnasium, 9. Klasse
f) liebstes Schulfach: Biologie
g) Hobby: Gitarrespielen
h) Lieblingstier: Delfin
i) Lieblingsgericht: Gemüselasagne
j) Mag am liebsten: Natur

3 Schaufensterbummel – Ergänzen Sie die Fragewörter.

- ■ Sieh mal, (a) *wie* gefällt dir die Jacke da?
- ■ (b) .... meinst du, die graue oder die blaue?
- ■ Die blaue.
- ■ Die gefällt mir nicht. Aber (c) .... sagst du zu dem Pullover da hinten?
- ■ (d) .... meinst du, den mit dem Rollkragen oder den daneben?
- ■ Den mit dem Rollkragen meine ich.
- ■ Finde ich gut. Was ich aber viel dringender brauche, ist ein neuer Rock.
- ■ Und an (e) .... denkst du?
- ■ An so einen kurzen, schwarzen, wie sie jetzt modern sind.
- ■ Und (f) .... Schuhe ziehst du heute Abend zur Tanzstunde an?
- ■ Weiß ich noch nicht. Ich weiß auch noch nicht, (g) .... Kleid ich anziehe.

4 Im Kurs – Ergänzen Sie das Fragewort.

an I aus I für I in I mit (2x) I über (3x) I um (2x) I von (2x) I zu

a) *Womit*   beschäftigt sich der Kurs im Moment?
b) .... besteht das Problem?
c) .... dient dieser Apparat?
d) .... diskutieren die Teilnehmer im Unterricht?
e) *Mit wem*   (Person) gehst du heute Abend zur Kursparty?
f) .... hängt die Note im Zeugnis ab?
g) .... schließt du, dass der Kurs schwer ist?
h) .... (Person) hast du denn dieses Briefchen bekommen?
i) .... geht es in dieser Lektion?
j) .... müssen sich die Teilnehmer gewöhnen?
k) .... (Person) interessieren sich alle am meisten?
l) .... ärgert sich der Kursleiter?
m) .... muss sich jeder Teilnehmer selber kümmern?
n) .... (Person) lacht die ganze Klasse?

7.8 HAUPTSATZVERBINDENDE KONNEKTOREN

und – oder – aber – denn – sondern

1 Funktion

und	*Er geht gerne aus und amüsiert sich gern.*	Aufzählung*
oder	*Nimmst du schwarz oder rot?*	Alternative
aber	*Peter ist arm, aber glücklich.*	Kontrast
denn	*Eva versteht Peter, denn sie hatte dasselbe Problem.*	Grund
sondern	*Peter will nicht mehr Geld, sondern mehr Freizeit.*	Kontrast, Differenz
	Maria kommt nicht erst morgen, sondern schon heute.	nach Negation

* bedeutungsgleich mit *und* ist *sowie*. Es wird nur bei Satzgliedern verwendet und vermeidet eine Wiederholung von *und* bei mehreren Nomen: *Insekten haben sechs Beine und zwei Paar Flügel sowie ein Paar Fühler.*

2 Satzstrukturen

Hauptsatz	Hauptsatz			
	Konnektor POS 0		Verb POS 2	
Insekten haben sechs Beine (,)	*und*	*(sie)**	*(haben)*	*zwei Paar Flügel.*
Sie leben in der Luft (,)	*oder*	*(sie)**	*(leben)*	*in der Erde.*
Die Arbeiterinnen sind Weibchen,	*aber***	*sie*	*können*	*keine Eier legen.*
Die Feuerameise ist gefährlich,	*denn*	*sie*	*kann*	*schmerzhaft beißen.*
Die Königin arbeitet nicht,	*sondern*	*(sie)*	*legt*	*die Eier.*

* Wenn Verben und Subjekt identisch sind, können sie im zweiten Hauptsatz wegfallen. Ausnahme: *denn*

** *aber* kann auch im Satz stehen: *Die Arbeiterinnen sind Weibchen, (sie) legen aber keine Eier.* s. Seite 190 (Adversativsatz)

Interpunktion: immer Komma bei *aber, denn, sondern*
kein Komma bei *oder, sowie*

ÜBUNGEN

1 Kurzmeldung in der Zeitung – Verbinden Sie die Sätze mit *und*.

V. F. Le Front, französischer Lehrer, ist in der niederländischen Presse zum „ehrlichsten Finder des vergangenen Jahres" ausgerufen worden. (a) Der 55-Jährige entdeckte auf einem Parkplatz in Frankreich einen liegen gelassenen Fotoapparat. Er nahm ihn mit. (b) Von einem Autofahrer erfuhr er, dass an der Stelle kurz zuvor eine niederländische Familie gepicknickt hatte. Er entschloss sich sofort, die Familie zu suchen. (c) Le Front brachte den Film in ein Fotolabor. Er ließ ihn entwickeln. (d) Auf den Bildern war eine Frau zu sehen. Es waren zwei Kinder zu sehen. (e) Er schickte die Fotos an die größte niederländische Zeitung. Er bat darum, sie zu veröffentlichen. (f) Am Freitag druckte *De Telegraaf* tatsächlich ein Bild der Frau ab. *De Telegraaf* fragte: „Wem gehört dieses Foto?" (g) Nun hofft Le Front, dass die Frau das Foto sieht. Er hofft, dass sie sich meldet.

(a) *Der 55-Jährige entdeckte auf einem Parkplatz in Frankreich einen liegen gelassenen Fotoapparat und nahm ihn mit.*

2   Insekten – Ergänzen Sie die fehlenden Konnektoren.

Wozu sie gut sind.   Wir alle haben täglich Kontakt mit Insekten: Sie stechen und beißen uns, (a) *und* sie übertragen dabei leider auch zahlreiche teilweise gefährliche Krankheiten. (b) .... sie tun auch viel Gutes, (c) .... sie verarbeiten zum Beispiel tote Tiere und Pflanzen, (d) .... sie dienen vielen anderen Lebewesen als Nahrung. Wir gewinnen aus ihnen Produkte wie Seide, (e) .... wir erforschen Genetik und die Evolution an ihnen.

Was sie fressen.   Insekten sind „Überlebenskünstler", (f) .... sie können sich von allem Möglichen ernähren. Sie fressen nicht nur Pflanzen, Blätter, Wurzeln, (g) .... sie machen sich auch über gelagerte Lebensmittel, Bücher und sogar Haushaltsgegenstände her.

3   Weihnachtsstress – Verbinden Sie die Hauptsätze mit und, aber, sondern. Manchmal sind mehrere Lösungen möglich.

a) Herbert K., 31 Jahre:
Als Lehrer hat man vor Weihnachten Stress: Die Weihnachtsfeier in der Schule muss vorbereitet werden, Konferenzen finden statt.
– Dann soll man auch noch Geschenke kaufen.

Als Lehrer hat man vor Weihnachten Stress: Die Weihnachtsfeier in der Schule muss vorbereitet werden, Konferenzen finden statt, und dann soll man auch noch Geschenke kaufen.

b) Susanne H., 73 Jahre:
Mein Mann kümmert sich nicht um Weihnachten.
– Er geht nur mit dem Hund spazieren.

c) Eva C., 57 Jahre:
Mein Mann macht sich keine Gedanken, was er zu Weihnachten schenkt. Das war schon immer meine Angelegenheit.
– Das wird weiterhin so bleiben.

d) Klaus O., 50 Jahre:
Ich bin wirklich total im Weihnachtsstress. Gott sei Dank weiß ich ungefähr, was ich meiner Frau schenken werde.
– Der Stress bleibt einfach bis zum 24. Dezember.

e) Silke H., 39 Jahre:
Für die Geschenke bin ich zuständig. Die Männer sitzen nur vor dem Fernseher. Sie rühren keinen Finger.
– Sie erwarten, dass zu Weihnachten alles da ist, Christbaum, Geschenke, selbst gebackene Plätzchen.

7.9 NEBENSATZ

Weil ich müde bin.

1 Funktion

Nebensätze ergänzen einen Hauptsatz. Sie bilden mit Hauptsätzen komplexe Sätze. Konnektoren stellen die Verbindung zwischen Haupt- und Nebensatz her.

2 Satzstruktur

In Nebensatz steht das konjugierte Verb am Ende. Es bildet mit dem Konnektor, der den Nebensatz einleitet, eine Klammer.

ⓐ Nebensatz nach dem Hauptsatz

Hauptsatz	Nebensatz		
	Konnektor		Verb
Wir machen ein Fest,	*weil*	*Lilli 18*	*wird.*
Ich nehme an,	*dass*	*etwa 20 Gäste kommen*	*werden.*
Ich wollte fragen,	*ob*	*ihr zu dem Fest kommen*	*wollt.*
Es wäre schön,	*wenn*	*ihr kommen*	*könntet.*

ⓑ Nebensatz vor dem Hauptsatz

Nebensatz			Hauptsatz
Konnektor		Verb	
Wenn	*ihr kommen*	*könntet,*	*wäre das schön.*

Interpunktion: Zwischen Haupt- und Nebensatz steht ein Komma.

3 Nebensatz-Konnektoren

während, wohingegen	adversativ	📖 s. Seite 190
damit, um ... zu	final	📖 s. Seite 184
da, weil	kausal	📖 s. Seite 180
wenn, falls, sofern	konditional	📖 s. Seite 182
(so) dass	konsekutiv	📖 s. Seite 186
obwohl	konzessiv	📖 s. Seite 188
indem, (an)statt, dadurch ... dass	modal	📖 s. Seite 192
als, wenn, sooft, bevor, ehe, bis, seit(dem), nachdem, sobald	temporal	📖 s. Seite 174-179

weitere Nebensätze: Relativsatz 📖 s. Seite 166-169, indirekte Frage 📖 s. Seite 154, *dass*-Satz 📖 s. Seite 162, Infinitivsatz 📖 s. Seite 164

1 **Was Kinder brauchen. – Kreuzen Sie an: Welche Ergänzung passt?**

a) Kinder wünschen sich vor allem Zeit, **da** ...
☐ Vater und Mutter oft berufstätig sind.
☐ sind Vater und Mutter oft berufstätig.
☐ Vater und Mutter sind oft berufstätig.

b) Man muss sich um die Kinder kümmern, **weil** ...
☐ brauchen sie ein Vorbild.
☐ sie brauchen ein Vorbild.
☐ sie ein Vorbild brauchen.

c) Viele Eltern machen sich erst Sorgen um ihre Kinder, **wenn** ...
☐ etwas ist schon passiert.
☐ ist schon etwas passiert.
☐ schon etwas passiert ist.

d) **Bevor** ... sollten Sie mal wieder etwas mit ihrem Kind unternehmen.
☐ kaufen Sie ein teures Spielzeug,
☐ Sie ein teures Spielzeug kaufen,
☐ Sie kaufen ein teures Spielzeug,

2 **Analyse – Unterstreichen Sie im Text die Wörter, die einen Nebensatz einleiten, und das konjugierte Verb im Nebensatz.**

Jan, 15: **Was wünsche ich mir von den Erwachsenen?**

Hört auf zu glauben, dass Statussymbole alles im Leben sind! Es ärgert mich wahnsinnig, wenn Leute behaupten, es ginge ihnen schlecht, nur weil sie in einer Mietwohnung leben und nur einmal im Jahr in den Urlaub fahren können. Das zeigt doch, dass unsere Gesellschaft übersättigt ist! Die Erwachsenen sollten Konsumterror und Markenverrücktheit nicht als Problem der Jugend sehen. Es ist doch nur peinlich, wenn Erwachsene sich gegenseitig bedauern, weil sie Opel statt Mercedes fahren. Ich finde es schlimm, wenn man sich in Deutschland und fast allen anderen Industrienationen mit solchen Problemen beschäftigt, während in manchen Ländern Tausende von Menschen heimatlos durch die Gegend irren oder bei Katastrophen sterben.

3 **Satzpuzzle – Formulieren Sie Sätze.**

a) Er spart gerade eisern, – einen BMW – sich kaufen – weil – will – er
Er spart gerade eisern, weil er sich einen BMW kaufen will.

b) sie – als – zum Bahnhof – kam, fuhr der Zug gerade ab.

c) Sie beantwortet ihre E-Mails, Zeit und Lust – haben – wenn sie

d) Sie findet den Kurs langweilig, – obwohl – besucht – sie – ihn regelmäßig

e) Er ist ein völlig neuer Mensch, – seit – eine Freundin – hat – er

f) ich – nach Hause – gehe – bevor, muss ich noch ein oder zwei Dinge erledigen.

4 **Franz, der Kunst-Kenner – Formulieren Sie als Haupt- und Nebensatz.**

a) Franz interessiert sich für Kunst. Deshalb besucht er alle aktuellen Ausstellungen. (weil)
Franz besucht alle aktuellen Ausstellungen, weil er sich für Kunst interessiert.

b) Er hat eine Ausstellung besucht. Anschließend liest er zu Hause in seinem Katalog wichtige Informationen nach. (nachdem)

c) Er kennt alle wichtigen Bauwerke in seiner Stadt. Trotzdem entdeckt er immer wieder neue Kunstschätze. (obwohl)

d) Er macht Reisen. Vorher kauft er sich einen guten Kunstführer. (bevor)

e) Viele Leute wissen nicht, was sie in ihrer Freizeit tun sollen. Franz dagegen wird es nie langweilig. (während)

161

7.10 *DASS*-SATZ

Ich hoffe, dass wir uns bald wiedersehen.

1 Funktion

Ich weiß, dass du keine Zeit hast.	Verbergänzung
Dass er gelogen hat, ist ziemlich sicher.	

dass-Sätze stehen häufig vor oder nach:

Verben des Sagens	*In dem Artikel wird berichtet, dass im Zoo ein weißes Tigerbaby geboren wurde.*	*sagen, berichten, herausfinden* u.a.
Verben der persönlichen Haltung	*Ich hoffe, dass ich dich bald wiedersehe.* *Dass er kommt, bezweifle ich.*	*ich denke, meine, finde, bezweifle, hoffe, vermute* u.a.
Verben mit Präpositionen	*Ich erinnere mich daran, dass wir einen Termin ausgemacht hatten.*	*sich erinnern an, denken an, träumen von* u.a.
unpersönlichen Ausdrücken	*Es stimmt, dass wir uns gestritten haben.*	*es ist richtig, es ist wichtig* u.a.

Liste der wichtigsten Verben mit Präpositionen 📖 **s. Seite 223**

2 Satzstrukturen

Hauptsatz	Nebensatz			Hauptsatz
	Konnektor		Verb	
Ich weiß,	*dass*	*du keine Zeit*	*hast.*	
Ich weiß,	*dass*	*du keine Zeit*	*hast,*	*hatte es aber vergessen.*
	Dass	*du so wenig Zeit*	*hast,*	*finde ich wirklich schade.*

Interpunktion: Zwischen Haupt- und Nebensatz steht ein Komma.

3 Alternativen

dass-Satz	Infinitiv + *zu*	Präposition
Ich hoffe, dass ich dich bald wiedersehe.	*Ich hoffe, dich bald wiederzusehen.*	*Ich hoffe auf ein baldiges Wiedersehen.*
Ich habe beschlossen, dass ich bei ihm einziehe.	*Ich habe beschlossen, bei ihm einzuziehen.*	
Er hat mich eingeladen, dass ich bei ihm wohne.	*Er hat mich eingeladen, bei ihm zu wohnen.*	

Infinitiv + *zu*: stilistisch eleganter als der *dass*-Satz. Kann den *dass*-Satz ersetzen, wenn das Subjekt des Nebensatzes im Hauptsatz vorkommt. 📖 **s. Seite 164**

__1__ Frauen – Geben Sie die unterstrichenen Ergebnisse der Forscher mit dass-Sätzen wieder.

Das haben Frauen Männern voraus

Sie schlafen mehr, essen gesünder und rauchen weniger: Frauen achten einer neuen Studie zufolge mehr auf ihre Gesundheit als Männer. Mehr als 60 Prozent aller Bundesbürgerinnen, die von einem Forscherteam der Uni Landau (Pfalz) befragt wurden, sagten, sie seien ziemlich körperbewusst – das sagten nur 40 Prozent der Männer.

Die Forscher haben herausgefunden, dass Frauen mehr schlafen als Männer, ...

__2__ Ihre Meinung? – Formulieren Sie dass-Sätze. Es gibt verschiedene Lösungen.
a) Man sollte verheiratet sein, wenn man Kinder in die Welt setzen will.
 Ich denke, dass man verheiratet sein sollte, wenn man Kinder will.
 Ich finde nicht, dass man verheiratet sein sollte, wenn man Kinder will.
b) Hausarbeit ist nichts für einen Mann.
c) Man sollte mit seinem Partner eine Ehe auf Probe versuchen, bevor man sich für die Hochzeit entscheidet.
d) Frauen sollten zuerst einen Beruf haben, bevor sie heiraten.
e) Kinder sind die beste Altersvorsorge.
f) Singles sind glücklicher als Menschen in einer festen Partnerschaft.

__3__ Diskussion – Sagen Sie Ihre Meinung mit einem dass-Satz.
a) Fremdsprachen sind überflüssig.
b) Latein ist die wichtigste Fremdsprache überhaupt.
c) Es ist gut, wenn man mehrere Fremdsprachen kann.
d) In Zukunft werden Fremdsprachen immer wichtiger.

• Ich bin nicht dieser Meinung.
• Mich überzeugt das nicht.
• Das finde ich auch.
• Ich bin davon überzeugt.

a) *Ich bin nicht der Meinung, dass Fremdsprachen überflüssig sind.*

__4__ Über andere reden – Formulieren Sie Sätze mit dass.

Stimmt es,
Ist es wahr,
Hast du auch gehört,
Das darf doch nicht wahr sein,

a) Helga hat einen neuen Freund.
b) Theo hat schon wieder beim Pferderennen verloren.
c) Iris geht demnächst auf Weltreise.
d) Tobias will sich scheiden lassen.

a) *Stimmt es, dass Helga einen neuen Freund hat?*

__5__ Ein neues Produkt – Formulieren Sie mit dass-Sätzen.
a) Herr M. berichtet von der Entwicklung eines neuen Lernprogramms für Deutsch.
 Herr M. berichtet, dass ein neues Lernprogramm für Deutsch entwickelt wurde.
b) Unsere Analyse hat gezeigt: Es gibt eine Marktlücke in diesem Bereich.
c) Wir hoffen, das Programm in wenigen Monaten auf dem Markt platzieren zu können.
d) Unsere Werbung hat das Ziel: Eltern werden aufmerksam auf das Produkt.
e) Sie müssen das Gefühl haben, etwas Gutes für ihre Kinder zu kaufen.

7.11 INFINITIV + *ZU*

Ich hoffe zu gewinnen.

1 Funktion

Ich hoffe, dass ich die Prüfung bestehe. *Ich hoffe die Prüfung zu bestehen.*	Ersetzt einen *dass*-Satz, wenn das Subjekt des Nebensatzes im Hauptsatz vorkommt. Wirkt knapper und ökonomischer.

Infinitive + *zu* stehen nach:

Nomen + *haben*	*Angst / Lust / Zeit / den Plan haben*
unpersönlichen Ausdrücken	*es ist wichtig, es ist schwierig*
Partizip + *sein*	*verboten / erlaubt / beabsichtigt sein*
Verben: Erlaubnis	*erlauben, verbieten*
Verben: Anfang/Ende	*anfangen, beginnen, aufhören*
Verben: Absicht	*versuchen, vorhaben, sich vornehmen, beabsichtigen*
Verben: Gefühl	*bedauern, befürchten, hoffen, sich freuen*
anderen	*erinnern, vergessen, bitten, einladen, gefallen*
	sein, haben

haben + Infinitiv + *zu* 📖 s. Seite 102, *sein* + Infinitiv + *zu* 📖 s. Seite 128

Infinitive + *zu* stehen nicht nach:

Verben des Sagens	*sagen, fragen, antworten, berichten, erzählen, informieren*
Verben der Wahrnehmung	*sehen, hören, riechen, spüren, bemerken, lesen*
Verben des Wissens	*wissen, zweifeln, vermuten, kennen*
anderen	*helfen, lernen*

2 Satzstrukturen

Hauptsatz	Infinitivsatz		
		zu + Infinitiv	
Es ist schön,	*Zeit*	*zu haben.*	
Es ist schön,		*auszuschlafen.*	trennbares Verb
Es ist schön,	*ausschlafen*	*zu können.*	Modalverb
Es ist schön,	*mit dir spazieren*	*zu gehen.*	zwei Verben
Es freut mich,	*dich überzeugt*	*zu haben.*	Perfekt
Ich freue mich darauf,	*von dir verwöhnt*	*zu werden.*	Passiv

Interpunktion: Bei Infinitivgruppen kann man ein Komma setzen, um die Gliederung des Satzes deutlich zu machen bzw. um Missverständnisse auszuschließen. Infinitivgruppen, die durch ein hinweisendes Wort (*es*, Präpositionalpronomen, z.B. *dafür*) angekündigt werden, müssen mit Komma abgegrenzt werden.

3 Alternativen

Infinitiv mit *zu*	Nebensatz	zwei Hauptsätze
Ich habe beschlossen, bei ihm einzuziehen.	*Ich habe beschlossen, dass ich bei ihm einziehe.*	*Ich habe beschlossen: Ich ziehe bei ihm ein.*

1 Martin fühlt sich nicht wohl. – Formulieren Sie Sätze mit dem Infinitiv + zu.
Verwenden Sie die Verben versuchen und sich vornehmen.

a) möglichst viel schlafen
Er versucht, möglichst viel zu schlafen.
Er nimmt sich vor, möglichst viel zu schlafen.

b) abnehmen
c) bequemere Kleidung tragen
d) mehr Vitamine zu sich nehmen

e) nicht mehr rauchen
f) weniger fernsehen
g) zweimal pro Woche joggen

2 Reisepläne – Formulieren Sie Sätze mit Infinitiv + zu und dem Verb vorhaben.

a) Fahrt ihr wieder ans Meer? – in die Berge
Wir hatten eigentlich vor, in die Berge zu fahren.
b) Fahrt ihr mit dem Auto? – mit der Bahn
c) Nehmt ihr wieder eine Freundin mit? – allein reisen
d) Packt ihr wieder die Videokamera ein? – zu Hause lassen
e) Nehmt ihr wieder das Boot mit? – vor Ort eins ausleihen

3 Was ist hier verboten? – Formulieren Sie Sätze mit Infinitiv + zu.

a) Fußballspielen auf dem Rasen nicht erlaubt
Es ist verboten, auf dem Rasen Fußball zu spielen.
Es ist nicht erlaubt, ...
b) Rauchen verboten
c) Bitte den Rasen nicht betreten
d) Bitte nicht aus dem Fenster lehnen (+ sich)
e) Kein Durchgang

4 Ihr Rat – Formulieren Sie Vorschläge und Ratschläge.

a) Theo will im Freibad schwimmen, hat aber seine Badehose vergessen. – leihen
Ich rate ihm, | Ich schlage ihm vor, eine Badehose zu leihen.
b) Fünf Minuten vor dem Fußball-Länderspiel geht Helgas Fernseher kaputt. – das Spiel beim Nachbarn ansehen
c) An Marions Rad ist bei einer Tour ein Reifen geplatzt. Sie hat kein Werkzeug dabei. – einen Passanten um Hilfe bitten
d) Gisela bleibt mit ihrem Schuh in einem Gitter hängen. – den Schuh ausziehen
e) Lukas hat den Bus verpasst und kommt zu spät zur Musikstunde. – anrufen und Bescheid sagen

5 Formulieren Sie Infinitivsätze.

a) Ich bedaure, dass ich nicht daran gedacht habe.
Ich bedaure, nicht daran gedacht zu haben.
b) Ich erinnere mich, dass ich Ihnen vor ein paar Wochen geschrieben habe.
c) Ich kann mich nicht erinnern, dass ich Sie schon einmal gesehen habe.
d) Ich glaube, dass ich bald mehr sagen kann.
e) Ich hoffe, dass ich den Auftrag bald fertig habe.

7.12 RELATIVSATZ (1)

Der Mann, der niemals lachte.

1 Funktion

Hier sehen wir Bernd. *<u>Bernd</u> spült gerade.* *= Hier sieht man Bernd,* *der gerade spült.*	Definition eines Nomens durch Zusatzinformation. Verbindung von zwei Sätzen

2 Formen

a Relativpronomen

	maskulin	neutral	feminin	Plural
Nominativ	*der*	*das*	*die*	*die*
Akkusativ	*den*	*das*	*die*	*die*
Dativ	*dem*	*dem*	*der*	*denen*
Genitiv	*dessen*	*dessen*	*deren*	*deren*

welche, welches, welcher, welche als Alternative zu *der, das, die, die* wird nur noch verwendet, um Doppelung *(die, die)* zu vermeiden: *An der Universität Essen wurde eine Flasche für Coca-Cola entwickelt, welche die Vorteile von Glas und Kunststoff miteinander verbindet.*

b Satzstrukturen

Der Relativsatz ist ein Nebensatz und steht direkt nach dem Nomen, das er definiert:

Hauptsatz	Relativsatz			Fortsetzung
	Relativ-pronomen		Verb	Hauptsatz
1 *Ich suche einen Wein,*	*der*	*sehr trocken*	*ist.*	
2 *Der Wein,*	*den*	*ich bestellt*	*habe,*	*schmeckt nicht.*
3 *Ich nehme den Wein,*	*von dem*	*ich gerade probiert*	*habe.*	
4 *Der Wein,*	*dessen*	*Name mir nicht*	*einfällt,*	*stammt aus Frankreich.*

1 Das Relativpronomen richtet sich in Genus und Numerus nach dem Nomen, auf das es verweist, z.B. *der Wein.*
2 Im Kasus richtet es sich nach dem Verb des Relativsatzes, z.B. *bestellen* + Akkusativ.
3 Bei Ausdrücken mit Präpositionen *(probieren von* + Dativ) steht die Präposition vor dem Relativpronomen; der Kasus richtet sich nach der Präposition.
4 Das Relativpronomen im Genitiv bezieht sich auf ein Genitivattribut *(der Name des Weins)* oder einen Possessivartikel *(sein Name)*. Das folgende Nomen hat keinen Artikel.

Interpunktion: Vor und nach dem Relativsatz steht ein Komma.

3 Alternativen

Relativsatz	Adjektiv / Partizipialkonstruktion
die E-Mail, die abgeschickt wurde	*die abgeschickte E-Mail*
Für die Überstunden, die Sie leisten müssen, werden Sie bezahlt.	*Für die zu leistenden Überstunden werden Sie bezahlt.*

s. Seite 48 (Partizip als Adjektiv)

1 Was tun diese Menschen? – Formulieren Sie Relativsätze.

a) ein Babysitter / Person, auf kleine Kinder aufpassen –
Ein Babysitter ist eine Person, die auf kleine Kinder aufpasst.
b) ein Schulkind / Kind, zur Schule gehen
c) ein Fotograf / jemand, Fotos machen
d) ein Koch / jemand, Essen zubereiten
e) eine Medizinstudentin / eine Frau, Medizin studieren

2 Der ideale Partner – die ideale Partnerin. Formulieren Sie Sätze.

Eva sucht einen Partner,   a) er schenkt ihr ab und zu Blumen.
Eva sucht einen Partner, der ihr ab und zu Blumen schenkt.
      b) er ist treu.
Peter sucht eine Partnerin,   c) sie geht mit ihm auf den Fußballplatz.
      d) sie hat viel Humor.
Petra sucht einen Partner,   e) sie kann sich auf ihn verlassen.
      f) sie muss nicht für ihn waschen und bügeln.
Uwe sucht eine Partnerin,   g) er vertraut ihr.
      h) mit ihr kann er fünf Kinder haben.

3 Getränke – Ergänzen Sie die Relativpronomen.

a) Das Bier, *das* eiskalt war, habe ich schon aus dem Kühlschrank geholt.
b) Die Getränke, ... nicht so kühl lagern müssen, stehen auf den Balkon.
c) Die Traube, auf .... sich unser Weinbauer spezialisiert hat, heißt Müller-Thurgau.
d) Leider ist der Wein, ... Sie bestellt haben, im Moment aus.
e) Natürlich war die Milch, mit .... wir den Pudding gekocht haben, fettarm.

4 Rotkäppchen – Ergänzen Sie die Relativpronomen.

In Grimms Märchen hat sich der Wolf als Großmutter
verkleidet. Er hat besonders große Ohren, mit
(a) *denen* er gut hören kann, scharfe Augen, mit
(b) .... er gut sehen kann, eine lange Nase,
mit (c) .... er besser riechen kann, große
Hände, mit (d) .... er Rotkäppchen packen
kann, und einen riesigen Mund, mit (e) ....
er Rotkäppchen fressen kann.

5 Tierisches – Formulieren Sie aus den unterstrichenen Satzteilen Relativsätze.

a) Diese Schlange hat ein <u>sehr schnell wirkendes</u> Gift.
Diese Schlange hat ein Gift, das sehr schnell wirkt.
b) Eine Maus ist in eine <u>mit Speck präparierte </u>Falle gegangen.
c) In unserem Gelände gibt es <u>frei herumlaufende</u> Pinguine.
d) Der <u>ausgebrochene</u> Eisbär ist wieder eingefangen.

7.13 RELATIVSATZ (2)

Das ist der Raum, wo sich alles abspielt.

1 Formen

Relativpronomen

wo	Ich wohne in einer Stadt, *wo* sich die Leute noch persönlich kennen. Ich wohne in einer Stadt, *in der* sich die Leute noch persönlich kennen.	bei Ortsangaben kann *in* + Relativpronomen durch *wo* (= *in* + Dativ) oder *wohin* (= *in* + Akkusativ) ersetzt werden.
wohin woher	Sie zog nach Berlin, *wohin* auch ihre Schwester gegangen war. Ich fahre an einen Ort, *wohin* / = *an den* es schon viele Künstler gezogen hat.	*wo* und *wohin* / *woher* nach Städte- und Ländernamen und nach *Ort* / *Platz* / *Stelle*
was	So ein Urlaub wäre *etwas*, *was* mir Spaß machen würde.	nach Indefinitpronomen *etwas, nichts, alles, vieles*
	Das ist *das Beste*, *was* uns passieren konnte.	nach substantiviertem Superlativ
	Edwina ist (das), *was* man als Karrierefrau bezeichnet.	bezieht sich auf den Inhalt eines ganzen Satzes
wo(r)-*	Er hat den ganzen Abend mit mir verbracht, *worüber* ich mich sehr gefreut habe.	
wer, wen, wem	*Wer* will, kann bei dem Spiel mitmachen. *Wem* es hier gefällt, *der* kann bleiben.	nicht näher bezeichnete Person

* *r* wird eingefügt, wenn die Präposition mit Vokal beginnt; s. Seite 60 (Präpositionalpronomen).

2 Satzstrukturen
Das Verb steht im Relativsatz am Ende.

Hauptsatz	Relativsatz		
	Konnektor		Verb
Ich habe den Preis gewonnen,	*was*	mich sehr	freut.

Interpunktion: Vor bzw. nach Relativsätzen steht ein Komma.

ÜBUNGEN

1 Lernprozess – Formulieren Sie Sätze mit alles und was.
a) gemerkt – gesagt – der Lehrer
   Hast du dir alles gemerkt, was der Lehrer gesagt hat?
b) verstanden – gelesen – du
c) mitbekommen – erklärt – die Lehrerin
d) gelernt – aufgegeben – die Lehrerin
e) verbessert – falsch gemacht – du
f) notiert – diktiert – der Lehrer

2 — Mein neuer Arbeitsplatz – Ergänzen Sie was, wer, wo, wohin.

An meinem Arbeitsplatz gibt es vieles, (a) *was* man kritisieren könnte. Meine Kollegin kommt meistens zu spät, (b) .... mich wahnsinnig ärgert. Frau Liebich geht ständig in die Kantine, (c) .... sie stundenlang mit Kolleginnen über andere redet. Herr Fischer raucht bei der Arbeit eine Zigarette nach der anderen, (d) .... ich bald nicht mehr aushalten kann. Es gibt keinen rauchfreien Raum, (e) .... man sich in der Pause flüchten könnte. Unser Kopierraum ist das Chaotischste, (f) .... man sich vorstellen kann. Die Bus- und Bahnverbindung zu unserem Büro ist nicht besonders gut, (g) .... den Weg zur Arbeit sehr umständlich macht. Leider gibt es in der Nähe keine Geschäfte, (h) .... man nach der Arbeit mal rasch zum Einkaufen gehen könnte. (i) .... ich mir aber vor allem wünsche, ist ein besseres Betriebsklima. (j) .... das alles nicht glauben will, soll mal einen Tag bei uns arbeiten.

3 — Wo möchten Sie wohnen? – Formulieren Sie die Sätze in zwei Versionen.

a) in einem Park, (m) – man kann morgens Vögel beobachten
   In einem Park, wo man morgens Vögel beobachten kann.
   In einem Park, in dem man morgens Vögel beobachten kann.
b) in der Nähe eines Waldes (m) – man kann gut spazieren gehen
c) in einem Fischerdorf am Meer (n) – es gibt keine Hotels
d) in einem kleineren Ort (m) – die Leute kennen sich noch mit Namen
e) in einer Gegend (f) – die Menschen sind noch natürlich und freundlich
f) auf einer Insel (f) – keine Autos dürfen fahren
g) nahe bei einem Fitnesscenter (n) – man kann bis spätabends trainieren
h) in einer Kleinstadt (f) – es gibt noch alte Gebäude
i) in einer Stadt (f) – man hat verschiedene Kinos zur Auswahl

4 — Schulfreundinnen – Formulieren Sie was-Sätze.

a) Gestern bekam ich Besuch von zwei alten Schulfreundinnen – hat mich sehr gefreut.
   Gestern bekam ich Besuch von zwei alten Schulfreundinnen, was mich sehr gefreut hat.
b) Gabi hat sich überhaupt nicht verändert – hat mich sehr überrascht.
c) Brigitte hat ziemlich viel zugenommen – liegt sicherlich an ihrem Beruf als Köchin.
d) Brigitte hat mir einen riesigen Blumenstrauß mitgebracht – fand ich sehr nett.
e) Gabi hat ihre beiden Töchter zu Hause gelassen – fanden wir alle drei gut.
f) Gabi hat sich von ihrem Mann getrennt – wusste ich noch nicht.
g) Sie kam sehr leicht über diese Trennung hinweg – überraschte mich ein wenig.

5 — Sorge um die gesunde Ernährung – Verbinden Sie die Sätze.

a) Viele Menschen kaufen kaum noch Fleisch. Das macht den Fleischproduzenten Sorge.
   Viele Menschen kaufen kaum noch Fleisch, was den Fleischproduzenten Sorge macht.
b) Der Anteil an Vegetariern wächst ständig. Das ist verständlich.
c) Gesunde Lebensmittel haben ihren Preis. Das müssen wir endlich einsehen.
d) Die Verbraucher verlieren das Vertrauen in die Lebensmittel. Das wird zunehmend zum Problem.
e) Tiere in der Landwirtschaft leben nicht mehr natürlich. Darauf machen Tierschützer immer wieder aufmerksam.
f) Viele dieser Tiere haben noch nie eine Wiese gesehen. Das ist schon lange bekannt.
g) Sie werden kreuz und quer durch Europa transportiert. Dagegen protestieren Tierschützer.

7.14 AUFZÄHLUNG

und – sowohl ... als auch – nicht nur ... sondern auch – weder ... noch

1 Funktion

und sowie*	Ich lerne Deutsch *und* Englisch *sowie* Französisch.	positiv
sowohl ... als auch	Ich lerne *sowohl* Deutsch *als auch* Französisch.	
nicht nur ... sondern auch	Ich lerne *nicht nur* Deutsch, *sondern* ich besuche *auch* einen Französischkurs.	
weder ... noch	Er kann *weder* Deutsch *noch* Englisch.	negativ

* nur für Satzglieder, nicht für Sätze
sowie ist bedeutungsgleich mit *und*. Es vermeidet die Wiederholung von *und*.

2 Satzstruktur

ⓐ Satzglieder, Konnektor vor dem Satzglied

	Konnektor 1		Konnektor 2	
Elke lernt	*sowohl*	Englisch	*als auch*	Französisch.
Ich glaube, dass Elke	*sowohl*	Englisch	*als auch*	Französisch lernt.
Ihre Lieblingsfächer sind Englisch	*und*	Mathematik	*sowie*	Musik.

ⓑ Hauptsätze, Konnektor auf Position 0

Hauptsatz 1	Hauptsatz 2		
	Konnektor	Verb	
Elke ist eine gute Schülerin(,)	*und*	(sie) treibt	viel Sport.

📖 **s. auch Seite 158**

ⓒ Hauptsätze, Konnektor 2 auf Position 0

Hauptsatz 1			Hauptsatz 2		
			Konnektor 2	Verb	
Elke	lernt	*nicht nur* Englisch,	*sondern*	(sie) (lernt)	*auch* Französisch.

nicht nur steht vor dem negierten Satzglied, Negation 📖 **s. Seite 148**

ⓓ Hauptsätze, Konnektor 2 auf Position 1

Hauptsatz 1			Hauptsatz 2		
			Konnektor 2	Verb	
Elke	lernt	*weder* Englisch(,)	*noch*	(lernt) (sie)	Französisch.

weder steht vor dem negierten Satzglied, Negation 📖 **s. Seite 148**

Interpunktion: Zwischen den Hauptsätzen mit *nicht nur ... sondern auch* steht ein Komma. Zwischen den Hauptsätzen mit *weder ... noch* darf ein Komma stehen.

1 Partyvorbereitungen – Ergänzen Sie und, sowie, sowohl ... als auch, nicht nur ... sondern auch. Es gibt manchmal mehrere Lösungen.

■ Wir brauchen (a) *nicht nur* etwas zu trinken, (b) .... es muss (c) .... etwas zu essen geben.

■ Ich schlage vor, wir besorgen Mineralwasser (d) .... Saft (e) .... ein paar alkoholische Getränke.

■ Ja, und bei den nicht alkoholischen Getränken brauchen wir (f) .... kalte Getränke, (g) .... es sollte (h) .... warme geben, wie zum Beispiel Kaffee (i) .... Tee.

■ Und was ist mit dem Essen?

■ Ich schlage vor, (j) .... Brote mit Wurst oder Käse anzubieten, (k) .... Salate hinzustellen.

■ Ich bin für Sachen, die man ohne Besteck essen kann.

■ Ja, wenn es geht, (l) .... Salziges, wie Kartoffelchips (m) .... Erdnüsse, (n) .... etwas Süßes, Kekse (o) .... Schokolade zum Beispiel.

2 Frauen heute – Ergänzen Sie als auch, nicht nur, noch, sondern auch, sowohl, weder.

Manche Frauen leben im Zwiespalt: Sie können sich (a) *weder* für den Beruf (b) .... für die Familie entscheiden. Es gibt einige positive Beispiele, die zeigen, dass eine Frau (c) .... eine gute Mutter (d) .... eine kompetente Mitarbeiterin in der Firma sein kann. Viele Frauen hoffen, dass sie in Zukunft (e) .... Erfolg im Beruf haben werden, (f) .... ein befriedigendes Privatleben führen können.

3 Berühmte Persönlichkeiten – Formulieren Sie positive und negative Aufzählungen.

		+	–
W. A. Mozart F. Schubert		bedeutender Komponist sein in Österreich geboren sein	sehr alt werden
Maria Theresia von Österreich Queen Victoria		Königin sein glücklich verheiratet sein viele Kinder haben ein großes Reich regieren	langweilige Personen
J. W. von Goethe H. Hesse		Dichter sein sich für fremde Kulturen interessieren große Reisen unternehmen	arme Poeten
Aschenputtel Schneewittchen		Märchenfiguren sein eine böse Stiefmutter haben Walt Disney hat einen Film über sie gemacht.	eine glückliche Kindheit haben von ihren Vätern Hilfe erhalten

+ *Sowohl Mozart als auch Schubert waren bedeutende Komponisten.*
- *Weder Mozart noch Schubert sind sehr alt geworden.*
+ *Queen Victoria war nicht nur glücklich verheiratet, sondern (sie) hatte auch viele Kinder.*

7.15 **ALTERNATIVEN**

entweder ... oder – (an)statt – stattdessen

1 Satzstrukturen

a Hauptsätze, Konnektor 1 auf Position 1 oder 3, Konnektor 2 auf Position 0

				Hauptsatz 2			
		Hauptsatz 1			Konnektor 2		
POS 1	Verb	POS 3		Konnektor 2		Verb	
Elke	*lernt*	*entweder*	*am Abend* (,)	*oder*	*(sie)*	*(lernt)*	*am Wochenende.*
Entweder	*lernt*	*Elke*	*am Abend* (,)	*oder*	*(sie)*	*(lernt)*	*am Wochenende.*

b Hauptsatz, Konnektor auf Position 1 oder 3

Hauptsatz	Hauptsatz			
	POS 1	Verb	POS 3	
Sie besucht keinen Kurs.	*Stattdessen*	*lernt*	*sie*	*mit einer Tandempartnerin.*
Sie besucht keinen Kurs.	*Sie*	*lernt*	*stattdessen*	*mit einer Tandempartnerin.*

c Infinitivsatz

Hauptsatz	Infinitivsatz		
	Konnektor		zu + Infinitiv
Sie lernt mit einer Tandempartnerin,	*(an)statt*	*einen Kurs*	*zu besuchen.*

zu steht vor dem Infinitivverb; bei trennbaren Verben: *fernzusehen;* bei Sätzen mit
Modalverb: *fernsehen zu können.*
Auch möglich: *Sie lernt mit einer Tandempartnerin, (an)statt dass sie einen Kurs besucht.*
Der Infinitivsatz ist bei gleichem Subjekt im Haupt- und Nebensatz stilistisch besser.
dass-Satz 📖 **s. Seite 162**

2 Alternativen

Infinitivsatz	Präposition	
Anstatt/Statt spazieren zu gehen, mache ich einen Mittagsschlaf.	*Statt eines Spaziergangs mache ich einen Mittagsschlaf.*	*statt* + Genitiv

---

1 **Samstagabend – Ergänzen Sie** entweder ... oder, (an)statt, stattdessen.

- ◼ Was hältst du davon, wenn wir heute Abend essen gehen?
- ◼ Warum nicht? Welches Lokal schlägst du vor?
- ◼ Also, ich würde (a) *entweder* den „Alten Wirt" vorschlagen (b) .... den „Goldenen Schwan".
- ◼ Sind die nicht beide sehr teuer?
- ◼ Schon. Aber auf eine billige Pizza habe ich heute keinen Appetit.
- ◼ Könnten wir (c) .... ins Restaurant nicht einfach ins Kino gehen?
- ◼ Von mir aus.

- Ich würde (d) .... gerne diesen neuen Film mit Richard Gere sehen
  (e) .... diesen neuen französischen Film, der im Cinema gerade läuft.
  Wie heißt der denn noch?
- Keine Ahnung. Ich schlage (f) .... die Rocky Horror Picture Show vor.
- Schon wieder? Na, wenn es sein muss.
- Vor dem Gloria-Palast-Kino bekommen wir aber heute Abend keinen Parkplatz.
- Das könnte sein. Also: (g) .... wir fahren mit öffentlichen
  Verkehrsmitteln, (h) .... wir leisten uns ein Taxi.
- Ist das Taxi denn viel teurer als die U-Bahn?
- Keine Ahnung.
- Ach, irgendwie habe ich weder Lust auf Kino noch auf ein teures Essen im Restaurant.
  Bleiben wir doch (i) .... einfach gemütlich zu Hause.

2 Wie man Geld sparen kann – Formulieren Sie Sätze mit (an)statt.

a) das Buch lieber aus der Bibliothek ausleihen – selber kaufen
   Ich leihe das Buch lieber aus der Bibliothek aus, (an)statt es mir selber zu kaufen.
b) mit dem Fahrrad fahren – den Bus oder das Auto nehmen
c) Skier lieber ausleihen – selber welche kaufen
d) täglich joggen – Mitglied im Fitnessklub werden
e) T-Shirts selber färben oder bemalen – in der Boutique kaufen
f) am Stadtrand wohnen – in der Innenstadt wohnen und hohe Mieten zahlen

3 Lebenswandel – Formulieren Sie Sätze mit stattdessen.

a) aufgehört zu rauchen – Kaugummi kauen
   Ich habe aufgehört zu rauchen. Stattdessen kaue ich Kaugummi.
b) kaum noch Fleisch kaufen – öfter Fisch kochen
c) nicht mehr täglich drei Stunden fernsehen – öfter mal Musik hören
d) weniger Überstunden machen – mehr Zeit mit meinen Freunden verbringen
e) weniger Kaffee trinken – eine Kanne Früchtetee pro Tag trinken
f) oft auf ein warmes Mittagessen verzichten – mittags nur ein Sandwich essen

4 Was ich lieber tun würde – Formulieren Sie Sätze mit stattdessen. Mehrere Lösungen sind möglich.

den Film zu Ende sehen | einen Mittagsschlaf machen | mein Buch weiterlesen | mit Eva zum Baden gehen | noch ein Glas Wein bestellen | meine Lieblingssendung im Radio hören

a) Hausaufgaben machen
   Ich muss meine Hausaufgaben machen.
   Stattdessen würde ich jetzt lieber mein Buch weiterlesen.
   Oder:
   Stattdessen würde ich jetzt lieber mit Eva zum Baden gehen.
b) meinen Aufsatz fertig schreiben
c) schlafen gehen
d) meine E-Mails beantworten
e) nach Hause gehen
f) das Essen machen

7.16 TEMPORALSATZ (1): GLEICHZEITIG

als – wenn

_1_ Funktion

Mehrere Handlungen/Zustände gleichzeitig

Konnektor		Handlung	Zeit
als	*Als ich gestern zur Schule ging, passierte etwas Lustiges.*	einmalig	Vergangenheit
wenn	*Wenn ich wieder nach Köln fahre, besuche ich Tante Helga.*	einmalig	Zukunft
(immer) wenn *(jedes Mal) wenn* *sooft*	*(Immer) wenn ich koche, höre ich dabei Musik.* *(Jedes Mal) wenn Onkel Eduard uns besuchte, brachte er mir etwas mit.* *In Zukunft werde ich (jedes Mal) vorher anrufen, wenn ich dich besuchen möchte.* *Er ist gut gelaunt, sooft ich ihn sehe.*	wiederholt	Gegenwart Vergangenheit Zukunft

wenn hat auch konditionale Bedeutung, s. Seite 182

_2_ Satzstrukturen

Hauptsatz	Nebensatz			Hauptsatz
	Konnektor		Verb	
Gestern passierte etwas Lustiges,	*als* *Als*	*ich zur Schule* *ich gestern zur Schule*	*ging.* *ging,*	*passierte etwas Lustiges.*
Ich esse eine Kleinigkeit,	*wenn* *Wenn*	*ich Hunger* *ich Hunger*	*bekomme.* *bekomme,*	*esse ich eine Kleinigkeit.*

Interpunktion: Vor bzw. nach Nebensätzen steht ein Komma.

_3_ Alternativen

Nebensatz	Präposition + Nomen	
Als meine Eltern heirateten, waren sie noch sehr jung.	*Bei ihrer Hochzeit waren meine Eltern noch sehr jung.*	*bei* + Dativ
Immer wenn ich koche, höre ich Musik.	*Beim Kochen höre ich immer Musik.*	
Als Elke ein Kind war, lernte sie ihren späteren Mann kennen.	*In ihrer Kindheit lernte Elke ihren späteren Mann kennen.*	*in* + Dativ
Als Max 18 Jahre alt war, machte er den Führerschein.	*Mit 18 Jahren machte Max den Führerschein.*	*mit* + Dativ
Als Max seinen 18. Geburtstag feierte, machte er seinen Führerschein.	*An seinem 18. Geburtstag machte er seinen Führerschein.*	*an* + Dativ

1 Biografische Daten einer Lehrerin – Formulieren Sie Sätze mit als.

1976 Abitur (machen)	*Sie war 18 Jahre alt, als sie das Abitur machte.*
1981 Erstes Staatsexamen (machen)	*Sie war 23, ...*
1983 Zweites Staatsexamen (machen)	*Sie war 25, ...*
1984 Heirat (heiraten)	*Sie war 26, ...*
1986 erstes Kind (bekommen)	*Sie war 28, ...*
1989 in den Beruf (wiedereinsteigen)	*Sie war 31, ...*

2 Problemfälle – Formulieren Sie Fragen und antworten Sie mit erst als und dem Präteritum.
a) das Ticket – am Check-in-Schalter sein
   Wann hast du das Ticket vermisst? – Erst als ich am Check-in-Schalter war.
b) den Schlüssel – die Wohnungstür aufschließen wollen
c) die Brieftasche – den Ausweis rausnehmen wollen
d) die Kamera – den Film einlegen wollen
e) die Scheckkarte – an der Kasse sein

3 Antworten Sie jetzt mit erst wenn und dem Präsens.
a) eine Vokabelkartei – die Wörter so nicht merken können
   Wann schaffst du dir endlich eine Vokabelkartei an? – Erst wenn ich mir die Wörter so nicht mehr merken kann.
b) ein gutes Wörterbuch – in der Mittelstufe sein
c) einen Computer – mein neues Arbeitszimmer einrichten
d) ein neues Radio – das alte ganz kaputt sein

4 Wenn einer eine Reise tut ... – Formulieren Sie Sätze mit als oder wenn.
a) Ich kam gestern am Flughafen an. Ich hatte etwas Wichtiges vergessen.
   Als ich gestern am Flughafen ankam, hatte ich etwas Wichtiges vergessen.
b) Wir kamen gestern am Flughafen an. Die Maschine war schon weg.
c) Ich kam oft zu früh zum Flughafen. Das Flugzeug hatte Verspätung.
d) Frau Huber wollte ihren Pass vorzeigen. Sie fand ihn nicht in ihrer Handtasche.
e) Herr Martens kam in der Maschine zu seinem Platz. Jemand anders saß dort.
f) Ich war oft verreist. Meine Pflanzen zu Hause sind immer vertrocknet.

5 Hermann – Formulieren Sie Sätze mit als.
a) Bei seiner Geburt wog er nur knapp 1000 Gramm.
   Als Hermann geboren wurde, wog er nur knapp 1000 Gramm.
b) Bei der Untersuchung im ersten Lebensjahr waren die Ärzte besorgt.
c) Mit 18 Monaten wog er so viel wie andere Kinder in diesem Alter.
d) Mit zwei Jahren konnte er bereits ganze Sätze sprechen.
e) Bei der Einschulung sah man kaum noch Unterschiede zu seinen Mitschülern.

7.17 TEMPORALSATZ (2): GLEICHZEITIG

während – solange – bis – seit – seitdem

__1__ Funktion

Mehrere Handlungen, Zustände gleichzeitig

Konnektor		Handlung ...	Zeit
während	*Ich kann keine Musik hören, während ich arbeite.*	... gleichzeitig	Gegenwart Vergangenheit
solange*	*Solange ich noch zur Schule gehe, wohne ich bei meinen Eltern.*	... gleichzeitig	Zukunft
bis	*Ich warte, bis die Besprechung zu Ende ist.*	... endet im Hauptsatz, wenn sie im Nebensatz beginnt.	
seit	*Seit er keine Sekretärin mehr hat, schreibt er alle Briefe selbst. Seit er den Unfall hatte, ist er vorsichtiger.*	... beginnt in der Vergangenheit, dauert bis in die Gegenwart.	
seitdem	*Seitdem er einen Computer hat, braucht er keine Sekretärin mehr.*		

* *solange* hat auch eine vorzeitige Funktion: *Solange du deine Aufgaben nicht gemacht hast, gehst du nicht zum Fußball!* = Handlung im Nebensatz vor der Handlung im Hauptsatz.

__2__ Satzstrukturen

Hauptsatz	Nebensatz			Hauptsatz
	Konnektor		Verb	
Er braucht keine Sekretärin mehr,	*seit(dem)*	*er einen Computer*	*hat.*	
	Seit(dem)	*er einen Computer*	*hat,*	*braucht er keine Sekretärin mehr.*

Interpunktion: Vor bzw. nach Nebensätzen steht ein Komma.

__3__ Alternativen

Nebensatz	Präposition + Nomen	
Seitdem flexible Arbeitszeiten eingeführt wurden, sind die Mitarbeiter zufriedener.	*Seit der Einführung flexibler Arbeitszeiten sind die Mitarbeiter zufriedener.*	seit + Dativ
Die Mitarbeiter können kurze private Telefongespräche führen, während sie arbeiten.	*Die Mitarbeiter können während der Arbeitszeit kurze private Telefongespräche führen.*	während + Genitiv (auch: Dativ)
Warten Sie bitte, bis die Besprechung zu Ende ist.	*Warten Sie bitte bis zum Ende der Besprechung.*	bis zu + Dativ

1 Einbruch – Formulieren Sie Sätze mit während.

a) einkaufen sein *Der Einbrecher kam, während wir einkaufen waren.* b) schlafen c) im Garten arbeiten d) vor dem Fernseher sitzen e) im Kino sein f) das Abendessen machen

2 Vorschriften – Formulieren Sie Sätze mit während.

a) sich anschnallen – das Flugzeug durch ein Gewitter fliegen
   Bitte schnallen Sie sich an, während das Flugzeug durch ein Gewitter fliegt.
b) elektronische Geräte ausschalten – das Flugzeug landen
c) keinen Lärm machen – die Nachbarn Mittagspause machen
d) sich nicht aus dem Fenster lehnen – der Zug fahren
e) nicht sprechen – die Vorstellung laufen
f) nicht stören – der Gast schlafen

3 Ergänzen Sie bis, seit(dem).

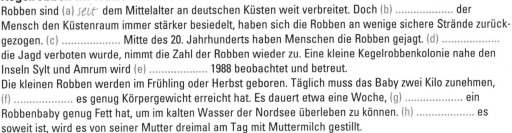

Kegelrobben im Wattenmeer
Robben sind (a) *seit* dem Mittelalter an deutschen Küsten weit verbreitet. Doch (b) .... der Mensch den Küstenraum immer stärker besiedelt, haben sich die Robben an wenige sichere Strände zurück-gezogen. (c) .... Mitte des 20. Jahrhunderts haben Menschen die Robben gejagt. (d) .... die Jagd verboten wurde, nimmt die Zahl der Robben wieder zu. Eine kleine Kegelrobbenkolonie nahe den Inseln Sylt und Amrum wird (e) .... 1988 beobachtet und betreut.
Die kleinen Robben werden im Frühling oder Herbst geboren. Täglich muss das Baby zwei Kilo zunehmen, (f) .... es genug Körpergewicht erreicht hat. Es dauert etwa eine Woche, (g) .... ein Robbenbaby genug Fett hat, um im kalten Wasser der Nordsee überleben zu können. (h) .... es soweit ist, wird es von seiner Mutter dreimal am Tag mit Muttermilch gestillt.

4 Lebenspläne – Formulieren Sie Sätze mit solange oder bis. Achten Sie auf das Tempus und stellen Sie den Nebensatz auch voran.

a) Niko noch Schüler sein – kann sich kein Auto leisten – muss warten – Geld verdienen
   Solange Niko noch Schüler ist, kann er sich kein Auto leisten. Er muss warten, bis er selber Geld verdient. Oder: *Niko kann sich kein Auto leisten, solange er noch Schüler ist.*
b) Barbara noch studieren – mit ihrem Studentenausweis viel Geld sparen – den Ausweis behalten – Studium beenden
c) Dennis noch keinen festen Job haben – bei seinen Eltern wohnen
d) Evelyns Kinder zur Schule gehen – die Familie in diesem Stadtteil bleiben – mit dem Umzug warten – Kinder die Schule wechseln
e) Petra in einer Wohngemeinschaft leben – Peter kennenlernen

5 Wirtschaftsentwicklung – Formulieren Sie Nebensätze mit seit, seitdem, bis.

a) Seit dem Abbau der Arbeitslosigkeit sind die Chancen gewachsen.
   Seit(dem) die Arbeitslosigkeit abgebaut wurde, sind die Chancen gewachsen.
b) Bis zum Abschluss der Tarifverhandlungen bleiben die Unternehmer zurückhaltend.
c) Seit dem Anstieg der Inflationsrate sind die Chancen der Unternehmen gesunken.
d) Bis zum Rückgang der Staatsschulden bleiben die Aussichten schlecht.
e) Seit der Einführung der Öko-Steuer ist die Stimmung negativ.
f) Bis zur Reform der Steuergesetze halten sich die Investoren zurück.

7.18 TEMPORALSATZ (3): NICHT GLEICHZEITIG

bevor – nachdem – sobald

1 Funktion

Mehrere Handlungen/Sachverhalte nacheinander

Konnektor		Handlung	Tempus
bevor	*Du solltest es dir gut überlegen, bevor du so viel Geld ausgibst.*	Nebensatz nach Hauptsatz	im Haupt- und Nebensatz gleich
ehe	*Ich kontrolliere alle Rechnungen, ehe ich sie bezahle.*		
nachdem	*Er bezahlt Rechnungen erst, nachdem er eine Mahnung bekommen hat.*	Nebensatz vor Hauptsatz	Hauptsatz: Präsens Nebensatz: Perfekt
	Nachdem er alles erledigt hatte, ging er schlafen.		Hauptsatz: Perfekt/ Präteritum
sobald	*Er geht, sobald er aufgegessen hat.* *Er ging, sobald er aufgegessen hatte.* *Ich rufe dich an, sobald ich fertig bin.*	Nebensatz vor Hauptsatz; beide folgen sofort aufeinander	Nebensatz: Plusquamperfekt oft gleich im Haupt- und im Nebensatz

2 Satzstrukturen

Hauptsatz	Nebensatz			Hauptsatz
	Konnektor		Verb	
Ich räume noch rasch mein Zimmer auf,	*bevor* *Bevor*	*ich zur Arbeit* *ich zur Arbeit*	*gehe.* *gehe,*	*räume ich noch rasch mein Zimmer auf.*

Interpunktion: Vor bzw. nach Nebensätzen steht ein Komma.

3 Alternativen

Nebensatz	Präposition + Nomen	
Bevor ich zur Arbeit gehe, räume ich rasch auf.	*Vor der Arbeit räume ich rasch auf.*	*vor + Dativ*
Nachdem ich zu Abend gegessen habe, gehe ich oft noch ins Fitnesscenter.	*Nach dem Abendessen gehe ich oft noch ins Fitnesscenter.*	*nach + Dativ*
Sobald ich mit den Hausaufgaben fertig bin, rufe ich eine Freundin an.	*Gleich nach den Hausaufgaben rufe ich eine Freundin an.*	*gleich/sofort nach + Dativ*

1 **Was machst du morgens? – Formulieren Sie Sätze mit bevor oder ehe.**

a) Ich mache einen Spaziergang mit meinem Hund. – zur Arbeit gehen
Bevor/Ehe ich zur Arbeit gehe, mache ich einen Spaziergang mit meinem Hund.
b) Ich kaufe noch rasch etwas für das Abendessen ein. – den Bus nehmen
c) Ich lese Zeitung. – sich fertig machen
d) Ich gebe den Fischen etwas zu fressen. – aufräumen
e) Ich räume schnell noch auf. – das Haus verlassen
f) Ich jogge im Park. – Müsli essen

2 **Ratschläge für Ihre Gesundheit – Formulieren Sie Sätze mit bevor.**

Schlaf	a) vor dem Aufstehen Kaffee oder Tee trinken
	b) vor dem Schlafengehen ein Glas Tee trinken
Schlankheit	c) vor dem Essen ein Glas Wasser zu sich nehmen
Fitness	d) vor dem Frühstück Frühsport oder Gymnastik
	e) vor dem Joggen einige Stretching-Übungen

a) *Trinken Sie Kaffee oder Tee, bevor Sie aufstehen.*

3 **Alle haben es eilig – Formulieren Sie Sätze mit sobald.**

a) abreisen – die Konferenz vorüber sein
Ich reise ab, sobald die Konferenz vorüber ist.
b) hier ausziehen – eine neue Wohnung finden
c) bei Freunden anrufen – die Hausaufgaben machen
d) wir können essen – der Tisch gedeckt sein
e) nach Hause gehen – die Schule aus sein
f) zahlen – die Rechnung geschrieben sein
g) frühstücken – Gymnastik machen

4 **Einen Lebenslauf nacherzählen – Formulieren Sie Sätze mit nachdem.**

a) das Abitur – Studium für das Lehramt am Gymnasium.
Nachdem sie das Abitur gemacht hatte, studierte sie für das Lehramt am Gymnasium.
b) fünf Jahre Studium – Erstes Staatsexamen ablegen
c) das Staatsexamen – Referendarausbildung an einer Schule beginnen
d) die Referendarausbildung beenden – Zweites Staatsexamen machen
e) die Ausbildung beenden – heiraten
f) zwei Jahre verheiratet – erstes Kind bekommen

5 **Wie benutze ich einen Computer? – Ergänzen Sie bevor oder nachdem.**

(a) *Bevor* du mit dem Computer arbeiten kannst, musst du den Netzschalter einschalten.
(b) .... du den Computer eingeschaltet hast, kannst du das Programm aufrufen, das du verwenden willst. (c) .... du einen Text schreibst, öffnest du eine Datei. (d) .... du deine Datei speicherst, musst du entscheiden, wohin du sie speichern willst, auf Stick oder Festplatte. (e) Gleich .... du einen Text geschrieben hast, kannst du ihn ausdrucken. (f) .... du das Gerät abschaltest, solltest du Datei und Programm schließen.

7.10 KAUSALSATZ

denn – weil/da

1 Funktion

„Warum kriechst du eigentlich auf allen Vieren?"
„Weil ich eine Kontaktlinse verloren habe."
Heinz braucht seine Kontaktlinse, denn ohne sie
sieht er sehr schlecht.

Grund

2 Satzstrukturen

a Hauptsatz, Konnektor auf Position 0

Hauptsatz	Hauptsatz			
	Konnektor		Verb	
Ich lebe allein,	*denn*	*ich*	*habe*	*keine Zeit für eine Familie.*

s. Seite 158

b Hauptsatz, Konnektor auf Position 3

Hauptsatz	Hauptsatz			
		Verb	Konnektor	
Ich lebe allein.	*Ich*	*habe*	*nämlich*	*keine Zeit für eine Familie.*

c Nebensatz

Hauptsatz	Nebensatz			Hauptsatz
	Konnektor		Verb	
Ich lebe allein,	*weil*	*ich keine Zeit für eine Familie*	*habe.*	
Ich lebe allein,	*da*	*ich keine Zeit für eine Familie*	*habe.*	
	Weil	*ich keine Zeit für eine Familie*	*habe,*	*lebe ich allein.*
	Da	*ich keine Zeit für eine Familie*	*habe,*	*lebe ich allein.*

Wenn der Nebensatz zuerst steht, ist *da* stilistisch besser als *weil*.

Interpunktion: Vor bzw. nach Nebensätzen steht ein Komma.

Der Nebensatz mit *weil* kann als Antwort ohne Hauptsatz stehen: *Warum bist du nicht gekommen? – Weil ich krank war.*

3 Alternativen

Nebensatz	Präposition	
Ich konnte keine Familie haben, weil ich berufstätig war.	*Wegen meiner Berufstätigkeit konnte ich keine Familie haben.*	*wegen* + Genitiv
	Aufgrund meiner Berufstätigkeit konnte ich keine Familie haben.	*aufgrund* + Genitiv
Er zitterte, weil er Angst hatte.	*Er zitterte vor Angst.*	*vor/aus* + Nomen ohne Artikel
Er hat es getan, weil er diese Frau liebt.	*Er hat es aus Liebe zu dieser Frau getan.*	

1 Warum ich keine Hausaufgabe machen konnte! – Formulieren Sie Sätze mit weil.
a) Es war einfach viel zu heiß.
   Weil es einfach viel zu heiß war.
b) Ich hatte den ganzen Nachmittag Kopfschmerzen.
c) Ich war erschöpft und bin vor Müdigkeit eingeschlafen.
d) Mein Füller hat plötzlich nicht mehr funktioniert.
e) Mein Freund hat meine Schultasche versteckt.
f) Mein Hund hat das Aufgabenblatt gefressen.

2 Analysieren Sie Struktur und Bedeutung der Sätze.
A: Struktur + Bedeutung gleich; B: Struktur gleich, Bedeutung verschieden;
C: Struktur verschieden, Bedeutung gleich

		A	B	C
a) Hermann kündigt, **weil** er bei seiner Firma zu wenig verdient.	Hermann kündigt, **denn** er verdient bei seiner Firma zu wenig.			X
b) Hermann kündigt, **weil** er keine Gehaltserhöhung bekommt.	Hermann kündigt, **da** er keine Gehaltserhöhung bekommt.			
c) Hermann kündigt, **weil** er seine Tätigkeit langweilig findet.	**Wegen** seiner langweiligen Tätigkeit kündigt Hermann.			
d) **Weil** er keine Gehaltserhöhung bekommt, kündigt Hermann seinen Job.	**Wenn** er keine Gehaltserhöhung bekommt, kündigt Hermann seinen Job.			

3 In der Schule – Formulieren Sie Sätze mit da oder weil. Stellen Sie den Nebensatz bei b), d), e) und g) voran.
a) Vanessa will endlich Pause machen / schaut sie ständig auf die Uhr.
   Weil Vanessa endlich Pause machen will, schaut sie ständig auf die Uhr.
b) Doro lernt täglich drei Stunden / sie braucht unbedingt bessere Noten.
c) Sandra hat nicht mehr so gute Noten / übt sie täglich noch mehr.
d) Dennis findet seine neue Lehrerin super / sie so wenig Hausaufgaben aufgibt.
e) Nico ist durch die Prüfung gefallen / er sich nicht konzentrieren kann.
f) Kims Lieblingsfach ist Latein / sie da was über die alten Römer erfährt.
g) Den Eltern sind die Schulerfolge sehr wichtig / sie an die Zukunft ihrer Kinder denken.

4 Formulieren Sie die Sätze mit den Präpositionen wegen und aufgrund um.
a) Weil Helga einen schweren Unfall hatte, kann sie jetzt nicht mehr arbeiten.
   Aufgrund/Wegen eines schweren Unfalls kann Helga jetzt nicht mehr arbeiten.
b) Weil Isabella ein Stipendium erhält, kann sie einen Deutschkurs in Österreich besuchen.
c) Weil Sofia ein hervorragendes Zeugnis hat, kann sie studieren, was sie möchte.
d) Amelie kann nicht Medizin studieren, weil ihre Noten zu schlecht sind.
e) Tobias hat die Schule verlassen, weil er große Probleme mit einem Lehrer hatte.
f) Die Schule in unserem Dorf wird geschlossen, weil akuter Schülermangel herrscht.

7.20 **KONDITIONALSATZ**

wenn – falls – sofern – sonst

1 Funktion

> „*Mami wird sauer sein, wenn sie das merkt.*"   Bedingung
> „*Ja, falls sie das merkt! Aber vielleicht merkt*
> *sie es ja nicht.*"

2 Satzstrukturen
a Nebensatz

Hauptsatz	Nebensatz			Hauptsatz
	Konnektor		Verb	
Wir gehen spazieren,	*wenn*	*du Lust*	*hast.*	
Wir gehen spazieren,	*wenn*	*du Lust*	*hast,*	*und essen unterwegs ein Eis.*
	Wenn	*du Lust*	*hast,*	*gehen wir spazieren.*

Genauso: *falls, sofern*

wenn kann auch temporale Bedeutung haben, 📖 **s. Seite 174**

Interpunktion: Vor bzw. nach Nebensätzen steht ein Komma.

b Hauptsatz, Konnektor auf Position 1 oder 3

Hauptsatz	Hauptsatz			
	POS 1	Verb	POS 3	
Ich brauche deine Hilfe.	*Sonst*	*werde*	*ich*	*nicht fertig.*
Ich brauche deine Hilfe.	*Ich*	*werde*	*sonst*	*nicht fertig.*

3 Alternativen

Nebensatz	ohne Konnektor	Präposition *bei* + Dativ	Modalverb (Konjunktiv II)
Wenn es regnet, gehen wir nicht in den Park.	*Regnet es, gehen wir nicht in den Park.*	*Bei Regen gehen wir nicht in den Park.*	*Sollte es regnen, gehen wir nicht in den Park.*

ÜBUNGEN

1 Moderne Bedürfnisse – Formulieren Sie wenn-Sätze.

< einen Anrufbeantworter I Kontaktlinsen I ein Modem I ein Handy I einen stärkeren Computer I einen besseren Wecker I einen Videorekorder

   a) Ich will Nachrichten am Telefon aufzeichnen.
      Sie brauchen einen Anrufbeantworter, wenn Sie Nachrichten am Telefon aufzeichnen wollen.
   b) Mich stört die Brille beim Joggen.

c) Ich will im Internet surfen.
d) Ich will außer Haus Anrufe annehmen.
e) Ich will moderne Computerspiele ausprobieren.
f) Ich komme oft zu spät zur Arbeit.
g) Ich will Fernsehsendungen aufzeichnen.

2 Formulieren Sie die Sätze aus Übung 1 nun ohne wenn.

a) *Wollen Sie Nachrichten am Telefon aufzeichnen, brauchen Sie einen Anrufbeantworter.*

3 Armer Moritz! – Formulieren Sie Sätze mit sonst.

a) Moritz, mach jetzt deine Hausaufgaben. – Du bekommst kein Eis.
   Moritz, mach jetzt deine Hausaufgaben, sonst bekommst du kein Eis.
b) Moritz, räum dein Zimmer auf. – Du darfst nicht schwimmen gehen.
c) Moritz, wasch deine Hände. – Du bekommst kein Abendessen.
d) Moritz, zieh dich warm an. – Du erkältest dich.
e) Moritz, mach nicht so einen Krach. – Die Nachbarn beschweren sich wieder.
f) Moritz, sei nett zu deiner kleinen Schwester. – Ich bin nicht nett zu dir.

4 Lust, Zeit, Geld – Formulieren Sie Sätze mit wenn, falls oder sofern.

Lust haben	(a) wir gehen heute Abend ins Theater (b) wir gehen in die Picasso-Ausstellung (c) wir sehen uns das neue Kabarettprogramm an.
Zeit haben	(d) ich besuche noch meine Freundin Elke (e) ich lese noch meine E-Mails (f) ich gehe endlich mal richtig gut essen (g) ich räume endlich mal mein Zimmer auf
Geld brauchen	(h) such dir einen Job in einem Lokal (i) leih dir etwas von deinen Eltern (j) hol dir welches an dem Bankautomaten

(a) *Wenn/Falls/Sofern du Lust hast, gehen wir heute Abend ins Theater.*

5 Was machen Sie, wenn ...? – Formulieren Sie wenn-Sätze.

a) Sie haben eine Reifenpanne.   Ich benutze eine Taschenlampe.
b) Der Strom fällt aus.   Ich fahre mit dem Auto zu einer Tankstelle.
c) Es kommen unerwartet Gäste.   Ich serviere Getränke.
d) Sie treffen auf der Straße einen   Ich verabrede ein Treffen.
   alten Klassenkameraden.   Ich rufe Hilfe.
e) Sie haben nichts zu Hause und die
   Geschäfte in der Nähe sind geschlossen.

a) *Wenn ich eine Reifenpanne habe, rufe ich Hilfe.*

6 Abhängig vom Wetter – Sagen Sie es anders.

a) Sollte es regnen, findet das Grillfest nicht statt.
   Wenn es regnet, findet das Grillfest nicht statt. oder:
   Regnet es, findet das Grillfest nicht statt.
b) Sollte es heute noch schneien, können wir morgen Ski fahren.
c) Bei schlechtem Wetter gehen wir ins Museum.
d) Sollte der Pullover nicht warm genug sein, musst du noch einen anziehen.
e) Sollten Sie in der Nacht frieren, benutzen Sie die Decke.

7.21 FINALSATZ

damit – um ... zu

1 Funktion

> *Der Wolf hat Großmutters Nachthemd angezogen,*
> *um Rotkäppchen zu täuschen.*
> *„Großmutter, was hast du für große Ohren?"*
> *„Damit ich dich besser hören kann."*

Absicht,
Ziel

2 Satzstrukturen

Hauptsatz	Nebensatz			Hauptsatz
	Konnektor		Verb	
Ich schlafe täglich *acht Stunden,*	*damit*	*ich ausgeruht*	*bin.*	
	Damit	*ich ausgeruht*	*bin,*	*schlafe ich täglich acht Stunden.*
Ich schlafe täglich *acht Stunden,*	*um*	*ausgeruht*	*zu sein.*	

um ... zu   eleganter als *damit*; *um ... zu* kann *damit* ersetzen, wenn das Subjekt des
Nebensatzes mit dem Subjekt des Hauptsatzes identisch ist:
<u>Ich</u> mache diese Reise, damit <u>ich</u> mich erhole.
➟ *Ich mache diese Reise, um mich zu erholen.*

zu   steht vor dem Infinitiv-Verb
bei trennbaren Verben zwischen Vorsilbe und Verb: *auszuschlafen,*
zwischen Vollverb und Modalverb: *schlafen zu können.*

Interpunktion: Vor bzw. nach Nebensätzen steht ein Komma.

3 Alternativen

Nebensatz	Präposition	
Ich trinke eine Tasse Tee, um *mich zu beruhigen.*	*Zur Beruhigung trinke ich eine* *Tasse Tee.*	*zu* + Dativ
Sie tut alles, damit sie *Karriere macht.*	*Für ihre Karriere tut* *sie alles.*	*für* + Akkusativ

1 Sparsamkeit – Ergänzen Sie um ... zu.

a) Man glaubt gar nicht, was Leute alles tun. – Geld sparen
Man glaubt gar nicht, was Leute alles tun, um Geld zu sparen.
b) Mein Nachbar zum Beispiel fährt bei jedem Wetter mit dem Fahrrad ins Büro. – das
Fahrgeld für den Bus sparen

c) Außerdem kauft er fast nur Sonderangebote. – bloß kein Geld verschwenden
d) Strom sparen – Er dreht nie vor November die elektrische Heizung an, egal wie kalt es draußen ist.
e) Im Büro sammelt er das Papier und verwendet die Rückseiten für Notizen. – nicht so viel Papier verbrauchen
f) Auf der Autobahn fährt er nie schneller als 120 Kilometer. – Benzin sparen
g) weniger Steuern zu zahlen – Neulich hat er geheiratet.

2 Gesundheitstipps – Formulieren Sie Nebensätze.

a) sich vor Zivilisationskrankheiten schützen – nicht mehr als 80 Gramm Fleisch am Tag essen.
Essen Sie nicht mehr als 80 Gramm Fleisch am Tag, um sich vor Zivilisationskrankheiten zu schützen.
Um sich vor Zivilisationskrankheiten zu schützen, sollten Sie nicht mehr als 80 Gramm Fleisch am Tag essen.
b) fit bleiben – sich täglich eine Stunde im Freien bewegen
c) ein gesundes Herz behalten – Treppen steigen, statt Lift zu fahren
d) Muskeln aufbauen – regelmäßig ins Fitnessstudio gehen
e) Fett abbauen – so wenig tierisches Fett wie möglich essen
f) Erkältungen vermeiden – im Winter einmal wöchentlich in die Sauna gehen
g) Nerven beruhigen – vor dem Schlafengehen Milch trinken
h) gut schlafen – die richtige Matratze kaufen

3 Was die Menschen alles tun ... – Formulieren Sie Sätze mit um ... zu. Wenn das nicht möglich ist, mit damit.

a) Bewerber: einen guten Job bekommen
Was Bewerber alles tun, um einen guten Job zu bekommen.
b) Eltern: aus ihren Kindern etwas wird
Was Eltern alles tun, damit aus ihren Kindern etwas wird.
c) Ärzte: Leben retten
d) Frauen: schön sein
e) Männer: einen muskulösen Körper bekommen
f) Mütter: ihre Kinder genug Schlaf bekommen
g) Regierungen: die Arbeitslosigkeit bekämpfen
h) Schüler: ihre Lehrer ihnen weniger Hausaufgaben aufgeben

4 Richtig lernen – Formulieren Sie Sätze mit um ... zu. Wenn das nicht möglich ist, mit damit.

a) Wir * in der Klasse * oft Gruppenarbeit machen * alle sich möglichst viel am Unterricht beteiligen
Wir machen in der Klasse oft Gruppenarbeit, damit sich alle möglichst viel am Unterricht beteiligen.
b) Ich * sehen * gerne deutsche Filme im Original * mein Hörverstehen verbessern
Ich sehe gerne deutsche Filme im Original, um mein Hörverstehen zu verbessern.
c) Manchmal * ich * auswendig lernen * kurze Texte * mir neue Sätze merken
d) Ich * meine Hausaufgaben sorgfältig machen * schneller Fortschritte machen
e) Ich * übersichtlicher schreiben * meine Notizen besser lesen können
f) Ich * täglich zehn neue Wörter lernen * mein Wortschatz rasch wachsen
g) Ich * jeden Tag eine Viertelstunde üben * das Lernen wird nicht zu anstrengend

7.22 **KONSEKUTIVSATZ**

so dass – deshalb – infolgedessen

<u>1</u>   Funktion

> *Heinz will abnehmen.* *Deshalb isst er* | Folge
> *zur Zeit nur noch Weintrauben.*

<u>2</u>   Satzstruktur
ⓐ Nebensatz

Hauptsatz	Nebensatz		
	Konnektor		Verb
Er war *so* hungrig,	*dass*	er nur noch ans Essen denken	konnte.
Er hatte *solchen/derartigen* Hunger,	*dass*	er nur noch ans Essen denken	konnte.
Er isst nun fünf mal pro Tag,	*sodass*	er keinen Heißhunger mehr	bekommt.

so bzw. *derartig* stehen vor einem Adjektiv oder Adverb, z.B. *hungrig*,
solch- bzw. *derartig-* stehen vor einem Nomen, z.B. *Hunger.*

Interpunktion: Vor bzw. nach Nebensätzen steht ein Komma.

ⓑ Hauptsatz, Konnektor auf Position 1 oder 3

Hauptsatz	Hauptsatz			
	POS 1	Verb	POS 3	
Heinz fühlt sich nicht wohl.	*Deshalb*	*macht*	er	*eine Diät*
Heinz fühlt sich nicht wohl.	Er	*macht*	*deshalb*	eine Diät.

Genauso: *also, deswegen, daher, darum, folglich, infolgedessen.*

<u>3</u>   Alternativen

Nebensatz	Präposition	
Er hat so viel geraucht, dass seine Gesundheit geschädigt ist.	*Infolge* starken Rauchens ist seine Gesundheit geschädigt. *Seine Gesundheit ist infolge starken Rauchens geschädigt.*	*infolge* + Genitiv
Es sind so viele (Mitarbeiter) erkrankt, dass wir den Termin nicht einhalten können.	*Infolge von* Erkrankungen können wir den Termin nicht einhalten.	*infolge von* + Dativ

ÜBUNGEN

<u>1</u>   **Alles fing im Bein an – Formulieren Sie Sätze mit dass.**
a) Hans bekam Schmerzen im Knie (solch-) – er konnte nicht mehr laufen.
   Hans bekam solche Schmerzen im Knie, dass er nicht mehr laufen konnte.
b) Dann tat ihm plötzlich am rechten Fuß ein Zeh weh (so) – er wollte keinen Schuh mehr anziehen.

c) Schließlich stieß er mit dem Bein hart gegen etwas (so) – es wurde ganz blau.

d) Außerdem bekam er ein Spannungsgefühl in der Brust (derartig) – er konnte nicht mehr richtig durchatmen.

e) Seine Schultern waren verspannt (derartig) – er konnte nicht länger als eine Stunde am Schreibtisch arbeiten.

2 Schule – Verbinden Sie die Hauptsätze. Setzen Sie den Konnektor auf Position 1 oder 3.

a) Die Eltern denken an die Zukunft ihrer Kinder.   Dennis findet sie super.
b) Die neue Lehrerin gibt wenig Hausaufgaben auf.   Er kann sich nicht konzentrieren.
c) Jana braucht unbedingt bessere Noten.   Gute Noten sind ihnen wichtig.
d) Nico hat letzte Nacht nur fünf Stunden geschlafen.   Sie hat nicht mehr so gute Noten.
e) Sandra übt nicht mehr täglich.   Sie lernt täglich drei Stunden.

a) *Die Eltern denken an die Zukunft ihrer Kinder. Darum sind ihnen gute Noten wichtig. / Ihnen sind deshalb gute Noten wichtig.*

3 Ursachen und Folgen – Formulieren Sie Sätze mit infolgedessen.

a) Er hatte einen sehr stressigen Job – war fast nie zu Hause.
Er hatte einen sehr stressigen Job. Infolgedessen war er fast nie zu Hause.
b) Sie war glücklich – sah über vieles hinweg.
c) Er war unglücklich – hatte oft schlechte Laune.
d) Sie hatte Geldsorgen – fühlte sich oft unter Druck.
e) Er hatte wenig Geld – konnte sich kaum etwas leisten.
f) Sie war kinderlos – stürzte sich voll auf die Arbeit.

4 Verbinden Sie die Sätze mit darum, deshalb, deswegen und mit sodass, so ... dass.

a) Ich bin gestern früh ins Bett gegangen – ich war heute ausgeschlafen.
Ich bin gestern früh ins Bett gegangen, deshalb/darum/deswegen war ich heute ausgeschlafen.
Ich bin gestern früh ins Bett gegangen, sodass ich heute ausgeschlafen war.
Ich bin gestern so früh ins Bett gegangen, dass ich heute ausgeschlafen war.
b) Ich habe wenig verdient – ich kann kein neues Auto kaufen.
c) Ich hatte gestern hohes Fieber – ich konnte nicht in den Kurs kommen.
d) Ich bin etwas schüchtern – ich besuche eine Selbsterfahrungsgruppe.
e) Ich bin heute schlecht gelaunt – ich möchte keinen sehen.
f) Ich habe eine Gehaltserhöhung bekommen – ich kann dich zum Essen einladen.
g) Wir schreiben morgen einen Test – ich muss heute lernen.

5 Radrennen – Formulieren Sie Sätze mit deshalb, deswegen, darum.

a) Infolge eines Sturzes musste ein Fahrer ausscheiden.
Ein Fahrer stürzte. Deshalb musste er ausscheiden.
b) Infolge eines Radschadens musste einer aus dem Sieger-Team des Vortages aufgeben.
c) Infolge eines Gewitters waren einige Straßen unpassierbar.
d) Infolge eines Unwetters waren die Straßen spiegelglatt.
e) Infolge einer Verletzung konnte der Sieger des letzten Rennens nicht mehr an den Start gehen.

7.23 **KONZESSIVSATZ**

obwohl – trotzdem – dennoch

_1_ Funktion

Obwohl die Mannschaft ihr Bestes gegeben hat, hat es am Ende nicht zu einem Sieg gereicht.	Widerspruch, Gegensatz

_2_ Satzstrukturen

ⓐ Nebensatz

Hauptsatz	Nebensatz			Hauptsatz
	Konnektor		Verb	
Mein Geld reicht nicht,	*obwohl*	*ich ständig*	*spare.*	
	Obwohl	*ich ständig*	*spare,*	*reicht mein Geld nicht.*

Genauso: *obgleich.*
Interpunktion: Vor bzw. nach Nebensätzen steht ein Komma.

ⓑ Hauptsatz, Konnektor auf Position 1 oder 3

Hauptsatz	Hauptsatz			
	POS 1	Verb	POS 3	
Die Mannschaft hat sich total eingesetzt.	*Trotzdem*	*hat*	*es*	*am Ende nicht zu einem Sieg gereicht.*
Die Mannschaft hat sich total eingesetzt.	*Es*	*hat*	*trotzdem*	*am Ende nicht zu einem Sieg gereicht.*

Genauso: *dennoch.*

_3_ Alternativen

Nebensatz	Präposition	
Es hat nicht zu einem Sieg gereicht, obwohl die Mannschaft sich enorm eingesetzt hat.	*Trotz des enormen Einsatzes der Mannschaft hat es nicht zu einem Sieg gereicht.*	*trotz* + Genitiv

ÜBUNGEN

_1_ Zum Teufel mit den Gesundheitstipps – Formulieren Sie Sätze mit obwohl.

a) eine Diät machen – sich heute ein zweites Frühstück gönnen
Obwohl ich eine Diät mache, gönne ich mir heute ein zweites Frühstück.
b) viel Zucker enthalten – ab und zu eine Cola trinken
c) es ist nicht gesund – nicht auf Salz verzichten
d) viel Schokolade essen – nicht dick sein
e) Obst besser sein – zum Fernsehen lieber Kartoffelchips knabbern
f) der viele Rauch mir nicht gut tun – freitagabends in die Kneipe gehen

Tante Frieda ist vor kurzem am Magen operiert worden. – Formulieren Sie Sätze mit trotzdem.

a) Der Arzt hat ihr jeden Sport verboten. Sie läuft schon wieder Ski.
Der Arzt hat ihr jeden Sport verboten. Trotzdem läuft sie schon wieder Ski.

b) Sie darf auf keinen Fall Alkohol trinken. Sie trinkt schon wieder Bier.

c) Sie müsste eigentlich noch ein paar Tage im Bett bleiben. Sie steht schon wieder auf.

d) Sie soll das Rauchen aufgeben. Sie raucht schon wieder.

e) Sie soll fünfmal am Tag Obst essen. Sie isst schon wieder Schweinebraten.

Sagen Sie es anders. – Formulieren Sie die Übung 2 mit obwohl/obgleich.

a) *Obwohl/Obgleich der Arzt ihr jeden Sport verboten hat, läuft sie schon wieder Ski.*

Fallstudien – Ergänzen Sie obwohl, trotzdem, trotz.

Partnersuche

(a) Obwohl Heiko nicht hässlich ist, findet er keine Partnerin. Er ist auch nicht dumm. (b) .... hat sich noch keine für ihn interessiert. Ich habe ihm geraten, ein Seminar für Singles zu besuchen, (c) .... das einiges kostet. Heiko ist zwar skeptisch, (d) .... wird er sich für das Seminar einschreiben.

Umweltsünder

(e) .... jeder weiß, wie man seinen Abfall reduzieren kann, verhalten sich viele unvernünftig. Mein Nachbar hat nur 5 Minuten zur Arbeit, (f) .... fährt er täglich mit dem Auto. Und (g) .... die Bahn häufig gar nicht teuer ist, fahren viele mit dem Auto in den Urlaub. Und das (h) .... des Risikos, stundenlang im Stau zu stehen.

Berufschancen

Mein Freund Axel hat gerade ein sehr gutes Examen gemacht. (i) .... findet er keine Stelle. (j) .... er neben dem Studium bei verschiedenen Firmen gearbeitet hat, hat er im Moment keine Angebote. (k) .... des großen Mangels in bestimmten Berufen haben viele Hochschulabsolventen große Schwierigkeiten, eine Stelle zu finden.

Fußball – Formulieren Sie mit dennoch, trotzdem.

a) Der Spieler ist schon 30 – er ist für einen Profi nicht zu alt.
Der Spieler ist schon 30, dennoch/trotzdem ist er für einen Profi nicht zu alt.

b) Die Mannschaft besteht vorwiegend aus jungen Spielern – sie ist ein ernst zu nehmender Gegner.

c) Das Foul war nicht eindeutig – der Schiedsrichter gab Elfmeter.

d) Der Club hat das Spiel verloren – er hat noch eine Chance, ins Finale zu kommen.

e) Die Regeln für „Abseits" habe ich schon oft gehört – sie sind mir immer noch nicht klar.

f) Die Stürmer sind sehr stark – sie wurden nie richtig gefährlich.

g) Unsere Abwehr zeigte einige Schwächen – am Ende siegte unsere Mannschaft.

Reise mit Hindernissen – Formulieren Sie Sätze mit trotz.

a) lange Anfahrt; unsere gute Laune nicht verloren
Trotz der langen Anfahrt haben wir unsere gute Laune nicht verloren.

b) geringes Freizeitangebot; uns nicht gelangweilt

c) horrende Preise; unser Budget nicht überschritten

d) kühles Wetter; im Meer gebadet

e) miserables Essen; zugenommen

7.24 ADVERSATIVSATZ

aber – doch – sondern – während

_1_ Funktion

> *Heinz ist Frühaufsteher, seine Frau Lotte dagegen schläft gerne lang.*
> *Er liegt nicht lange im Bett herum, sondern möchte gleich etwas unternehmen.*

Gegensatz

_2_ Satzstrukturen

ⓐ Hauptsatz, Konnektor auf Position 0

Hauptsatz	Hauptsatz			
	Konnektor		Verb	
Elke lernt (zwar) gern,	*aber**	*(sie)*	*(lernt)*	*nicht genug.*
Elke lernt gern.	*Doch*	*sie*	*lernt*	*nicht genug.*
Elke lernt kaum Vokabeln,	*sondern***	*(sie)*	*konzentriert*	*sich auf die Grammatik.*

* *aber* kann auch auf Position 3 stehen.
** *sondern* steht nach einer Negation/Einschränkung im ersten Hauptsatz, 📖 **s. Seite 146**

ⓑ Hauptsatz, Konnektor auf Position 1 oder 3

Hauptsatz	Hauptsatz			
	POS 1	Verb	POS 3	
Elke lernt gern.	*Dagegen*	*hat*	*ihr Bruder*	*wenig Spaß am Lernen.*
Elke lernt gern,	*ihr Bruder*	*hat*	*dagegen*	*wenig Spaß am Lernen.*

Genauso: *jedoch, hingegen*

ⓒ Nebensatz

Hauptsatz	Nebensatz			Hauptsatz
	Konnektor		Verb	
Er äußert Kritik offen,	*während*	*sie eher kooperativ*	*ist.*	
	Während	*er Kritik offen*	*äußert,*	*ist sie eher kooperativ.*

während kann auch temporale Bedeutung haben, 📖 **s. Seite 174**

Interpunktion: Zwischen Haupt- und Nebensatz steht ein Komma.

_3_ Alternativen

Nebensatz	Präposition	
Während viele anderer Meinung sind, ...	*Entgegen der allgemeinen Meinung ...*	*entgegen* + Dativ
Frauen sind kooperativ, während Männer das nicht sind.	*Im Gegensatz zu vielen Männern sind Frauen kooperativ.*	*im Gegensatz zu* + Dativ

__1__ **Widersprüche – Formulieren Sie Sätze mit** aber, doch, jedoch, sondern.

a) Max: hat kaum Geld – stört ihn nicht
   Max hat kaum Geld, aber das stört ihn nicht.
   Max hat kaum Geld, doch das stört ihn nicht.
   Max hat kaum Geld, das stört ihn jedoch nicht.

b) Lisa: nicht mehr Geld – mehr Zeit für ihre Kinder
   Lisa wünscht sich nicht mehr Geld, sondern mehr Zeit für ihre Kinder.

c) Richard: lebt allein – kommt mit dem Haushalt gut zurecht

d) Daniel: interessiert sich nicht für Computerspiele – surft lieber im Internet

e) Charlotte: geschieden – sieht ihren Ex-Mann regelmäßig

f) Julius: alleinerziehender Vater – beklagt sich nie

g) Eva: liest nicht so gerne Bücher – lieber Zeitschriften

h) Sandra: viel Zeit – weiß nichts damit anzufangen

__2__ **Eine Wohnung mieten – Verbinden Sie die Sätze mit** sondern. **Überlegen Sie, welche Wörter aus dem zweiten Satzteil wegfallen können.**

a) Bei einer Wohnung sollte man weniger an die Größe denken. Man sollte an die Lage denken.
   Bei einer Wohnung sollte man weniger an die Größe denken, sondern an die Lage.

b) Leute, die eine Wohnung besichtigen, haben oft kein echtes Interesse. Sie wollen nur die Preise vergleichen.

c) Zum Besichtigungstermin war nicht der Vermieter gekommen. Der Mieter, der auszieht, war da.

d) Zu der Besichtigung bin ich nicht allein gegangen. Ich habe eine Freundin mitgenommen.

e) Die Energiekosten zählen nicht zur Miete. Die Energiekosten zählen zu den Nebenkosten.

__3__ **Wohnungssuche – Formulieren Sie Sätze mit** aber, doch. **Es gibt mehrere Lösungen.**

a) die Wohnung liegt nach Norden; nicht dunkel
   Die Wohnung liegt nach Norden, aber/doch sie ist nicht dunkel.
   Die Wohnung liegt nach Norden, ist aber nicht dunkel.

b) die Fenster gehen zur Straße raus; man hört nichts vom Verkehr

c) die Wohnung hat eine gute Lage; Straße ist sehr laut

d) das Haus ist alt; ist total renoviert

e) die Wohnung hat 100 Quadratmeter; wirkt klein und eng

f) die Wohnung hat einen Balkon; ist sehr klein

__4__ **Wohnstile – Ergänzen Sie** dagegen, im Gegensatz zu, während.

Mir gefallen alte Häuser. Moderne Wohnblocks finde ich (a) *dagegen* unromantisch.
(b) .... dem Geschmack der Mehrheit finde ich Reihenhäuser langweilig. Der Traum vieler Leute ist eine Dachterrasse. Ich (c) .... brauche keine,
(d) .... ich nicht auf hohe Zimmerdecken verzichten könnte. Für meinen Freund
Uwe (e) .... kann ein Haus nicht modern genug sein, (f) .... er Altbauwohnungen regelrecht hasst.

7.25 MODALSATZ

indem – dadurch ... dass – je ... desto – als – wie – ohne dass

1 Funktion

Über Filme informiert man sich am besten, indem *man die Kritiken in der Zeitung liest.*	Art und Weise
Der Film war so toll, wie *ich es mir gedacht habe.* *Und die Schauspieler waren viel* besser, als *ich dachte.*	Vergleich

2 Satzstrukturen

a Nebensatz

Hauptsatz	Nebensatz		
	Konnektor		Verb
Der Film war (genau)so gut,	wie*	*wir erwartet*	*haben.*
Der Film war (noch) besser,	als*	*wir erwartet*	*haben.*
Ich merke mir Wörter,	indem	*ich sie auf Kärtchen*	*schreibe.*
Ich erweitere meinen Wortschatz dadurch,	dass	*ich viel Zeitung*	*lese.***
Ich merke mir Wörter auch,	ohne dass	*ich sie ins Vokabelheft*	*schreibe.*

* 📖 **s. auch Seite 42**

** auch möglich: *Dadurch, dass ich viel Zeitung lese, erweitere ich meinen Wortschatz.*

b Nebensatz, zweiteilige Konnektoren

Nebensatz		Hauptsatz	
Konnektor 1		Konnektor 2	
Je	*öfter ich Wörter wiederhole,*	*desto/umso*	*besser merke ich sie mir.*

Zwischen *je* und dem Komparativ bzw. *desto/umso* und dem Komparativ dürfen keine anderen Wörter stehen.

Interpunktion: Vor bzw. nach Nebensätzen steht ein Komma.

c Infinitivsatz

Nebensatz	Infinitivsatz	
		zu + Infinitiv
Ich merke mir Wörter auch,	ohne *sie ins Vokabelheft*	zu *schreiben.*

3 Alternativen

Nebensatz	verkürzter Nebensatz: *wie/als* + Partizip II
Der Film war so gut, wie wir erwartet haben.	*Der Film war so gut* wie erwartet.
Der Film war besser, als wir erwartet haben.	*Der Film war besser* als erwartet.

1 Die Prüfung – Verbinden Sie die Sätze mit als oder wie.

a) Die Prüfung war leichter, annehmen
b) Der Lesetext war nicht so lang, befürchten
c) Die Aufgaben waren so schwer, erwarten
d) Die Prüferin war netter, erwarten
e) Die Prüfung dauerte länger, es sich vorstellen
f) Beim Hörverstehen wurde nicht so schnell gesprochen, befürchten
g) Die Zeit verging schneller, glauben
h) Ich war schneller fertig, hoffen

a) *Die Prüfung war leichter, als ich angenommen habe. / ... hatte.*

2 Formulieren Sie die Sätze c), d) und f) von Übung 1 in der verkürzten Version.

b) *Der Lesetext war nicht so lang wie befürchtet.*

3 Lerntechnik – Formulieren Sie Sätze mit indem oder dadurch ... dass.

a) Wortschatz erweitern – Wörter im Zusammenhang lernen
   Ich erweitere meinen Wortschatz, indem ich Wörter im Zusammenhang lerne.
   Ich erweitere meinen Wortschatz dadurch, dass ich Wörter im Zusammenhang lerne.
b) Wortschatz erweitern – Vokabeln regelmäßig wiederholen
c) Wortschatz erweitern – Vokabeln in ein Heft notieren
d) Grammatikregeln lernen – ein Merkheft anlegen
e) Grammatikregeln lernen – Regeln übersichtlich aufschreiben
f) Lernstoff erarbeiten – Notizen farbig markieren und übersichtlich anordnen
g) Auf eine Prüfung vorbereiten – den Lernstoff zwei- bis dreimal wiederholen

4 Weinproduktion – Formulieren Sie Vergleichssätze mit je ... desto/umso.

a) Die Traube bleibt lange am Stock. Der Wein wird süß.
   Je länger die Traube am Stock bleibt, desto/umso süßer
   wird der Wein.
b) Der Wein lagert lange. Er wird wertvoll.
c) Die Ernte ist klein. Der Wein wird teuer.
d) Die produzierte Menge ist gering. Der Preis ist hoch.
e) In Europa wird viel Wein produziert. Die Preise sinken stark.
f) Der Wein ist trocken. Er ist heutzutage bei den Kunden beliebt.

5 Ohne Schweiß kein Preis – Formulieren Sie Nebensätze mit ohne dass.

a) Katharina hat den Wettbewerb gewonnen, ohne sich besonders anzustrengen.
   Katharina hat den Wettbewerb gewonnen, ohne dass sie sich besonders angestrengt hat.
b) Peter läuft mit 46 Jahren noch Marathon, ohne täglich zu trainieren.
c) Elfie arbeitet täglich bis zu zwölf Stunden, ohne sich zu beklagen.
d) Karsten muss Überstunden machen, ohne dafür bezahlt zu werden.
e) Erik tut sehr viel für seine Kollegen, ohne ständig darüber zu reden.
f) Luise möchte endlich ein paar Kilo loswerden, aber möglichst ohne hungern zu müssen.
g) Henry fährt am liebsten Fahrrad, ohne den Lenker festzuhalten.

7.26 VERBALSTIL → NOMINALSTIL

träumen → der Traum

1 Funktion

Verbalstil	*Der Tierpsychologe hat das Verhalten von Affen erforscht.*	Alltags- und Erzählsprache
Nominalstil	*Die Erforschung des Verhaltens von Affen durch den Tierpsychologen ...*	Sprache der Wissenschaft, der Technik und der Verwaltung

2 Formen

	verbale Struktur	nominale Struktur	
Verb	*Die Affen träumen.*	*die Träume der Affen*	Nomen

Mit der Umformung Verb → Nomen sind weitere grammatikalische Veränderungen verbunden:

Nominativ	*Die Affen träumen.*	*die Träume der Affen*	Genitiv
Akkusativ/Aktiv	*Man analysiert das soziale Verhalten.*	*die Analyse des sozialen Verhaltens*	
Nominativ/Passiv	*Das soziale Verhalten wird analysiert.*		
Nomen ohne Artikel	*Affen träumen*	*die Träume von Affen*	*von* + Dativ
Subjekt / Nominativ	*Ein Verhaltensforscher untersucht den Affen-Clan.*	*die Untersuchung des Affen-Clans durch einen Verhaltensforscher*	Verursacher: *durch* + Akkusativ
Verb + Präposition	*Die Affen gewöhnen sich an Stresssituationen.*	*die Gewöhnung der Affen an Stresssituationen*	Nomen + Präposition
Personalpronomen	*Sie küssen sich zur Begrüßung.*	*ihre Küsse zur Begrüßung*	Possessivartikel
Adverb	*Sie pflegen gegenseitig ihr Fell. Sie sind sehr hilfsbereit.*	*ihre gegenseitige Fellpflege ihre große Hilfsbereitschaft*	Adjektiv
sein + Adjektiv	*Die Affen sind traurig.*	*die Traurigkeit der Affen*	Nomen
haben + Nomen	*Die Affen haben Angst.*	*die Angst der Affen*	Nomen
Konnektor*	*Wenn es blitzt und donnert, ...*	*bei Blitz und Donner*	Präposition*

* s. Anhang Seite 223

Oft werden zwei Nomen zusammengesetzt.	*die Pflege des Fells* *die Küsse zur Begrüßung*	*die Fellpflege* *die Begrüßungsküsse*

Zur Nominalisierung s. auch Wortbildung Seite 50 (Nomen) und Fugenzeichen Seite 24

1 Lernatmosphäre – Nominalisieren Sie die Verben.

Ich lerne besonders gut/schlecht,

a) wenn ich etwas esse.	Beim ...
b) wenn ich gut gelaunt bin.	Mit ...
c) wenn ich mich konzentriere.	Mit ...
d) wenn die Sonne scheint.	Bei ...
e) wenn es regnet.	Bei ...
f) wenn mich niemand ablenkt.	Ohne ...

a) *Beim Essen lerne ich besonders schlecht.*

2 Meeting auf dem Land – Nominalisieren Sie zuerst den Satz und bilden Sie dann zusammengesetzte Nomen.

a) Der Kurs beginnt. – der Beginn des Kurses / der Kursbeginn
b) Die Manager treffen sich.
c) Man kontrolliert die Kosten.
d) Die Mücken stechen.
e) Der Bus fährt ab.
f) Der Mond scheint.

3 Das Thema des Tages – Formulieren Sie Sätze.

a) Die Wirtschaftslage ist sehr instabil.
b) Der FC Bayern siegt unerwartet in der Champions League.
c) Die Aktienkurse fallen schnell.
d) Der französische Präsident heiratet.
e) Die Parteien streiten sich ständig.
f) Der Eisbär im Zoo verhält sich seltsam.

a) *Die große Instabilität der Wirtschaftslage ist das Thema des Tages.*

4 Nominalisieren Sie die Ausdrücke und ergänzen Sie den Text.

SMS*-(a) *Sucht*	süchtig sein
Auf Spiel- und Internetsucht folgt jetzt das Laster SMS.	
Nach einem (b) .... der Zeitung	berichten
Jyllands-Posten wurde jetzt der erste Fall von mobiler	
Chat-Sucht bekannt. Ein 25-Jähriger hat sich kürzlich zur	
(c) .... in eine Spezialklinik begeben,	sich behandeln lassen
die sich auf Therapie von (d)	nach Spielen süchtig sein
spezialisiert hat. Der junge Mann hatte sich durch das	
(e) .... von über 200 Nachrichten	versenden
pro Tag finanziell fast ruiniert. In Dänemark gibt es	
2,6 Millionen registrierte (f) .... und	ein Handy besitzen
1,1 Millionen (g)	das Internet nutzen

*SMS = kurze Nachricht, die mit dem Handy verschickt wird.

7.27 NOMINALSTIL → VERBALSTIL

die Produktion → produzieren

1 Funktion

Nominalstil	*Die Herstellung von Schokolade ...*	Sprache der Wissenschaft, der Technik und der Verwaltung
Verbalstil	*Man stellt Schokolade her.*	Alltags- und Erzählsprache

2 Formen

	nominale Struktur	verbale Struktur	
Nomen	*das Trocknen der Kakaobohnen*	*Die Kakaobohnen trocknen.*	Verb

Mit der Umformung Nomen → Verb sind weitere grammatikalische Veränderungen verbunden:

Genitiv	*das Trocknen der Kakaobohnen*	*Die Kakaobohnen trocknen.*	Nominativ
	die Erwärmung der Schokoladenmasse	*Man erwärmt die Schokoladenmasse.*	Akkusativ/Aktiv
		Die Schokoladenmasse wird erwärmt.	Nominativ/Passiv
von + Dativ	*die Reduktion von Zuckerkristallen*	*Zuckerkristalle werden reduziert.*	Nomen ohne Artikel
Verursacher: *durch* + Akkusativ	*die Verkürzung des Prozesses durch moderne Technik*	*Moderne Technik verkürzt den Prozess.*	Subjekt / Nominativ
Nomen + Präposition	*das Interesse der Firma für die / an der Technik*	*Die Firma interessiert sich für die Technik / ist an der Technik interessiert.*	Verb + Präposition
Possessivartikel	*seine Überprüfung der Kakaoqualität*	*Er überprüft die Kakaoqualität.*	Personalpronomen
Adjektiv	*die häufige Durchführung von Geschmackstests*	*Man führt häufig Geschmackstests durch.*	Adverb
Nomen	*die Bitterkeit von dunkler Schokolade*	*Dunkle Schokolade ist bitter.*	*sein* + Adjektiv
Nomen	*der Erfolg des neuen Produkts*	*Das neue Produkt hat Erfolg.*	*haben* + Nomen
Präposition*	*Wegen ihres guten Geschmackes ...*	*Weil sie gut schmeckt, ...*	Konnektor

* s. Anhang Seite 223

1 Was tun Sie ...? – Formulieren Sie Sätze mit wenn.
II
    a) ... bei großer Kälte?   f) ... bei Müdigkeit?
    b) ... bei großer Hitze?   g) ... bei Verspätung des Zuges?
    c) ... bei einem plötzlichen Regenschauer?   h) ... bei einem Anstieg der Preise?
    d) ... beim Absturz Ihres Computers?   i) ... beim Umzug Ihres Freundes?
    e) ... bei einem langweiligen Film?   j) ... bei einem unerwarteten Kuss?

    a) *Wenn es sehr kalt ist, trinke ich eine Tasse heiße Schokolade.*

2 Möglichkeiten, einen Schluckauf („hicks") loszuwerden – Formulieren Sie
II Sätze im Aktiv und Passiv.
    a) Das Anhalten des Atems   d) Die Lösung von Rechenaufgaben
    b) Das Lutschen eines Bonbons   e) Handstand und gleichzeitiges Trinken
    c) Das Schlucken eines Teelöffels Zucker   f) Das Zuhalten der Nase

    a) Aktiv: *Man hält den Atem an.*   Passiv: *Der Atem wird angehalten.*

3 Wer macht was? – Formulieren Sie Sätze.
III
    a) Das unterschiedliche Verhalten von Frauen und Männern
       Frauen und Männer verhalten sich unterschiedlich.
    b) Die Erforschung des Einkaufsverhaltens durch Wissenschaftler
    c) Die Beratung der Frauen durch das Verkaufspersonal
    d) Die Wahrnehmung von Qualitätsmängeln durch Frauen
    e) Die Konzentration der Männer auf elektronische Produkte
    f) Die schnelle Erledigung des Einkaufs durch die Männer

4 Ihr erster Anruf mit dem neuen Handy – Ergänzen Sie den Text.
III
    a) Vor dem Einschalten des Handys   Laden Sie den Akku, bevor *sie das Handy*
       den Akku laden.   *einschalten.*
    b) Durch Drücken der Taste *****   Schalten Sie das Telefon ein, indem ....
       das Telefon einschalten.   .... ***** ....
    c) Eingabe des PIN-Codes und   Geben ....
       Drücken auf **OK** .   und .... auf **OK** .
    d) Warten bis zur Anzeige des   Warten Sie, bis ....
       Namens des Netzbetreibers im   ....
       Display.   ....
    e) Eingabe der Vorwahl und der   Geben Sie .... und ....
       Telefonnummer.   ....
    f) Drücken der Taste 📞.   Nun müssen Sie ....
                                     ....
    g) Den Anruf beenden durch   Beenden Sie ...., indem
       Drücken der Taste 📞.   Sie ....
                                     ....

8.1 RECHTSCHREIBUNG (1)

Buchstaben, Zusammenschreibung

Die richtige Schreibweise deutscher Wörter findet sich in Wörterbüchern wie Duden unter www.duden.de und www.hueber.de/woerterbuch/online/.

1 lang, kurz

Die Rechtschreibung gibt Hinweise, ob ein Vokal kurz oder lang ausgesprochen wird.

lang	*ie*	*fliegen, transportieren, wiedersehen* aber: *Widerspruch* → *wider* = gegen
	h nach dem Vokal	*die Uhr, gehen*
	doppelter Vokal	*die Haare, das Meer, das Boot*
kurz	doppelter Konsonant nach betontem Vokal	*rennen, fallen, lassen* kein Doppelkonsonant, wenn mehrere verschiedene Konsonanten folgen: *stiften*
	ck	*dick* nicht bei Fremdwörtern: *die Fiktion* nicht nach Konsonanten: *krank, merken*

2 ß, ss

ss	nach kurzem Vokal	*der Fluss*
	dass als Konnektor	*Ich bin der Meinung, dass ...*
ß	nach langem Vokal	*der Fuß*
	nach Doppellauten *ei, eu, au, äu*	*außerdem*

3 zusammen, getrennt

zusammen oder getrennt	feste Verbindungen	*mithilfe*	*mit Hilfe*
		infrage stellen	*in Frage stellen*
	Verb + *lassen*	*liegenlassen*	*liegen lassen*
	Verb + *bleiben*	*stehenbleiben*	*stehen bleiben*
	Adjektiv + Verb	*weichkochen*	*weich kochen*
	einzelne Konnektoren	*sodass*	*so dass*
	Nomen + Partizip I	*erfolgversprechend*	*Erfolg versprechend*
zusammen	trennbare Verben	*aufräumen, zurücklassen*	
	irgend-	*irgendwann, irgendetwas, irgendjemand*	
	-mal	*diesmal, fünfmal*	
	graduierte/zusammengesetzte Adjektive	*hochaktuell, tiefblau, superschnell, nasskalt*	
getrennt	Verb + Verb	*lesen üben, spazieren gehen*	
	Adjektiv/Adverb + Verb	*Sein Laden geht sehr gut. Er geht gut.*	
	Partizip + Verb	*geschenkt bekommen, spielend gewinnen*	
	Partizip II	*verloren gegangen*	
	Adverb + *sein*	*dabei sein, zusammen sein*	
	Präpositionen + *sein*	*an sein, aus sein*	
	Nomen + Verb	*Rad fahren (Ausnahmen: z. B. eislaufen)*	
	qualifiziertes Nomen + Partizip I	*großen Erfolg versprechend*	
	so, wie, zu + Adjektiv	*so viel, wie weit, zu wenig*	

1 **Ergänzen Sie die fehlenden Buchstaben.**

i oder *ie*?

a) alarm*ie*ren
b) der T......pp
c) korrig......ren
d) die L......be

e) schw......rig
f) t......f
g) z......mlich
h) Bl......tz

k oder *ck*?

a) ba......en
b) der Bal......on
c) der Do......tor
d) drü......en

e) entde......en
f) der Geschma......
g) die Musi......
h) schi......

ss oder *ß*?

a) Wie hei......t Du?
b) Du solltest besser aufpa......en.
c) Die Stra......e kenne ich.
d) Vergi...... bitte deine Tasche nicht.
e) Meine Eltern e......en kein Fleisch.
f) Sei doch nicht so flei......ig!
g) Herzliche Grü......e aus dem Urlaub.
h) Ich finde diese Stadt sehr hä......lich.

i) Meine Haare sind noch na...... .
j) Wir sa......en auf einer Bank.
k) Viel Spa...... .
l) Au......erdem brauchen wir noch etwas zu trinken.
m) Ich esse gern Sü......igkeiten.
n) Ich möchte mein Deutsch verbe......ern.
o) Du bist schmutzig. Bleib bitte drau......en.

2 **Was muss zusammen geschrieben werden? Unterstreichen Sie.**

a) irgend+wann
b) großen Respekt+einflößend
c) geliehen+bekommen
d) spazieren+gehen
e) super+schlau

f) vorbei+sein
g) weg+laufen
h) weiter+gehen
i) zurück+kommen
j) zusammen+fassen

3 **Korrigieren Sie in diesem Brief zehn Fehler.**
Beispiel: Libe – *Liebe*

Braunschweig, den 9.1.2010

Libe Petra,

gestern habe ich deinen Brief bekomen und jetzt möchte ich dir eine Antwort schreiben. Ich weiss, dass du dich für Autos interessierst. Ich habe am Sonntag von einem Bekanten ein gebrauchtes Auto gekauft. Ich habe es von ihm gekauft, weil ich gewust habe, dass er es gut gepflegt hat. Das Auto ist in Ordnung. Nur die Farbe gefält mir nicht, der Wagen ist rot. Aber die Farbe spilt ja keine Rolle. Ich brauche ein Auto, weil es von mir zu meinem Arbeitsplatz ziemlich weit ißt. Mit dem Auto bin ich schneler und es ist billieger als mit öffentlichen Verkehrsmitteln.
So, das waren meine Neuigkeiten.

Herzliche Grüße

deine Elena

8.2 RECHTSCHREIBUNG (2)

Groß- und Kleinschreibung

Mit der Rechtschreibung, die im Jahr 2006 in Kraft trat, gelten folgende Regeln:

1 Großschreibung

das erste Wort des Satzes	*Als ich nach Hause kam, ...*
Nomen	*der Buchstabe, die Schrift, das Buch*
formelle Briefanrede, Höflichkeitsform	*Sie, Ihnen, Ihr*
Namen, Eigennamen	*Berlin, Mozart, Süddeutsche Zeitung, Deutsche Bahn*
Adjektive	
– in Eigennamen	*Rotes Kreuz, Olympische Spiele*
– abgeleitet von Städtenamen	*Wiener Kaffeehaus*
– in mehrteiligen geografischen Ausdrücken	*der Indische Ozean*
+ Artikel	*die Schöne*
+ Quantifizierung	*viel Gutes, etwas Besonderes*
+ Attribut	*ein schönes Blau*
+ Präposition	*im Dunkeln*
Tageszeiten	*gestern Abend / heute Mittag / morgen Vormittag*
Sprachbezeichnungen mit *auf* und *in*	*auf Deutsch, in Englisch*

2 Kleinschreibung

aus Nomen entstandene	
– Adverbien	*abends, sonntags, anfangs*
– Präpositionen	*dank, trotz*
Artikelwörter/Pronomen	*ein paar Euro* (aber: *das neue Paar Schuhe*)

3 Groß- oder Klein

Bei einigen Ausdrücken sind seit der Reform der Rechtschreibung beide Schreibweisen erlaubt.

präpositionale Ausdrücke	*von Weitem / weitem, ohne Weiteres / weiteres*
informelle Briefanrede	*Du / du, Dir / dir, Dein / dein, Ihr / ihr*

ÜBUNGEN

1 Groß oder klein? Was ist richtig?

	Richtig	Falsch
a) Die Reparaturarbeiten werden bis <u>morgen Mittag</u> abgeschlossen sein.	✕	
b) Die Kollegen gehen <u>mittags</u> in die Kantine zum Essen.		
c) Er kam <u>gestern nacht</u> sehr spät von der Geschäftsreise zurück.		
d) Herr Sturm arbeitet manchmal bis <u>spätabends</u>.		
e) Heute <u>nachmittag</u> kommt der Kundenservice.		
f) Der Kongress beginnt <u>morgen Vormittag</u>.		
g) Gestern <u>morgen</u> traf sich die Arbeitsgruppe zum ersten Mal.		
h) Ich würde Sie gerne <u>übermorgen Abend</u> besuchen.		
i) Ich jogge <u>morgens</u> vor der Arbeit.		
j) Die <u>olympischen</u> Spiele finden alle vier Jahre statt.		

2 Groß oder klein? Kreuzen Sie an.

	groß	klein
a) Die RUSSISCHE Botschaft		✗
b) Ein WIENER Kaffeehaus		
c) Der SCHWEIZER Franken		
d) Die FRANKFURTER Börse		
e) Der ATLANTISCHE Ozean		
f) Der FRANZÖSISCHE Käse		

3 Markieren Sie Wörter, die groß geschrieben werden.

zunächst einmal ist wichtig, das richtige zu üben. dazu müssen sie erkennen, was für sie schwierig ist und wo sie fehler machen. manches, was deutsche häufig falsch machen, ist für menschen, die deutsch als fremdsprache lernen, kein problem. üben sie nur das, was für sie schwierig ist. schauen sie sich doch einmal die texte an, die sie auf deutsch bereits geschrieben haben. was hat ihr lehrer oder ihr muttersprachlicher freund als fehler markiert? z. B. groß- und kleinschreibung, doppelkonsonanten?

4 Ergänzen Sie.

Sehr geehrter Herr Sturm,

vielen Dank für **I**hre Nachricht. Ich bestätige ......**I**hnen den Besuchstermin am Mittwoch, den 25.03. in unserem Hause. Allerdings wäre es mir lieber, wenn ......**S**ie statt um 9 Uhr erst um 11 Uhr kommen könnten. Um diese Zeit mache ich Kaffeepause und kann mich dann in aller Ruhe mit ......**I**hnen und ......**I**hren Kollegen unterhalten.

Viele Grüße nach Hamburg

Thomas Meier

5 Korrigieren Sie in diesem Brief acht Fehler.

Hallo Harry,

~~S~~So weit ist es mit dem Stress jetzt schon, dass ich keine Zeit mehr habe, bei Dir vorbeizuschauen.

Gestern vormittag kam unser Chef wieder mit einer Liste an, was er noch alles braucht. Ich soll jetzt auch noch eine Bestellung machen und zwar bis heute abend. Außerdem soll ich ihm bis morgen früh einen Text ins deutsche übersetzen.

Und unser Herr Weiß aus der Buchhaltung nervt die ganze Abteilung mit seiner spanischen Musik, die er sich von Morgens bis Abends anhört. Stell Dir vor, er hat doch glatt heute morgen einen Termin mit einem von der Musikhochschule auf spanisch vereinbart! Außerdem musste ich ihm eine Karte für ein Konzert morgen abend bestellen.

Grüße von

Deiner Gabi

8.3 ZEICHENSETZUNG

Punkt, Komma etc.

1 Punkt, Ausrufe- und Fragezeichen

.	am Ende des Aussagesatzes	*Das war ein schönes Fest.*
	Abkürzungen	*z. B. = zum Beispiel, d. h. = das heißt,*
	Ordnungszahlen	*Sonntag, den 1.8.2001; Friedrich II.*
!	Ausrufe	*Oh! Schade!*
	Aufforderungen, Befehle	*Seid leise!*
?	Fragesätze und -wörter	*Wie heißt du? Warum?*
		(nicht bei indirekten Fragesätzen)

2 Komma

,	Aufzählung	*Sie ist gut im Laufen, Springen und Werfen.*
	Briefanrede	*Hallo Eva, ...; Sehr geehrter Herr Huber, ...*
	Datum	*Berlin, 1.8.2001; Mainz, im Juni 2001*
	nachgestellter Beisatz	*Zuse, der Vater des Computers, lebte in Berlin.*
	vor	
	- Satzteilen mit Konnektor	*Elke lernt gern, aber nicht genug.*
	- Relativsatz	*Charlie Chaplin ist der Mann, der niemals lachte.*
	- indirekten Fragen	*Weißt du, wann der Zug kommt?*
	- Infinitiv- und Partizipgruppen	*Sein größter Wunsch ist es, nach Afrika zu reisen.*
	zwischen	
	- Haupt- und Nebensatz	*Mein Geld reicht nicht, obwohl ich ständig spare.*
	- Nebensätzen	*Ich glaube, dass er die Note verdient hat, die er bekommen hat.*
	- Hauptsätzen	*Ein Sturm fing an, in der Ferne blitzte es.*
		Emily lernt Deutsch (,) und Marc lernt Französisch.

3 Bindestrich, Apostroph, Doppelpunkt

-	Wortteil wird gespart	*Ein- und Ausgang*
	Wortkombinationen mit	
	- Einzelbuchstaben	*T-Shirt, A-Dur,*
	- Abkürzungen	*Kfz-Papiere, VIP-Lounge, Pkw-Fahrer*
	- Ziffern	*12-jährig, 80-prozentig, 2-stündig*
'	Buchstaben werden weggelassen bei	
	- Genitiv von Namen auf s, ss, ß, tz, z, x	*Günter Grass' Roman*
	- schriftliche Wiedergabe von gesprochener Sprache	*Sie geh'n zur Schule.* *So'n Blödsinn.*
:	**vor**	
	- direkter Rede	*Er sagte: „Ich weiß, dass ich nichts weiß."*
	- Zitaten	*Das Sprichwort heißt: „Der Apfel fällt nicht weit vom Stamm."*
	- angekündigten Satzstücken	*Die Bundesrepublik besteht aus folgenden Bundesländern: Bayern, Berlin, ...*
	- Folgerungen	*Wie schon gesagt: Die Zeichensetzung ist ganz einfach.*

1 Geschäftskommunikation – Ergänzen Sie fehlende Satzzeichen in den Lücken.

Kiel, den 17.03.200--

Ihre Anfrage

Sehr geehrter Herr Tremel...

vielen Dank für Ihre Anfrage über eine Sammelbestellung an DVD-Abspielgeräten. Wir freuen uns... Ihnen mitteilen zu können... dass wir Ihnen zur Zeit besondere Konditionen einräumen können. Auf jede Bestellung... die uns vor dem Monatsende erreicht... geben wir Ihnen einen Sonderrabatt von 5 %... Für weitere Auskünfte stehen wir Ihnen gerne zur Verfügung...
Mit freundlichen Grüßen
Ihre

A&B-Export

P...S... ... Kennen Sie bereits unsere Website ... Schauen Sie doch mal rein unter ...
www.A+B@Export.com

Mannheim... im Juni 200--

Neuauflage unseres erfolgreichen Führers: Sprachenschulen International

Sehr geehrte Damen und Herren...

herzlichen Glückwunsch... Ihr Institut wurde für die zweite Ausgabe unseres Führers der weltbesten Sprachschulen ausgewählt... Unser 5...köpfiges Team hat letzte Woche eine umfassende Auswertung von über 120 Schulen in der ganzen Welt beendet... die in der ersten Ausgabe unserer Führers nicht verzeichnet waren...Wir freuen uns sehr... Ihnen mitteilen zu können... dass Ihre Kurse unseren überaus strengen Kriterien entsprechen und dass Ihr Unternehmen in der Kategorie Deutschlernen an erster Stelle rangiert. Als kleine Anerkennung legen wir Ihnen ein T...Shirt mit unserem Logo bei.

Mit freundlichen Grüßen

Ihr
Roland Jubel
Jubel GmbH

2 Korrigieren Sie in dieser E-Mail 12 Fehler in der Zeichensetzung.

Liebe Johanna,

vielen Dank für deine Nachricht über die ich mich total gefreut hab'. Ich bin so beschäftigt dass ich kaum Zeit für meine Mails finde. D h mein Postkasten läuft schon über! Sei mir also nicht böse wenn ich erst jetzt antworte.
Dein Plan einen Schauspielkurs zu besuchen hat mich nicht sehr überrascht. Jetzt kannst du endlich deinen langweiligen Job an den Nagel hängen und einen sehr interessanten Beruf ergreifen. Ich erinnere mich wie oft du gesagt hast dass deine Arbeit dich zu Tode langweilt. Nachdem du von deiner Oma Geld geerbt hast, gibt es für dich keine finanziellen Probleme mehr. Du kannst also machen, was du willst. Denk aber bitte daran Irgendwann ist die Erbschaft aufgebraucht, und dann musst du von deiner Arbeit leben können. Schauspielerjobs wachsen nicht auf den Bäumen.
Wenn du Zeit hast ruf mich an damit wir uns verabreden können.

Liebe Grüße,
Dein Sam

A1 DIE WICHTIGSTEN UNREGELMÄSSIGEN VERBEN

Alphabetische Liste

Die regelmäßigen Formen sind grau gedruckt.

Infinitiv	Präsens	Präteritum	Perfekt	
backen	backt (bäckt)	backte (buk)	hat	gebacken
befehlen	befiehlt	befahl	hat	befohlen
beginnen	beginnt	begann	hat	begonnen
beißen	beißt	biss	hat	gebissen
betrügen	betrügt	betrog	hat	betrogen
bewegen	bewegt	bewog	hat	bewogen[1]
biegen	biegt	bog	hat	gebogen
bieten	bietet	bot	hat	geboten
binden	bindet	band	hat	gebunden
bitten	bittet	bat	hat	gebeten
blasen	bläst	blies	hat	geblasen
bleiben	bleibt	blieb	ist	geblieben
braten	brät	briet	hat	gebraten
brechen	bricht	brach	hat	gebrochen
brennen	brennt	brannte	hat	gebrannt
bringen	bringt	brachte	hat	gebracht
denken	denkt	dachte	hat	gedacht
dürfen	darf	durfte	hat	gedurft
eindringen	dringt ein	drang ein	ist	eingedrungen
empfangen	empfängt	empfing	hat	empfangen
empfehlen	empfiehlt	empfahl	hat	empfohlen
empfinden	empfindet	empfand	hat	empfunden
erlöschen	erlischt	erlosch	ist	erloschen
erschrecken	erschrickt	erschrak	ist	erschrocken
erwägen	erwägt	erwog	hat	erwogen
essen	isst	aß	hat	gegessen
fahren	fährt	fuhr	ist/hat	gefahren[2]
fallen	fällt	fiel	ist	gefallen
fangen	fängt	fing	hat	gefangen
finden	findet	fand	hat	gefunden
fliegen	fliegt	flog	ist/hat	geflogen[2]
fliehen	flieht	floh	ist	geflohen
fließen	fließt	floss	ist	geflossen
fressen	frisst	fraß	hat	gefressen
frieren	friert	fror	ist/hat	gefroren[3]
geben	gibt	gab	hat	gegeben
gehen	geht	ging	ist	gegangen
gelingen	gelingt	gelang	ist	gelungen
gelten	gilt	galt	hat	gegolten
genießen	genießt	genoss	hat	genossen

Infinitiv	Präsens	Präteritum	Perfekt	
geraten	gerät	geriet	ist	geraten
geschehen	geschieht	geschah	ist	geschehen
gewinnen	gewinnt	gewann	hat	gewonnen
gießen	gießt	goss	hat	gegossen
gleichen	gleicht	glich	hat	geglichen
gleiten	gleitet	glitt	ist	geglitten
graben	gräbt	grub	hat	gegraben
greifen	greift	griff	hat	gegriffen
haben	hat	hatte	hat	gehabt
halten	hält	hielt	hat	gehalten
hängen	hängt	hing	hat	gehangen[4]
heben	hebt	hob	hat	gehoben
heißen	heißt	hieß	hat	geheißen
helfen	hilft	half	hat	geholfen
kennen	kennt	kannte	hat	gekannt
klingen	klingt	klang	hat	geklungen
kommen	kommt	kam	ist	gekommen
können	kann	konnte	hat	gekonnt
kriechen	kriecht	kroch	ist	gekrochen
laden	lädt	lud	hat	geladen
lassen	lässt	ließ	hat	gelassen
laufen	läuft	lief	ist	gelaufen[14]
leiden	leidet	litt	hat	gelitten
leihen	leiht	lieh	hat	geliehen
lesen	liest	las	hat	gelesen
liegen	liegt	lag	hat	gelegen
lügen	lügt	log	hat	gelogen
meiden	meidet	mied	hat	gemieden
messen	misst	maß	hat	gemessen
mögen	mag	mochte	hat	gemocht
müssen	muss	musste	hat	gemusst
nehmen	nimmt	nahm	hat	genommen
nennen	nennt	nannte	hat	genannt
pfeifen	pfeift	pfiff	hat	gepfiffen
raten	rät	riet	hat	geraten
reiben	reibt	rieb	hat	gerieben
reißen	reißt	riss	hat	gerissen[5]
reiten	reitet	ritt	ist/hat	geritten[2]
rennen	rennt	rannte	ist	gerannt
riechen	riecht	roch	hat	gerochen
rufen	ruft	rief	hat	gerufen
schaffen	schafft	schuf	hat	geschaffen[6]

A1 DIE WICHTIGSTEN UNREGELMÄSSIGEN VERBEN

Infinitiv	Präsens	Präteritum	Perfekt	
scheinen	scheint	schien	hat	geschienen
schieben	schiebt	schob	hat	geschoben
schießen	schießt	schoss	hat	geschossen
schlafen	schläft	schlief	hat	geschlafen
schlagen	schlägt	schlug	hat	geschlagen
schleichen	schleicht	schlich	ist	geschlichen
schließen	schließt	schloss	hat	geschlossen
schmeißen	schmeißt	schmiss	hat	geschmissen
schmelzen	schmilzt	schmolz	ist/hat	geschmolzen[7]
schneiden	schneidet	schnitt	hat	geschnitten
schreiben	schreibt	schrieb	hat	geschrieben
schreien	schreit	schrie	hat	geschrien
schweigen	schweigt	schwieg	hat	geschwiegen
schwellen	schwillt	schwoll	ist	geschwollen
schwimmen	schwimmt	schwamm	ist	geschwommen[14]
schwören	schwört	schwor	hat	geschworen
sehen	sieht	sah	hat	gesehen
sein	ist	war	ist	gewesen
senden	sendet	sandte (sendete)	hat	gesandt (gesendet)[8]
singen	singt	sang	hat	gesungen
sinken	sinkt	sank	ist	gesunken
sitzen	sitzt	saß	hat	gesessen
sprechen	spricht	sprach	hat	gesprochen
springen	springt	sprang	ist	gesprungen
stechen	sticht	stach	hat	gestochen
stehen	steht	stand	hat	gestanden
stehlen	stiehlt	stahl	hat	gestohlen
steigen	steigt	stieg	ist	gestiegen
sterben	stirbt	starb	ist	gestorben
stinken	stinkt	stank	hat	gestunken
stoßen	stößt	stieß	hat	gestoßen[9]
streichen	streicht	strich	hat	gestrichen
streiten	streitet	stritt	hat	gestritten
tragen	trägt	trug	hat	getragen
treffen	trifft	traf	hat	getroffen
treiben	treibt	trieb	hat	getrieben
treten	tritt	trat	hat	getreten
trinken	trinkt	trank	hat	getrunken
tun	tut	tat	hat	getan
verderben	verdirbt	verdarb	hat	verdorben[10]
vergessen	vergisst	vergaß	hat	vergessen
verlieren	verliert	verlor	hat	verloren
verschwinden	verschwindet	verschwand	ist	verschwunden
verzeihen	verzeiht	verzieh	hat	verziehen

Infinitiv	Präsens	Präteritum		Perfekt
wachsen	wächst	wuchs	ist	gewachsen[11]
waschen	wäscht	wusch	hat	gewaschen
weichen	weicht	wich	ist	gewichen
weisen	weist	wies	hat	gewiesen
wenden	wendet	wandte (wendete)	hat	gewandt (gewendet)[12]
werben	wirbt	warb	hat	geworben
werden	wird	wurde	ist	geworden
werfen	wirft	warf	hat	geworfen
wiegen	wiegt	wog	hat	gewogen[13]
wissen	weiß	wusste	hat	gewusst
wollen	will	wollte	hat	gewollt
ziehen	zieht	zog	hat	gezogen
zwingen	zwingt	zwang	hat	gezwungen

[1] unregelmäßig: *Motiv/Grund sein für etwas. Die Aussicht auf eine schnelle Karriere hat ihn bewogen, die Firma zu wechseln.* regelmäßig: *von einem Ort zum anderen. Wer sich nie viel bewegt hat, wird auch im Alter keinen Sport mehr treiben.*

[2] ohne Akkusativ: *sein. Katharina ist nach Hamburg gefahren.* mit Akkusativ: *haben. Tom hat den Wagen in die Garage gefahren.* Das Gleiche gilt für alle weiteren Verben mit *sein* oder *haben* im Perfekt.

[3] *Das Wasser ist gefroren.* (= unpersönliches Subjekt) – *Ich habe gefroren.*

[4] unregelmäßig: *Der Mantel hing eben noch in der Garderobe.* regelmäßig: *Er hängte die Küchenuhr über die Tür.*

[5] *Das Seil ist gerissen.* (= unpersönliches Subjekt) – *Ich habe ein Loch in die Hose gerissen.*

[6] unregelmäßig: *Dieses Werk hat Picasso geschaffen.* (= künstlerisches Werk); regelmäßig: *Denis hat seine Arbeit für heute geschafft.* (= normale Arbeit)

[7] *Der Schnee ist geschmolzen.* (= unpersönliches Subjekt) – *An Silvester haben wir immer Blei geschmolzen.*

[8] unregelmäßig: *schicken;* regelmäßig: *im Rundfunk/TV senden. Im Radio haben sie gerade Verkehrsnachrichten gesendet.*

[9] *Ich habe das Glas vom Tisch gestoßen.* – *Ich bin mit dem Kopf an die Wand gestoßen.*

[10] *Das Gemüse ist verdorben.* (= nicht mehr genießbar; unpersönliches Subjekt) – *Er hat das Gemüse verdorben.* (= falsch gekocht.)

[11] unregelmäßig: *größer werden;* regelmäßig: *mit Wachs überziehen*

[12] unregelmäßig: *Sie wussten nicht mehr weiter und haben sich deshalb an einen Experten gewandt.* regelmäßig: *umdrehen. Er hat den Wagen gewendet und ist wieder zurückgefahren.*

[13] unregelmäßig: *messen, wie schwer etwas ist;* regelmäßig: *(z.B. ein Baby) hin und her bewegen*

[14] auch möglich: *Er hat den Marathon in Rekordzeit gelaufen. Er hat die 1000 Meter geschwommen.*

A2 DIE WICHTIGSTEN UNREGELMÄSSIGEN VERBEN

Liste nach Ablauten

Die regelmäßigen Formen sind grau gedruckt.

Infinitiv	Präsens	Präteritum	Perfekt	
		a		a
denken	denkt	dachte	hat	gedacht
haben	hat	hatte	hat	gehabt
kennen	kennt	kannte	hat	gekannt
nennen	nennt	nannte	hat	genannt
rennen	rennt	rannte	ist	gerannt
senden	sendet	sandte (sendete)	hat	gesandt (gesendet)[8]
stehen	steht	stand	hat	gestanden
tun	tut	tat	hat	getan
wenden	wendet	wandte (wendete)	hat	gewandt (gewendet)[12]
		a		e
bitten	bittet	bat	hat	gebeten
essen	isst	aß	hat	gegessen
fressen	frisst	fraß	hat	gefressen
geben	gibt	gab	hat	gegeben
geschehen	geschieht	geschah	ist	geschehen
lesen	liest	las	hat	gelesen
liegen	liegt	lag	hat	gelegen
messen	misst	maß	hat	gemessen
sehen	sieht	sah	hat	gesehen
sein	ist	war	ist	gewesen
sitzen	sitzt	saß	hat	gesessen
treten	tritt	trat	hat	getreten
vergessen	vergisst	vergaß	hat	vergessen
		a		o
befehlen	befiehlt	befahl	hat	befohlen
beginnen	beginnt	begann	hat	begonnen
brechen	bricht	brach	hat	gebrochen
empfehlen	empfiehlt	empfahl	hat	empfohlen
erschrecken	erschrickt	erschrak	ist	erschrocken
gelten	gilt	galt	hat	gegolten
gewinnen	gewinnt	gewann	hat	gewonnen
helfen	hilft	half	hat	geholfen
kommen	kommt	kam	ist	gekommen
nehmen	nimmt	nahm	hat	genommen
schwimmen	schwimmt	schwamm	ist	geschwommen[14]
sprechen	spricht	sprach	hat	gesprochen
stechen	sticht	stach	hat	gestochen
stehlen	stiehlt	stahl	hat	gestohlen
sterben	stirbt	starb	ist	gestorben
treffen	trifft	traf	hat	getroffen
verderben	verdirbt	verdarb	hat	verdorben[10]

Infinitiv	Präsens	Präteritum	Perfekt	
werben	wirbt	warb	hat	geworben
werfen	wirft	warf	hat	geworfen

		a		u
binden	bindet	band	hat	gebunden
eindringen	dringt ein	drang ein	ist	eingedrungen
empfinden	empfindet	empfand	hat	empfunden
finden	findet	fand	hat	gefunden
gelingen	gelingt	gelang	ist	gelungen
klingen	klingt	klang	hat	geklungen
singen	singt	sang	hat	gesungen
sinken	sinkt	sank	ist	gesunken
springen	springt	sprang	ist	gesprungen
stinken	stinkt	stank	hat	gestunken
trinken	trinkt	trank	hat	getrunken
verschwinden	verschwindet	verschwand	ist	verschwunden
zwingen	zwingt	zwang	hat	gezwungen

		i		a
blasen	bläst	blies	hat	geblasen
braten	brät	briet	hat	gebraten
empfangen	empfängt	empfing	hat	empfangen
fallen	fällt	fiel	ist	gefallen
fangen	fängt	fing	hat	gefangen
gehen	geht	ging	ist	gegangen
geraten	gerät	geriet	ist	geraten
halten	hält	hielt	hat	gehalten
hängen	hängt	hing	hat	gehangen[4]
lassen	lässt	ließ	hat	gelassen
laufen	läuft	lief	ist	gelaufen[14]
raten	rät	riet	hat	geraten
schlafen	schläft	schlief	hat	geschlafen

		i		ei
heißen	heißt	hieß	hat	geheißen

		i		i
beißen	beißt	biss	hat	gebissen
bleiben	bleibt	blieb	ist	geblieben
gleichen	gleicht	glich	hat	geglichen
gleiten	gleitet	glitt	ist	geglitten
greifen	greift	griff	hat	gegriffen
leiden	leidet	litt	hat	gelitten
leihen	leiht	lieh	hat	geliehen
meiden	meidet	mied	hat	gemieden
pfeifen	pfeift	pfiff	hat	gepfiffen
reiben	reibt	rieb	hat	gerieben
reißen	reißt	riss	hat	gerissen[5]
reiten	reitet	ritt	ist/hat	geritten[2]

ANHANG

A2 DIE WICHTIGSTEN UNREGELMÄSSIGEN VERBEN

Infinitiv	Präsens	Präteritum	Perfekt	
scheinen	scheint	schien	hat	geschienen
schleichen	schleicht	schlich	ist	geschlichen
schmeißen	schmeißt	schmiss	hat	geschmissen
schneiden	schneidet	schnitt	hat	geschnitten
schreiben	schreibt	schrieb	hat	geschrieben
schreien	schreit	schrie	hat	geschrien
schweigen	schweigt	schwieg	hat	geschwiegen
steigen	steigt	stieg	ist	gestiegen
streichen	streicht	strich	hat	gestrichen
streiten	streitet	stritt	hat	gestritten
treiben	treibt	trieb	hat	getrieben
verzeihen	verzeiht	verzieh	hat	verziehen
weichen	weicht	wich	ist	gewichen
weisen	weist	wies	hat	gewiesen

		i		o
stoßen	stößt	stieß	hat	gestoßen[9]

		i		u
rufen	ruft	rief	hat	gerufen

		o		o
betrügen	betrügt	betrog	hat	betrogen
bewegen	bewegt	bewog	hat	bewogen[1]
biegen	biegt	bog	hat	gebogen
bieten	bietet	bot	hat	geboten
erlöschen	erlischt	erlosch	ist	erloschen
erwägen	erwägt	erwog	hat	erwogen
fliegen	fliegt	flog	ist/hat	geflogen[2]
fliehen	flieht	floh	ist	geflohen
fließen	fließt	floss	ist	geflossen
frieren	friert	fror	ist/hat	gefroren[3]
genießen	genießt	genoss	hat	genossen
gießen	gießt	goss	hat	gegossen
heben	hebt	hob	hat	gehoben
können	kann	konnte	hat	gekonnt
kriechen	kriecht	kroch	ist	gekrochen
lügen	lügt	log	hat	gelogen
mögen	mag	mochte	hat	gemocht
riechen	riecht	roch	hat	gerochen
schieben	schiebt	schob	hat	geschoben
schießen	schießt	schoss	hat	geschossen
schließen	schließt	schloss	hat	geschlossen
schmelzen	schmilzt	schmolz	ist/hat	geschmolzen[7]
schwellen	schwillt	schwoll	ist	geschwollen
schwören	schwört	schwor	hat	geschworen

Infinitiv	Präsens	Präteritum	Perfekt	
verlieren	verliert	verlor	hat	verloren
wiegen	wiegt	wog	hat	gewogen[13]
ziehen	zieht	zog	hat	gezogen

		u		a
backen	backt (bäckt)	backte (buk)	hat	gebacken
fahren	fährt	fuhr	ist/hat	gefahren[2]
graben	gräbt	grub	hat	gegraben
laden	lädt	lud	hat	geladen
schaffen	schafft	schuf	hat	geschaffen[6]
schlagen	schlägt	schlug	hat	geschlagen
tragen	trägt	trug	hat	getragen
wachsen	wächst	wuchs	ist	gewachsen[11]
waschen	wäscht	wusch	hat	gewaschen

		u		o
werden	wird	wurde	ist	geworden

		u		u
dürfen	darf	durfte	hat	gedurft
müssen	muss	musste	hat	gemusst
wissen	weiß	wusste	hat	gewusst

[1] unregelmäßig: *Motiv/Grund sein für etwas. Die Aussicht auf eine schnelle Karriere hat ihn bewogen die Firma zu wechseln.* regelmäßig: *von einem Ort zum anderen. Wer sich nie viel bewegt hat, wird auch im Alter keinen Sport mehr treiben.*

[2] ohne Akkusativ: *sein. Katharina ist nach Hamburg gefahren.* mit Akkusativ: *haben. Tom hat den Wagen in die Garage gefahren.* Das Gleiche gilt für alle weiteren Verben mit *sein* oder *haben* im Perfekt.

[3] *Das Wasser ist gefroren.* (= unpersönliches Subjekt) – *Ich habe gefroren.*

[4] unregelmäßig: *Der Mantel hing eben noch in der Garderobe.* regelmäßig: *Er hängte die Küchenuhr über die Tür.*

[5] *Das Seil ist gerissen.* (= unpersönliches Subjekt) – *Ich habe ein Loch in die Hose gerissen.*

[6] unregelmäßig: *Dieses Werk hat Picasso geschaffen.* (= künstlerisches Werk); regelmäßig: *Denis hat seine Arbeit für heute geschafft.* (= normale Arbeit)

[7] *Der Schnee ist geschmolzen.* (= unpersönliches Subjekt) – *An Silvester haben wir immer Blei geschmolzen.*

[8] unregelmäßig: *schicken;* regelmäßig: *im Rundfunk/TV senden. Im Radio haben sie gerade Verkehrsnachrichten gesendet.*

[9] *Ich habe das Glas vom Tisch gestoßen.* – *Ich bin mit dem Kopf an die Wand gestoßen.*

[10] *Das Gemüse ist verdorben.* (= nicht mehr genießbar; unpersönliches Subjekt) – *Er hat das Gemüse verdorben.* (= falsch gekocht.)

[11] unregelmäßig: *größer werden;* regelmäßig: *mit Wachs überziehen*

[12] unregelmäßig: *Sie wussten nicht mehr weiter und haben sich deshalb an einen Experten gewandt.* regelmäßig: *umdrehen. Er hat den Wagen gewendet und ist wieder zurückgefahren.*

[13] unregelmäßig: *messen, wie schwer etwas ist;* regelmäßig: *(z.B. ein Baby) hin und her bewegen*

[14] auch möglich: *Er hat den Marathon in Rekordzeit gelaufen. Er hat die 1000 Meter geschwommen.*

ANHANG

Λ3 KONJUGATION DER MODALVERBEN

dürfen	Präsens	Präteritum	Perfekt	Konjunktiv II
ich	darf	durfte	habe gedurft*	dürfte
du	darfst	durftest	...	dürftest
er/sie/es	darf	durfte		dürfte
wir	dürfen	durften		dürften
ihr	dürft	durftet		dürftet
sie/Sie	dürfen	durften		dürften

können	Präsens	Präteritum	Perfekt	Konjunktiv II
ich	kann	konnte	habe gekonnt*	könnte
du	kannst	konntest	...	könntest
er/sie/es	kann	konnte		könnte
wir	können	konnten		könnten
ihr	könnt	konntet		könntet
sie/Sie	können	konnten		könnten

mögen	Präsens	Präteritum	Perfekt	Konjunktiv II
ich	mag	mochte	habe gemocht*	möchte
du	magst	mochtest	...	möchtest
er/sie/es	mag	mochte		möchte
wir	mögen	mochten		möchten
ihr	mögt	mochtet		möchtet
sie/Sie	mögen	mochten		möchten

müssen	Präsens	Präteritum	Perfekt	Konjunktiv II
ich	muss	musste	habe gemusst*	müsste
du	musst	musstest	...	müsstest
er/sie/es	muss	musste		müsste
wir	müssen	mussten		müssten
ihr	müsst	musstet		müsstet
sie/Sie	müssen	mussten		müssten

sollen	Präsens	Präteritum	Perfekt	Konjunktiv II
ich	soll	sollte	(habe gesollt)**	sollte
du	sollst	solltest	...	solltest
er/sie es	soll	sollte		sollte
wir	sollen	sollten		sollten
ihr	sollt	solltet		solltet
sie/Sie	sollen	sollten		sollten

wollen	Präsens	Präteritum	Perfekt	Konjunktiv II
ich	will	wollte	habe gewollt*	wollte
du	willst	wolltest	...	wolltest
er/sie/es	will	wollte		wollte
wir	wollen	wollten		wollten
ihr	wollt	wolltet		wolltet
sie/Sie	wollen	wollten		wollten

* Zusammen mit einem anderen Verb steht das Modalverb im Perfekt mit *haben* + doppeltem Infinitiv: *Ich habe nicht mehr rauchen dürfen.*

** ohne zusätzliches Verb ungebräuchlich

abbauen AKK	*Die Firma hat 500 Stellen abgebaut.*
abfragen AKK (AKK)	*Kannst du mich (die Vokabeln) abfragen?*
abgewöhnen DAT AKK	*Ich muss ihm sein schlechtes Benehmen abgewöhnen.*
abholen AKK	*Sie holt dich vom Flughafen ab.*
abhören AKK	*Die Polizei hörte das Telefongespräch ab.*
abkaufen DAT AKK	*Ich kaufe dir dein Auto ab.*
abladen AKK	*Er lud den schweren Koffer ab.*
abnehmen (AKK)	*Peter hat (10 Kilo) abgenommen.*
abnehmen DAT AKK	*Zum Glück hat er mir diese Arbeit abgenommen.*
absagen (DAT / AKK)	*Susan hat (mir / die Verabredung) abgesagt.*
abschaffen AKK	*Man hat dieses Gesetz 1988 abgeschafft.*
abschlagen DAT AKK	*Ich kann ihm keine Bitte abschlagen.*
abschrecken AKK	*Dieser Pfeifton schreckt Hunde ab.*
abschreiben AKK	*Max schreibt immer die Hausaufgabe ab.*
abtransportieren AKK	*Man hat den Gefangenen abtransportiert.*
abverlangen DAT AKK	*Mein neuer Chef verlangt mir eine Menge ab.*
achten AKK	*Paula achtet ihre Eltern.*
ähneln DAT	*Sie ähnelt ihrem Vater sehr.*
ärgern AKK	*Warum ärgerst du mich immer?*
analysieren AKK	*Der Arzt analysierte die Blutprobe.*
anbieten DAT AKK	*Sie bot mir eine Zigarette an.*
androhen (DAT) AKK	*Er drohte (seinem Nachbarn) rechtliche Schritte an.*
anfahren AKK	*Der Autofahrer hat einen Fußgänger angefahren.*
anfangen (AKK)	*Er hat (die Arbeit) schon angefangen.*
anfassen AKK	*Bitte fass diese Katze nicht an!*
abgewöhnen DAT AKK	*Ich habe Peter seine Ungeduld abgewöhnt.*
anklagen AKK (GEN)	*Man hat ihn (des Mordes) angeklagt.*
anlachen AKK	*Sie hat den jungen Mann freundlich angelacht.*
annehmen AKK	*Nimmst du das Angebot an?*
anreden AKK	*Ich rede ihn mit Vornamen an.*
anrufen (AKK)	*Rufst du (mich) heute noch an?*
ansehen AKK	*Er sah die junge Frau nachdenklich an.*
sich ansehen AKK	*Ich habe mir diesen Film schon angesehen.*
antun DAT AKK	*Das kannst du ihm nicht antun.*
antworten (DAT)	*Martin hat (mir) leider nicht geantwortet.*
anvertrauen DAT AKK	*Ich muss dir ein Geheimnis anvertrauen.*
applaudieren (DAT)	*Das Publikum applaudierte (dem Pianisten).*
auffallen DAT	*Mir ist seine neue Frisur noch gar nicht aufgefallen.*
auffordern AKK	*Er hat sie zum Tanzen aufgefordert.*
aufhalten AKK	*Tut mir leid, meine Tochter hat mich so lange aufgehalten.*
aufmachen AKK	*Neugierig machte er das Päckchen auf.*
aufräumen (AKK)	*Kannst du bitte (dein Zimmer) aufräumen?*
aufschreiben AKK	*Moment, das muss ich aufschreiben.*
aufweisen AKK	*Diese Konstruktion weist zahlreiche Neuerungen auf.*
ausgeben AKK	*Der kleine Max hat sein ganzes Taschengeld ausgegeben.*
ausführen AKK	*Der Soldat hat den Befehl ausgeführt.*
ausfüllen AKK	*Muss ich dieses Formular ausfüllen?*
auslösen AKK	*Der Skifahrer hat eine Lawine ausgelöst.*

ausmachen AKK	*Hast du das Licht ausgemacht?*
ausweichen (DAT)	*Er ist (meiner Frage) ausgewichen.*
ausziehen (DAT) AKK	*Die Mutter zog (ihrem Sohn) die nassen Schuhe aus.*
beantworten (DAT) AKK	*Sie beantwortete (mir) keine Frage.*
bedürfen GEN	*Der Skandal bedarf einer völligen Aufklärung.*
begegnen DAT	*Mir ist auf der Straße niemand begegnet.*
beibringen DAT AKK	*Der Lehrer brachte den Schülern die Regeln bei.*
beichten (DAT) (AKK)	*Der Gläubige beichtete (dem Pfarrer) (seine Sünden).*
beitreten DAT	*Mit 19 Jahren trat er der Gewerkschaft bei.*
bereiten DAT AKK	*Meine Frau bereitete mir eine große Überraschung.*
berichten (DAT)	*Michael hat (uns) von seiner Reise berichtet.*
beschuldigen AKK (GEN)	*Der Richter beschuldigte den Angeklagten (des Betrugs).*
besorgen (DAT) AKK	*Besorgst du (mir) eine Zeitung?*
bestellen (DAT) AKK	*Der Vater bestellte (den Kindern) ein Eis.*
bevorstehen (DAT)	*Ein unangenehmes Gespräch stand (den Mitarbeitern) bevor.*
beweisen (DAT) AKK	*Der Chemiker bewies (den Kollegen) die Richtigkeit seiner These.*
bewilligen (DAT) AKK	*Der Chef bewilligte (der Assistentin) die Dienstreise.*
bieten (DAT) AKK	*Was für Sozialleistungen bietet (dir) deine Firma?*
borgen DAT AKK	*Borgst du ihm dein Fahrrad?*
braten (DAT) AKK	*Die Mutter hatte (dem Sohn) ein Steak gebraten.*
brauchen AKK	*Wir brauchen ein neues Auto.*
bringen (DAT) AKK	*Tom bringt (uns) noch heute das Geld.*
buchstabieren AKK	*Wie buchstabiert man dieses Wort?*
danken DAT	*Ich danke dir für deine Hilfe.*
darlegen (DAT) AKK	*Der Direktor legt (den Mitarbeitern) die neue Strategie dar.*
darstellen AKK	*Diese Grafik stellt die Entwicklung der letzten Jahre dar.*
dienen (DAT)	*Dieses Gerät dient (den Autofahrern) zur Navigation.*
drohen (DAT)	*Der Nachbar drohte (mir) mit einem Prozess.*
einfallen DAT	*Leider ist uns keine Lösung eingefallen.*
einkaufen (AKK)	*Sie hat schon (alle Sachen) fürs Wochenende eingekauft.*
einladen AKK	*Zum Geburtstag habe ich alle meine Freunde eingeladen.*
einpacken AKK	*Pack die Badehose ein!*
einreden DAT AKK	*Ich redete ihr Schuldgefühle ein.*
einstellen AKK	*Der Elektriker hat den Fernseher falsch eingestellt.*
empfangen AKK	*Die österreichischen Sender kann man bei uns nicht empfangen.*
empfehlen (DAT) AKK	*Hans hat (mir) dieses Hotel empfohlen.*
entfallen DAT	*Mir ist sein Name leider entfallen.*
entfernen AKK	*Diesen Fleck entfernt man mit Benzin.*
entgegenbringen DAT	*Der Polizist brachte uns großes Misstrauen entgegen.*
entgehen DAT AKK	*Meine Frau ist sehr neugierig, ihr entgeht nichts.*
enthalten AKK	*Diese Flasche enthält reinen Alkohol.*
sich enthalten (GEN)	*Drei Parlamentarier enthielten sich (der Stimme).*
entkommen (DAT)	*Der Dieb konnte (der Polizei) entkommen.*
entlassen AKK	*Die Firma entließ 2300 Arbeiter.*
entscheiden (AKK)	*Du musst (das) selbst entscheiden.*
entsprechen DAT	*Das neue Auto entspricht nicht unseren Erwartungen.*
erfinden AKK	*Wer hat das Telefon erfunden?*
ergänzen AKK	*Bitte ergänzen Sie folgende Sätze.*

erhalten AKK	*Wir haben deine Postkarte erhalten.*
erkennen AKK	*Mein alter Lehrer hat mich nicht mehr erkannt.*
erklären (DAT) AKK	*Kannst du (mir) die Spielregeln erklären?*
erlauben (DAT) AKK	*Sie erlaubte (mir) keine freche Bemerkung.*
erledigen AKK	*Eva hat ihre Arbeit schon erledigt.*
ermöglichen (DAT) AKK	*Dieses Instrument ermöglicht (uns) präzises Arbeiten.*
ernähren AKK	*Sie ernährt ihre Kinder zu fett.*
erreichen AKK	*Ich habe mein Ziel erreicht.*
erscheinen DAT	*Dir erscheint diese Aufgabc viellcicht als zu einfach.*
erschweren (DAT) AKK	*Der Lärm erschwert (mir) ein konzentriertes Arbeiten.*
erwähnen AKK	*Sie hat ihre Scheidung von Klaus nur kurz erwähnt.*
erzählen (DAT) AKK	*Soll ich (dir) einen Witz erzählen?*
erziehen AKK	*Meine Schwester hat ihre Kinder schlecht erzogen.*
fassen AKK	*Die Polizei konnte den Einbrecher nicht fassen.*
fehlen (DAT)	*Ein Band fehlt (mir) noch, dann ist die Enzyklopädie komplett.*
finden AKK	*Nach einer Stunde hatte sie den Schlüssel gefunden.*
folgen DAT	*Folgen Sie der schwarzen Limousine!*
fordern AKK	*Die Gewerkschaften forderten mehr Lohn.*
fragen (AKK)	*Habt ihr schon (meinen Onkel) gefragt?*
geben DAT AKK	*Er hat uns die Schokolade gegeben.*
geben AKK	*Es gibt keinen Wein in diesem Geschäft.*
gefallen DAT	*Wie gefällt dir mein neuer Haarschnitt?*
gefährden AKK	*Arbeiten gefährdet die Gesundheit!*
gehorchen (DAT)	*Der Hund gehorchte (meiner Mutter) überhaupt nicht.*
gehören DAT	*Wem gehört dieser Mantel?*
gelingen (DAT)	*Das Essen ist (ihr) leider nicht besonders gelungen.*
genügen (DAT)	*Genügt (dir) diese Riesenportion etwa nicht?*
gestehen (DAT) AKK	*Der Ehemann gestand (seiner Frau) die Affäre.*
gewinnen (AKK)	*Er hat (eine Million) im Lotto gewonnen.*
glauben (DAT) AKK	*Ich habe (deinem Bruder) die Geschichte nie geglaubt.*
glauben DAT (AKK)	*Ich habe deinem Bruder (die Geschichte) nie geglaubt.*
glücken (DAT)	*Beim dritten Mal ist (den Forschern) das Experiment geglückt.*
gratulieren (DAT)	*Der Geschäftsführer hat (mir) zu meiner Beförderung gratuliert.*
grüßen (AKK)	*Soll ich (deine Schwester) von dir grüßen?*
hassen AKK	*Meine Freundin hasst meinen Vater.*
heiraten (AKK)	*Er hat (sie) doch nicht geheiratet.*
helfen (DAT)	*Dein Rat hat (mir) sehr geholfen.*
herstellen AKK	*Diese Firma stellt Computer her.*
holen (DAT) AKK	*Holst du (mir) bitte eine Flasche Wein aus dem Keller?*
hören AKK	*Tut mir leid, aber ich höre dich nicht.*
imponieren DAT	*Sein Verhalten gegenüber dem Chef hat allen Kollegen imponiert.*
informieren AKK	*Du darfst nicht vergessen, unsere Freunde zu informieren.*
kaufen (DAT) AKK	*Kaufst du (mir) ein Eis?*
kennen AKK	*Ich kenne diesen Menschen nicht.*
klarmachen (DAT) AKK	*Ich habe (dem Chef) meine Bedingungen klargemacht.*
kritisieren AKK	*Petra hat ihren Freund hart kritisiert.*
leihen DAT AKK	*Soll ich dir das Geld leihen?*
lernen AKK	*Möchtest du meinen Bruder näher kennenlernen?*
lieben AKK	*Er liebte sein altes Auto.*
loben AKK	*Der Lehrer lobte seine Schüler viel zu selten.*
liefern (DAT) AKK	*Wann sollen wir (Ihnen) das Gerät liefern?*

missfallen DAT	*Das Theaterstück hat den Kritikern missfallen.*
misslingen (DAT)	*Das Fest ist (den Gastgebern) komplett misslungen.*
misstrauen DAT	*Seine Freundin misstraut ihm völlig zu Unrecht.*
missverstehen AKK	*Ich glaube, du hast ihn missverstanden.*
mitteilen (DAT) AKK	*Bitte teil (uns) noch deine genaue Ankunftszeit mit!*
nachlaufen DAT	*Boris läuft jedem hübschen Mädchen nach.*
nachschicken (DAT) AKK	*Würden Sie (mir) die Post nachschicken?*
nachtragen DAT AKK	*Er hat seiner Freundin ihren Flirt mit Ralf lange nachgetragen.*
sich nähern DAT	*Endlich näherten wir uns dem Reiseziel.*
nennen AKK AKK	*Stell dir vor, unser Nachbar nannte mich einen Idioten.*
notieren (DAT) AKK	*Soll ich (dir) die Adresse notieren?*
nützen (DAT)	*Worte allein nützen (mir) nichts.*
opfern (DAT) AKK	*Er opferte (seinem Hobby) seine gesamte Freizeit.*
passen (DAT)	*Nach dem Urlaub hat (ihm) keine Hose mehr gepasst.*
passieren DAT	*Ich hoffe, deinen Freunden ist nichts Schlimmes passiert.*
probieren (AKK)	*Möchtet ihr (den Saft) mal probieren?*
rauben (DAT) AKK	*Drei Jugendliche raubten (der alten Frau) 300 Euro.*
reichen DAT AKK	*Reichst du mir mal die Kartoffeln?*
reichen DAT	*Mir reichen deine dummen Bemerkungen!*
reizen AKK	*Drei Wochen Brasilien, das würde mich schon reizen.*
retten AKK	*Mutig rettete er die kleine Katze vor dem Ertrinken.*
rufen AKK	*Der Vater rief die Kinder zum Essen.*
sagen (DAT) AKK	*Sie sagt (ihrem Mann) nicht immer die Wahrheit.*
schaden DAT	*Mit deinem Benehmen schadest du dir nur selbst.*
schaffen AKK	*Wolfgang schaffte den Job einfach nicht.*
schenken (DAT) AKK	*Sie schenkte (ihrem Sohn) ein Buch.*
schlagen AKK	*Musst du deinen Bruder immer auf den Kopf schlagen?*
schmecken (DAT)	*Deine Suppe hat (uns allen) geschmeckt.*
schulden DAT AKK	*Hans schuldet mir noch eine Menge Geld.*
sehen AKK	*Karin sieht die Unordnung in ihrer Wohnung nicht.*
stören (AKK)	*Die Musik stört (uns) beim Schlafen.*
trauen DAT	*Anna traute diesem Kerl überhaupt nicht.*
treffen AKK	*Weißt du, wen ich heute zufällig beim Einkaufen traf?*
trösten AKK	*Manfred tröstete seine weinende Schwester.*
überholen (AKK)	*Karl überholte (den Fahrradfahrer).*
überraschen AKK	*Sie überraschten das Geburtstagskind mit einer Torte.*
überreden AKK	*Martina überredete den müden Jürgen zu einem Kinobesuch.*
überreichen (DAT) AKK	*Die Kinder überreichten (der Mutter) ein Geschenk.*
übertreffen AKK	*Dieser Erfolg übertraf alle Erwartungen.*
überzeugen AKK	*Dein Vorschlag hat mich überzeugt.*
umbauen (AKK)	*Die Müllers haben (ihr Haus) komplett umgebaut.*
unterbrechen (AKK)	*Entschuldigung, wenn ich (Sie) unterbreche.*
unterliegen (DAT)	*Der FC Bayern unterlag (den Gegnern) mit 1:2.*
unterstützen AKK	*Zum Glück unterstützen mich meine Eltern finanziell.*
verachten AKK	*Er verachtete sie wegen ihrer Boshaftigkeit.*
verbieten (DAT) AKK	*Der Chef hat (seinen Mitarbeitern) private Telefonate verboten.*
verdächtigen AKK (GEN)	*Die Behörden verdächtigten ihn (der Steuerhinterziehung).*
verfolgen AKK	*Die Polizei verfolgt die flüchtigen Bankräuber.*

verlangen AKK	*Die Banken verlangen die sofortige Rückzahlung der Schulden.*
vermeiden AKK	*In seinem neuen Job versuchte er, alle Fehler zu vermeiden.*
verraten (DAT) AKK	*Ich verrate (dir) ein großes Geheimnis.*
verteidigen AKK	*Der Anwalt hat seinen Mandanten geschickt verteidigt.*
vertrauen DAT	*Du kannst ihm absolut vertrauen.*
verzeihen DAT (AKK)	*Verzeihst du mir (meine Ungeduld)?*
vorbereiten AKK	*Er bereitete das Abendessen vor.*
vorschlagen (DAT) AKK	*Nicola schlug (ihren Eltern) eine Reise nach Neapel vor.*
vorstellen (DAT) AKK	*Martha stellte (mir) gestern ihre ganze Familie vor.*
vorwerfen DAT AKK	*Franz warf seiner Freundin mangelnde Zärtlichkeit vor.*
wahrnehmen AKK	*Gestern auf der Party hat er mich überhaupt nicht wahrgenommen.*
wehtun DAT	*Der kleine Axel hat seinem Freund beim Spielen wehgetan.*
widersprechen (DAT)	*Du sollst (deiner Mutter) nicht immer widersprechen!*
wiederholen AKK	*Ihr müsst diese Übung wiederholen.*
winken (DAT)	*Die Kinder winkten (mir) zum Abschied.*
wissen AKK	*Wisst ihr den Weg dorthin?*
zeigen (DAT) AKK	*Gerd zeigte (mir) gestern sein neues Haus.*
zuhören (DAT)	*Kannst du (ihm) nicht einmal zuhören, wenn er etwas sagt?*
zulächeln DAT	*Schau mal, wie nett sie dir zulächelt!*
zumachen AKK	*Bitte mach das Fenster zu!*
zureden DAT	*Du musst ihm gut zureden, dann kommt er schon mit.*
zurückzahlen (DAT) AKK	*Ich werde (der Bank) meine Schulden zurückzahlen.*
zusagen (DAT)	*Max kommt auf unser Fest, gerade eben hat er (mir) zugesagt.*
zuschauen (DAT)	*Wir schauten (den Kindern) beim Spielen zu.*
zusenden (DAT) AKK	*Bis wann können Sie (uns) den Katalog zusenden?*
zustimmen (DAT)	*Stimmen Sie (meinem Vorschlag) zu?*
zutrauen DAT AKK	*Er traute seinem Sohn nicht das Geringste zu.*
zuvorkommen DAT	*Ein anderer wollte den Wagen kaufen, doch ich kam ihm zuvor.*
zwingen AKK	*Du kannst ein Kind nicht zwingen, Spinat zu essen.*

Verben mit den Vorsilben *be-* und *zer-* haben fast immer eine Akkusativ-Ergänzung:

betreten AKK	*Sie betraten das Zimmer.*
zerstören AKK	*Die Soldaten zerstörten die Stadt.*

A5 NOMEN-VERB-VERBINDUNGEN

Nomen-Verb-Verbindung	„einfaches" Verb / Bedeutung
einen Vertrag abschließen	unterschreiben
ein Thema anschneiden	über etwas zu sprechen beginnen
die Hoffnung aufgeben	keine Hoffnung mehr haben
einen Beruf ausüben	beruflich machen
einen Irrtum begehen	sich irren
eine Straftat begehen	etwas Illegales tun
eine Enttäuschung bereiten	enttäuschen
Freude bereiten	erfreuen
zum Abschluss bringen	abschließen
zum Ausdruck bringen	ausdrücken
in Bewegung bringen	bewegen
zu Ende bringen	beenden
vor Gericht bringen	verklagen
unter Kontrolle bringen	kontrollieren
in Ordnung bringen	ordnen
in Schwierigkeiten bringen	schwer machen
zur Sprache bringen	ansprechen
zum Stehen bringen	anhalten
in Verlegenheit bringen	verlegen machen
zur Verzweiflung bringen	aufregen
Ärger einbringen	Ärger verursachen
Gewinn einbringen	Gewinn verursachen
eine Pflicht erfüllen	etwas tun, was man tun soll
Protest erheben	protestieren
den/einen Vorwurf erheben	vorwerfen
eine Niederlage erleiden	scheitern
Auskunft erteilen	informieren
zur Last fallen	lästig werden
in Ohnmacht fallen	ohnmächtig werden
zum Opfer fallen	zum Opfer werden
eine Entscheidung fällen	entscheiden
ein Urteil fällen	urteilen
den/einen Beschluss fassen	beschließen
den/einen Entschluss fassen	sich entschließen
Anerkennung finden	anerkannt werden
Anwendung finden	angewendet werden
Beachtung finden	beachtet werden
Gefallen finden an + DAT	gefallen
Interesse finden an + DAT	sich interessieren
eine Lösung finden	lösen können
Unterstützung finden	unterstützt werden
Verständnis finden	verstanden werden
Zustimmung finden	zugestimmt werden
eine Ehe führen	verheiratet sein
zu Ende führen	beenden
ein Gespräch führen	besprechen

einen Kampf führen	kämpfen
eine Antwort geben	beantworten
einen Auftrag geben	beauftragen
in Auftrag geben	herstellen lassen
das Einverständnis geben zu + DAT	einverstanden sein
die Erlaubnis geben	erlauben
eine Garantie geben	garantieren
Gelegenheit geben zu + DAT	ermöglichen
einen Hinweis geben (auf + AKK)	hinweisen
sich Mühe geben (mit + DAT)	sich bemühen
einen Rat geben	raten
den Vorzug geben (vor + DAT)	vorziehen
zu Ende gehen	enden
in Erfüllung gehen	sich erfüllen
vor Gericht gehen	klagen
auf die Nerven gehen	lästig werden
zur Vernunft gelangen	vernünftig werden
in Abhängigkeit geraten (von + DAT)	abhängig werden
in Gefahr geraten	gefährdet sein
in Schwierigkeiten geraten	in eine schwierige Lage kommen
in Vergessenheit geraten	vergessen werden
in Verlegenheit geraten	verlegen werden
in Wut geraten	wütend werden
eine/die Absicht haben	beabsichtigen
eine Ahnung haben	ahnen
Angst haben	sich fürchten
Auswirkungen haben (auf + AKK)	sich auswirken
Einfluss haben	beeinflussen
zur Folge haben	bewirken
Hoffnung haben	hoffen
Interesse haben	sich interessieren
ein Recht haben auf + AKK	berechtigt sein
den Verdacht haben	verdächtigen
Abstand halten	sich entfernt halten
in Ordnung halten	sich kümmern
eine Rede halten	reden
ein Referat halten	referieren
ein Versprechen halten	Versprochenes tun
zum Abschluss kommen	abgeschlossen werden
zur Abstimmung kommen	abgestimmt werden
zum Ausdruck kommen	ausgedrückt werden
zu Bewusstsein kommen	bewusst werden
zur Einsicht kommen	einsehen
zu einer Entscheidung kommen	entscheiden
in Fahrt kommen	schneller werden
in Frage kommen	relevant sein
in Gang kommen	lebendig werden
zu Hilfe kommen	helfen
zu Ohren kommen	hören
zur Ruhe kommen	ruhig werden
zu einem/dem Schluss kommen	schließen

A5   NOMEN-VERB-VERBINDUNGEN

zur Sprache kommen	besprochen werden
zustande kommen	herauskommen
zu Wort kommen	reden können
außer Acht lassen	nicht berücksichtigen
in Ruhe lassen	nicht stören
im Stich lassen	in der Not allein lassen
einen Beitrag leisten (zu + DAT)	beitragen
Gesellschaft leisten	begleiten
Hilfe leisten	helfen
Widerstand leisten (gegen + AKK)	aktiv opponieren
die Aufmerksamkeit lenken auf + AKK	machen, dass andere etwas beachten
zugrunde liegen	der Grund sein
auf der Hand liegen	klar sein
im Sterben liegen	bald sterben
im Streit liegen (mit + DAT)	zerstritten sein
eine Andeutung machen	andeuten
Examen machen	fertig studieren
Gebrauch machen von + DAT	gebrauchen
sich Gedanken machen (über + AKK)	nachdenken
einen/den Vorschlag machen	vorschlagen
einen/den Vorwurf machen	vorwerfen
Abschied nehmen (von + DAT)	sich verabschieden
in Angriff nehmen	etwas Schwieriges beginnen
zum Anlass nehmen	veranlasst werden
Anstoß nehmen an + DAT	sich empören
sich in Acht nehmen	aufpassen
in Anspruch nehmen	beanspruchen
in Betrieb nehmen	eine Anlage starten
Einfluss nehmen (auf + AKK)	beeinflussen
in Empfang nehmen	empfangen
in Kauf nehmen	Nachteiliges akzeptieren
Notiz nehmen von + DAT	beachten
Rücksicht nehmen (auf + AKK)	rücksichtsvoll sein
in Schutz nehmen	vor Kritik schützen
Stellung nehmen (zu + DAT)	sich äußern
Frieden schließen (mit + DAT)	sich wieder verstehen
einen Kompromiss schließen	sich einigen
einen Vertrag schließen (mit + DAT)	einen Vertrag unterschreiben
außer Atem sein	erschöpft sein
der Auffassung sein	meinen
von Bedeutung sein (für + AKK)	bedeutend sein
im Begriff sein	gleich beginnen
zu Besuch sein	besuchen
in Betrieb sein	laufen (Anlage)
im Einsatz sein	eingesetzt sein
am Ende sein	keine Kraft mehr haben
zu Ende sein	vorüber sein
in Gefahr sein	gefährdet sein

in Kraft sein	gelten
in der Lage sein	die Möglichkeit haben
auf dem Laufenden sein	informiert sein
der Meinung sein	meinen
in Ordnung sein	funktionieren
im Recht sein	Recht haben (juristisch)
imstande sein	fähig sein
in Stimmung sein	gelaunt sein
(sich) in Bewegung setzen	bewegen
unter Druck setzen	beanspruchen (Person)
in Gang setzen	starten
in Kenntnis setzen	informieren
außer Kraft setzen	abschaffen
aufs Spiel setzen	riskieren
sich in Verbindung setzen mit + DAT	kontaktieren
Vertrauen setzen in + AKK	vertrauen
sich zur Wehr setzen (gegen + AKK)	sich wehren
sich zum Ziel setzen	anstreben
eine Rolle spielen	relevant sein
vor dem Abschluss stehen	bald abgeschlossen werden
zur Debatte stehen	diskutiert werden sollen
unter Druck stehen	beansprucht sein (Person)
infrage stehen	bezweifelt werden
im Gegensatz stehen zu + DAT	entgegengesetzt sein
in Konkurrenz stehen (zu + DAT)	konkurrieren
unter Strafe stehen	bestraft werden
zur Verfügung stehen	gebraucht werden können
in Verhandlung(en) stehen (mit + DAT)	verhandeln
zum Verkauf stehen	verkauft werden sollen
zur Wahl stehen	gewählt werden können
in Widerspruch stehen zu + DAT	widersprechen
in Zusammenhang stehen (mit + DAT)	zusammenhängen
außer Zweifel stehen	bezweifelt werden
Anforderungen stellen (an + AKK)	erwarten
einen Anspruch stellen (an + AKK)	beanspruchen
einen Antrag stellen	beantragen
in Aussicht stellen	versprechen
eine Bedingung stellen	verlangen
zur Diskussion stellen	ansprechen
eine Forderung stellen	fordern
eine Frage stellen	fragen
infrage stellen	anzweifeln
auf die Probe stellen	testen (Person)
zur Verfügung stellen	zum Gebrauch anbieten
auf Ablehnung stoßen	abgelehnt werden
auf Kritik stoßen	kritisiert werden
eine Absprache treffen (mit + DAT)	absprechen
eine Auswahl treffen	auswählen
eine Entscheidung treffen	entscheiden
Maßnahmen treffen	handeln
eine Vereinbarung treffen (mit + DAT)	vereinbaren

Vorbereitungen treffen	vorbereiten
in Aktion treten	aktiv werden
in Kraft treten	gültig werden
in Streik treten	zu streiken beginnen
Kritik üben (an + DAT)	kritisieren
Anstrengungen unternehmen	sich anstrengen
in Angst versetzen	Angst machen
in Aufregung versetzen	aufregen
in Erstaunen versetzen	erstaunen
eine Ansicht vertreten	meinen
eine Meinung vertreten	meinen
einen Standpunkt vertreten	meinen
eine Überzeugung vertreten	überzeugt sein
in Erwägung ziehen	erwägen
die Konsequenzen ziehen (aus + DAT)	lernen
zur Rechenschaft ziehen	verantwortlich machen
den Schluss ziehen (aus + DAT)	schließen
zur Verantwortung ziehen	verantwortlich machen

Liste nach Präpositionen

Verben mit Präpositionen + Dativ

aus	*woher jemand/etwas kommt*	von	*Thema*
	bestehen aus		berichten von
	entstehen aus		handeln von
	übersetzen aus		sprechen von
			träumen von
			erwarten von
bei	*Person/Institution, bei der man*		fordern von
	etwas macht		leben von
	anrufen bei		überzeugen von
	arbeiten bei		verlangen von
	sich bedanken bei (für)		abhängen von
	sich beklagen bei (über)		sich befreien von
	sich beschweren bei (über)		sich erholen von
	sich entschuldigen bei (für)		sich ernähren von
	sich erkundigen bei (nach)		
	sich informieren bei (über)	vor	*„Gefahr"*
			sich ekeln vor
mit	*Partner*		erschrecken vor
	sich einigen mit (auf)		fliehen vor
	handeln mit		sich fürchten vor
	kämpfen mit (um)		verheimlichen vor
	schimpfen mit (auf)		warnen vor
	spielen mit (um)		
	sprechen mit (über)	zu	*Ziel*
	streiten mit (um)		auffordern zu
	telefonieren mit		befördern zu
	sich vertragen mit		beglückwünschen zu
			bringen zu
	Beginn/Ende einer Handlung		sich eignen zu
	anfangen mit		einladen zu
	aufhören mit		sich entschließen zu
	sich beeilen mit		ernennen zu
	beginnen mit		erziehen zu
	warten mit (auf)		gehören zu
	zögern mit		gratulieren zu
			passen zu
nach	sich erkundigen nach		überreden zu
	fragen nach		wählen zu
	riechen nach		werden zu
	schmecken nach		
	sich sehnen nach		
	suchen nach		
unter	*unangenehmer Zustand*		
	leiden unter		

ANHANG

A6 VERBEN MIT PRÄPOSITIONEN

Verben mit Präpositionen + Akkusativ

auf   *„Gefahr"*
achten auf
ankommen auf (Es kommt darauf an.)
antworten auf
aufpassen auf
sich konzentrieren auf
schießen auf
schimpfen auf
zielen auf

Bezug auf etwas Zukünftiges
sich einigen auf (mit)
sich freuen auf
hoffen auf
sich vorbereiten auf
warten auf (mit)

für   danken für
sich bedanken für
sich eignen für
sich entscheiden für
sich entschuldigen für
sich interessieren für
kämpfen für
sorgen für
stimmen für
werben für

gegen   sich entscheiden gegen
kämpfen gegen
protestieren gegen
stimmen gegen
verstoßen gegen
(sich) verteidigen gegen
sich wehren gegen

über   *Bezug auf etwas Gegenwärtiges*
sich ärgern über
sich aufregen über
sich beklagen über
berichten über
sich beschweren über
sich freuen über
herrschen über

sich informieren über
lachen über
nachdenken über
regieren über
siegen über
sprechen über
verfügen über
sich wundern über

um   *Zugriff auf ein Objekt*
sich ängstigen um
sich bemühen um
sich bewerben um
bitten um
kämpfen um
sich kümmern um
sich sorgen um
spielen um
streiten um
wetten um

Zugriff auf ein Thema
es geht um
es handelt sich um

Verben mit Präpositionen + Akkusativ
oder Dativ

an   *+ Akkusativ: Kontakt*
sich erinnern an
denken an
sich gewöhnen an
glauben an
schicken an
schreiben an

+ Dativ
etwas ändern an
arbeiten an
leiden an
sterben an
teilnehmen an
zweifeln an

in	+ *Akkusativ: Transformation in einen neuen Zustand*
	geraten in
	übersetzen in
	sich verlieben in
	sich verwandeln in
	+ *Dativ*
	bestehen in (Das Problem besteht darin, dass ...)

Verben mit Gleichsetzungskasus

als	*Feststellung einer Identität*
	+ *Nominativ*
	arbeiten als
	gelten als
	+ *Akkusativ*
	ansehen als
	bezeichnen als

Einige Verben können auch mit verschiedenen Präpositionen verwendet werden:
Herr Mayr arbeitet bei der Firma Consens.
Freiberuflich arbeitet er auch für eine Unternehmensberatung.
Heute muss ich noch an meiner Dissertation arbeiten.

A7 VERBEN MIT PRÄPOSITIONEN

Alphabetische Liste

abhängen von + DAT
achten auf + AKK
etwas ändern an + DAT
anfangen mit + DAT
sich ängstigen um + AKK
ankommen auf + AKK (*Es kommt darauf an.*)
anrufen bei + DAT
ansehen als + AKK
antworten auf + AKK
arbeiten als + NOM
arbeiten an + DAT
arbeiten bei + DAT
sich ärgern über + AKK
auffordern zu + DAT
aufhören mit + DAT
aufpassen auf + AKK
sich aufregen über + AKK
sich bedanken bei + DAT
sich bedanken für + AKK
sich beeilen mit + DAT
befördern zu + DAT
sich befreien von + DAT
beginnen mit + DAT
beglückwünschen zu + DAT
sich beklagen bei + DAT
sich beklagen über + AKK
sich bemühen um + AKK
berichten über + AKK

berichten von + DAT
sich beschweren bei + DAT
sich beschweren über + AKK
bestehen aus + DAT
bestehen in (*Das Problem besteht darin, dass ...*)
sich bewerben um + AKK
bezeichnen als + AKK
bitten um + AKK
bringen zu + DAT
danken für + AKK
denken an + AKK
sich eignen für + AKK
sich eignen zu + DAT
sich einigen auf + AKK
sich einigen mit + DAT
einladen zu + DAT
sich ekeln vor + DAT
sich entscheiden für + AKK
sich entscheiden gegen + AKK
sich entschließen zu + DAT
sich entschuldigen bei + DAT
sich entschuldigen für + AKK
entstehen aus + DAT
sich erholen von + DAT
sich erinnern an + AKK
sich erkundigen bei + DAT
sich erkundigen nach + DAT
sich ernähren von + DAT

ernennen zu + DAT

erschrecken vor + DAT

erwarten von + DAT

erziehen zu + DAT

fliehen vor + DAT

fordern von + DAT

fragen nach + DAT

sich freuen auf + AKK

sich freuen über + AKK

sich fürchten vor + DAT

gehören zu + DAT

es geht um + AKK

gelten als + NOM

geraten in + AKK

sich gewöhnen an + AKK

glauben an + AKK

gratulieren zu + DAT

handeln mit + DAT

handeln von + DAT

es handelt sich um + AKK

herrschen über + AKK

sich informieren bei + DAT

sich informieren über + AKK

sich interessieren für + AKK

kämpfen für + AKK

kämpfen gegen + AKK

kämpfen mit + DAT

kämpfen um + AKK

sich konzentrieren auf + AKK

sich kümmern um + AKK

lachen über + AKK

leben von + DAT

leiden an + DAT

leiden unter + DAT

nachdenken über + AKK

passen zu + DAT

protestieren gegen + AKK

regieren über + AKK

riechen nach + DAT

schicken an + AKK

schießen auf + AKK

schimpfen auf + AKK

schimpfen mit + DAT

schimpfen über + AKK

schmecken nach + DAT

schreiben an + AKK

sich sehnen nach + DAT

siegen über + AKK

sorgen für + AKK

sich sorgen um + AKK

spielen mit + DAT

spielen um + AKK

sprechen mit + DAT

sprechen über + AKK

sprechen von + DAT

sterben an + DAT

stimmen für + AKK

stimmen gegen + AKK

streiten mit + DAT

streiten um + AKK

suchen nach + DAT

teilnehmen an + DAT

telefonieren mit + DAT

träumen von + DAT

überreden zu + DAT

übersetzen aus + DAT

übersetzen in + AKK

überzeugen von + DAT

unterscheiden zwischen + DAT

sich unterscheiden durch + AKK

sich unterscheiden in + DAT

verfügen über + AKK

verheimlichen vor + DAT

verlangen von + DAT

sich verlieben in + AKK

verstoßen gegen + AKK

(sich) verteidigen gegen + AKK

sich vertragen mit + DAT

sich verwandeln in + AKK

sich vorbereiten auf + AKK

wählen zu + DAT

warnen vor + DAT

warten auf + AKK

warten mit + DAT

sich wehren gegen + AKK

werben für + AKK

werden zu + DAT

wetten um + AKK

sich wundern über + AKK

zielen auf + AKK

zögern mit + DAT

zweifeln an + DAT

Liste nach Präpositionen

Adjektive mit Präpositionen + Dativ

an	arm/reich	*Milch ist reich an Mineralstoffen.*
	beteiligt	*Angestellte sind manchmal am Gewinn beteiligt.*
	interessiert	*Lisa ist vor allem an Sicherheit interessiert.*
	schuld/unschuldig	*Norbert ist schuld daran, dass wir uns verspätet haben.*
bei	angesehen	*Heiner ist bei seiner neuen Firma sehr angesehen.*
	(un)bekannt	*Der Schauspieler war bei Jung und Alt bekannt.*
	(un)beliebt	*Frau May ist bei allen Nachbarn sehr beliebt.*
gegenüber[1]	aufgeschlossen	*Sie ist neuen Ideen gegenüber immer sehr aufgeschlossen.*
	zurückhaltend	*Gegenüber Fremden ist Mariechen sehr zurückhaltend.*
		[1] *gegenüber* kann vor und nach dem Nomen stehen
in	gut	*Henry ist gut in Mathe.*
	(un)erfahren	*Herr Brand ist jung und deshalb noch etwas unerfahren in seinem Beruf.*
	nachlässig	*Thomas ist im Haushalt schrecklich nachlässig.*
	tüchtig	*Seine Frau soll in ihrem Beruf sehr tüchtig sein.*
mit	befreundet	*Wolfgang ist schon seit drei Jahren mit Helene befreundet.*
	beschäftigt	*Er ist seit zwei Stunden damit beschäftigt, den Wasserhahn zu reparieren.*
	einverstanden	*Mit euren Urlaubsplänen bin ich einverstanden.*
	fertig	*Gott sei Dank bin ich mit dieser Arbeit endlich fertig.*
	verheiratet	*Julia ist seit fünf Jahren mit Moritz verheiratet.*
	verwandt	*Die Leiterin der Bayreuther Festspiele ist mit Richard Wagner verwandt.*
	(un)zufrieden	*Hermann ist sehr zufrieden mit seinem neuen Rennrad.*
nach	verrückt	*Franz ist ganz verrückt nach alten James-Bond-Filmen.*
von	(un)abhängig	*Max ist schon seit langem nicht mehr von seinen Eltern abhängig.*
	begeistert	*Der Chef war begeistert von unserer neuen Idee.*
	entfernt	*Die Insel Rügen ist ungefähr 80 km von Rostock entfernt.*
	enttäuscht	*Von seinem letzten Roman war ich sehr enttäuscht.*
	frei	*Unsere Bio-Produkte sind frei von Zusatzstoffen.*
	müde	*Ich bin von der langen Bergtour richtig müde.*
	überzeugt	*Alle waren von seiner Unschuld überzeugt.*
	voll	*Nach dem letzten Urlaub waren wir voll von neuen Eindrücken.*
vor	blass	*Julia war blass vor Schreck.*
	rot/grün	*Schau mal, Corinna ist richtig rot vor Wut.*
	stumm	*Als Bernd den Bären sah, war er vor Angst ganz stumm.*

A8 ADJEKTIVE MIT PRÄPOSITIONEN

zu	bereit	Ich habe beste Laune und bin wirklich zu jedem Unsinn bereit.
	entschlossen	Robert sieht so aus, als wäre er zu allem entschlossen.
	(un)fähig	Er ist so wütend, im Moment ist er zu allem fähig.
	(un)freundlich	Vielen Dank, Sie waren sehr freundlich zu mir.
	gut	Oma Braun ist gut zu allen ihren Enkeln.
	nett	Kinder, gleich besucht uns der Hausbesitzer! Seid bitte nett zu ihm!

Adjektive mit Präpositionen + Akkusativ

an	adressiert	Der Brief ist an Sie persönlich adressiert.
	gewöhnt	Claudia ist noch nicht an das hiesige Klima gewöhnt.

auf	ärgerlich	Obelix war sehr ärgerlich auf seinen Freund Asterix.
	angewiesen	Seit zwei Jahren ist Frau Steffens auf fremde Hilfe angewiesen.
	böse	Paulchen ist sehr böse auf seinen Vater.
	eifersüchtig	Agnes war früher unheimlich eifersüchtig auf die Freundin von Peter.
	gespannt	Ich bin sehr gespannt auf deine neue Wohnung.
	neidisch	Herr Moor ist neidisch auf die schönen Rosen seines Nachbarn.
	neugierig	Ich bin neugierig auf sein Gesicht, wenn er dieses Auto sieht.
	stolz	Auf ihr neues Pferd war Annette schrecklich stolz.
	wütend	Du Idiot! Wie kannst du das sagen? Ich bin wirklich wütend auf dich!

für	(un)angenehm	Die Baustelle war sehr unangenehm für die Anwohner.
	bekannt	Max und Moritz sind für ihre dummen Streiche bekannt.
	bezeichnend	Für diesen Maler sind die klaren Farben bezeichnend.
	charakteristisch	Dieses alberne Benehmen ist für sie sehr charakteristisch.
	dankbar	Ich bin dir sehr dankbar für den Tipp.
	entscheidend	Dieser Hinweis war entscheidend für das weitere Vorgehen der Polizei.
	(un)geeignet	Wenn Sie Rückenprobleme haben, ist dieser Stuhl ungeeignet für Sie.
	nützlich	Diese Bestätigung kann sehr nützlich für Sie sein.
	offen	Für solche Verbesserungsvorschläge ist der Chef doch immer offen.
	(un)schädlich	Zu große Hitze ist schädlich für die Pflanzen.
	schmerzlich	Der Verlust ihres Bruders war sehr schmerzlich für Eva.
	verantwortlich	Wir warten jetzt schon 20 Minuten! Wer ist hier für den Service verantwortlich?
	wichtig	Dieser Auftrag ist sehr wichtig für uns.

gegen	(un)empfindlich	*Dieses Medikament macht Sie unempfindlich gegen Schmerzen.*
	immun	*Seit der Impfung ist sie immun gegen Tbc.*
in	unterteilt	*Das Projekt ist in drei Phasen unterteilt.*
	verliebt	*Hast du das schon gewusst? Ulla ist jetzt in Jakob verliebt.*
über	ärgerlich/verärgert	*Über seine Verspätung war ich wirklich ärgerlich/verärgert.*
	beunruhigt	*Die Ärzte sind sehr beunruhigt über seinen Zustand.*
	entsetzt	*Ludwig war entsetzt über das Aussehen seines Vaters.*
	erfreut	*Willkommen! Wir sind sehr erfreut über Ihren Besuch.*
	erstaunt	*Ich bin etwas erstaunt über Ihren letzten Bericht.*
	froh	*Über seinen Besuch war Karin sehr froh.*
	(un)glücklich	*Anna war sehr glücklich über den Brief ihres Freundes.*
	traurig	*Über den Tod seines Großvaters war Lutz sehr traurig.*
	verwundert	*Franz ist so seltsam. Ich bin etwas verwundert über sein Benehmen.*
	wütend	*Karl war sehr wütend darüber, dass er das Essen versalzen hatte.*

Adjektive mit als + Gleichsetzungskasus

als	anerkannt	*Anna Wimschneider ist seit langem als Schriftstellerin anerkannt.*
	bekannt	*Ludwig ist bekannt als guter Geschichtenerzähler.*

A9 ADJEKTIVE MIT PRÄPOSITIONEN

Alphabetische Liste

abhängig von + DAT	*Max ist schon seit langem nicht mehr von seinen Eltern abhängig.*
adressiert an + AKK	*Der Brief ist an Sie persönlich adressiert.*
anerkannt als + GLEICHSETZUNGS-KASUS	*Anna Wimschneider ist seit langem als Schriftstellerin anerkannt.*
angenehm für + AKK	*Die Baustelle war nicht sehr angenehm für die Anwohner.*
angesehen bei + DAT	*Heiner ist bei seiner neuen Firma sehr angesehen.*
angewiesen auf + AKK	*Seit zwei Jahren ist Frau Steffens auf fremde Hilfe angewiesen.*
ärgerlich auf + AKK	*Obelix war sehr ärgerlich auf seinen Freund Asterix.*
ärgerlich über + AKK	*Über seine Verspätung war ich wirklich ärgerlich.*
arm an + DAT	*Die meisten europäischen Länder sind arm an Rohstoffen.*
aufgeschlossen gegenüber + DAT	*Sie ist neuen Ideen gegenüber immer sehr aufgeschlossen. / Sie ist gegenüber neuen Ideen …*
befreundet mit + DAT	*Wolfgang ist schon seit drei Jahren mit Helene befreundet.*
begeistert von + DAT	*Der Chef war begeistert von unserer neuen Idee.*

bekannt als + GLEICHSETZUNGSKASUS	*Ludwig ist bekannt als guter Geschichtenerzähler.*
bekannt bei + DAT	*Der Schauspieler war bei Jung und Alt bekannt.*
bekannt für + AKK	*Max und Moritz sind für ihre dummen Streiche bekannt.*
beliebt bei + DAT	*Frau May ist bei allen Nachbarn sehr beliebt.*
bereit zu + DAT	*Ich habe beste Laune und bin wirklich zu jedem Unsinn bereit.*
beschäftigt mit + DAT	*Er ist seit zwei Stunden damit beschäftigt, den Wasserhahn zu reparieren.*
beteiligt an + DAT	*Angestellte sind manchmal am Gewinn beteiligt.*
beunruhigt über + AKK	*Die Ärzte sind sehr beunruhigt über seinen Zustand.*
bezeichnend für + AKK	*Für diesen Maler sind die klaren Farben bezeichnend.*
blass vor + DAT	*Julia war blass vor Schreck.*
böse auf + AKK	*Paulchen ist sehr böse auf seinen Vater.*
charakteristisch für + AKK	*Dieses alberne Benehmen ist für sie sehr charakteristisch.*
dankbar für + AKK	*Ich bin dir sehr dankbar für den Tipp.*
eifersüchtig auf + AKK	*Agnes war früher unheimlich eifersüchtig auf die Freundin von Peter.*
einverstanden mit + DAT	*Mit euren Urlaubsplänen bin ich einverstanden.*
empfindlich gegen + AKK	*Durch eine seltene Krankheit ist er sehr empfindlich gegen Hitze.*
entfernt von + DAT	*Die Insel Rügen ist ungefähr 80 km von Rostock entfernt.*
entscheidend für + AKK	*Dieser Hinweis war entscheidend für das weitere Vorgehen der Polizei.*
entschlossen zu + DAT	*Robert sieht so aus, als wäre er zu allem entschlossen.*
entsetzt über + AKK	*Ludwig war entsetzt über das Aussehen seines Vaters.*
enttäuscht von + DAT	*Von seinem letzten Roman war ich sehr enttäuscht.*
erfahren in + DAT	*Herr Gosch ist schon älter und deshalb sehr erfahren in seinem Beruf.*
erfreut über + AKK	*Willkommen! Wir sind sehr erfreut über Ihren Besuch.*
erstaunt über + AKK	*Ich bin etwas erstaunt über Ihren letzten Bericht.*
fähig zu + DAT	*Er ist so wütend, im Moment ist er zu allem fähig.*
fertig mit + DAT	*Gott sei Dank bin ich mit dieser Arbeit endlich fertig.*
frei von + DAT	*Unsere Bio-Produkte sind frei von Zusatzstoffen.*
freundlich zu + DAT	*Vielen Dank, Sie waren sehr freundlich zu mir.*
froh über + AKK	*Über seinen Besuch war Karin sehr froh.*
geeignet für + AKK	*Wenn Sie Rückenprobleme haben, ist dieser Stuhl für Sie nicht geeignet.*
gespannt auf + AKK	*Ich bin sehr gespannt auf deine neue Wohnung.*
gewöhnt an + AKK	*Claudia ist noch nicht an das hiesige Klima gewöhnt.*
glücklich über + AKK	*Anna war sehr glücklich über den Brief ihres Freundes.*
grün vor + DAT	*Schau mal, Nicole ist richtig grün vor Neid.*
gut in + DAT	*Henry ist gut in Mathe.*
gut zu + DAT	*Oma Braun ist gut zu allen ihren Enkeln.*
immun gegen + AKK	*Seit der Impfung ist sie immun gegen TBC.*
interessiert an + DAT	*Lisa ist vor allem an Sicherheit interessiert.*
müde von + DAT	*Ich bin von der langen Bergtour richtig müde.*
nachlässig in + DAT	*Thomas ist im Haushalt schrecklich nachlässig.*

neidisch auf + AKK	*Herr Moor ist neidisch auf die schönen Rosen seines Nachbarn.*
nett zu + DAT	*Kinder, gleich besucht uns der Hausbesitzer! Seid bitte nett zu ihm!*
neugierig auf + AKK	*Ich bin neugierig auf sein Gesicht, wenn er dieses Auto sieht.*
nützlich für + AKK	*Diese Bestätigung kann sehr nützlich für Sie sein.*
offen für + AKK	*Für solche Verbesserungsvorschläge ist der Chef doch immer offen.*
reich an + DAT	*Milch ist reich an Mineralstoffen.*
rot vor + DAT	*Schau mal, Corinna ist richtig rot vor Wut.*
schädlich für + AKK	*Zu große Hitze ist schädlich für die Pflanzen.*
schmerzlich für + AKK	*Der Verlust ihres Bruders war sehr schmerzlich für Eva.*
schuld an + DAT	*Norbert ist schuld an unserer Verspätung.*
stolz auf + AKK	*Auf ihr neues Pferd war Anette schrecklich stolz.*
stumm vor + DAT	*Als Bernd den Bären sah, war er vor Angst ganz stumm.*
traurig über + AKK	*Über den Tod seines Großvaters war Lutz sehr traurig.*
tüchtig in + DAT	*Seine Frau soll in ihrem Beruf sehr tüchtig sein.*
überzeugt von + DAT	*Alle waren von seiner Unschuld überzeugt.*
unabhängig von + DAT	*Max ist schon seit langem von seinen Eltern unabhängig.*
unangenehm für + AKK	*Die Baustelle war sehr unangenehm für die Anwohner.*
unbeliebt bei + DAT	*Herr Schmid ist bei allen Nachbarn sehr unbeliebt.*
unempfindlich gegen + AKK	*Dieses Medikament macht Sie unempfindlich gegen Schmerzen.*
unerfahren in + DAT	*Herr Brand ist jung und deshalb noch etwas unerfahren in seinem Beruf.*
unfreundlich zu + DAT	*In diesen Laden gehe ich nicht mehr. Die waren sehr unfreundlich zu mir.*
ungeeignet für + AKK	*Wenn Sie Rückenprobleme haben, ist dieser Stuhl ungeeignet für Sie.*
unglücklich über + AKK	*Helga und Richard waren sehr unglücklich über das Zeugnis ihrer Tochter.*
unschädlich für + AKK	*Dieses neue Pflanzenschutzmittel ist unschädlich für Insekten.*
unschuldig an + DAT	*Selbstverständlich bin ich unschuldig an diesem Chaos.*
unterteilt in + AKK	*Das Projekt ist in drei Phasen unterteilt.*
unzufrieden mit + DAT	*Mit seinem alten Fahrrad war er schon lange unzufrieden.*
verantwortlich für + AKK	*Wir warten jetzt schon 20 Minuten! Wer ist hier für den Service verantwortlich?*
verärgert über + AKK	*Über seine Verspätung war ich wirklich verärgert.*
verheiratet mit + DAT	*Julia ist seit fünf Jahren mit Moritz verheiratet.*
verliebt in + AKK	*Hast du das schon gewusst? Ulla ist jetzt in Jakob verliebt.*
verrückt nach + DAT	*Franz ist ganz verrückt nach alten James-Bond-Filmen.*
verwandt mit + DAT	*Die Leiterin der Bayreuther Festspiele ist mit Richard Wagner verwandt.*
verwundert über + AKK	*Franz ist so seltsam. Ich bin etwas verwundert über sein Benehmen.*
voll von + DAT	*Nach dem letzten Urlaub waren wir voll von neuen Eindrücken.*

ANHANG

wichtig für + AKK	Dieser Auftrag ist sehr wichtig für uns.
wütend auf + AKK	Du Idiot! Wie kannst du das sagen? Ich bin wirklich wütend auf dich!
wütend über + AKK	Karl war sehr wütend darüber, dass er das Essen versalzen hatte.
zufrieden mit + DAT	Hermann ist sehr zufrieden mit seinem neuen Rennrad.
zurückhaltend gegenüber + DAT	Gegenüber Fremden ist Mariechen sehr zurückhaltend. / Fremden gegenüber ist Mariechen ...

A10 KONNEKTOREN – PRÄPOSITIONEN

Bedeutung		Konnektoren		Präposition
		Nebensatz	Hauptsatz	
adversativ	Gegensatz	während wohingegen	dagegen demgegenüber	entgegen + DAT im Gegensatz zu + DAT
alternativ	mehrere Möglichkeiten	(an)statt	stattdessen entweder ... oder	statt + GEN
final	Ziel Zweck	damit um zu (+ Infinitiv)	dafür dazu zu diesem Zweck	zu + DAT für + AKK
kausal	Grund	da weil zumal	daher darum deshalb deswegen nämlich*	aufgrund + GEN wegen + GEN/DAT aus + DAT vor + DAT
konditional	Bedingung	wenn falls sofern wenn ... nicht	sonst / andernfalls	bei + DAT mit + DAT ohne + AKK
konsekutiv	Folge	sodass so, ... dass	infolgedessen folglich also daher darum deshalb deswegen	infolge + GEN infolge von + DAT
konzessiv	Gegensatz Widerspruch	obwohl obgleich obschon	dennoch trotzdem	trotz + GEN ungeachtet + GEN
modal	Art und Weise	indem dadurch, dass je ... desto/umso	auf diese Weise	mithilfe von + DAT mithilfe + GEN durch + AKK

temporal	Zeit, gleichzeitig	als		bei + DAT
				in + DAT
				mit + DAT
				an + DAT
		(immer) wenn		bei jedem
		sooft		
		während	währenddessen	während + GEN/DAT
		solange		
		bis		bis zu + DAT
		seit		seit + DAT
		seitdem		von + DAT ... an
	Zeit, nicht gleichzeitig	bevor/ehe	davor/vorher	vor + DAT
		nachdem	danach	nach + DAT
		sobald	anschließend	gleich nach + DAT

* Steht nur auf Position 3: *Er hat nämlich keine Stelle.*

ANHANG

REGISTER

Die Einträge im Register sind so aufgebaut: Zunächst das Wort / der Begriff in alphabetischer Reihenfolge, danach die Seitenzahlen der Fundstellen: Ableitung 20; 46. Bei drei oder mehr Fundstellen steht vor der Seitenzahl, in welchem Kontext der Begriff dort steht. Wenn das Stichwort und die Überschrift der Seite identisch sind, ist die Seitenzahl **fett** gedruckt.
Wörter, Silben etc. aus den Beispielen und Listen sind *kursiv* gedruckt, grammatische Begriffe und Begriffe aus den Erklärungen gerade.

ANHANG

235